日商簿記2級 光速マスターNEO

商業簿記 問題集

[第6版]

はしがき

簿記とは、取引を帳簿に記入するための技術です。簿記の力を身につけるためには、テキストを読んで理解するだけではなく、理解した技術を自らの手で実践することが重要です。

本書は、テキストである『日商簿記２級光速マスターNEO 商業簿記テキスト』で学んだことを、実際どのくらい理解しているかどうかを試し、確認していただくための問題集です。そして、本書を繰り返し解くことで、日商簿記検定２級の合格に必要な知識を効果的に身につけられるように工夫しています。

〈本書の特長〉

本書は、『日商簿記２級光速マスターNEO 商業簿記テキスト』に合わせて発刊したものです。

上記テキストの学習進度に合わせて問題を解いていくことで、より簡単に知識を定着させ、応用力を養成することができるようにしています。

これにより、日商簿記２級試験合格をよりスピーディーに引き寄せることを目的としています。

本書は、問題編を〈基本〉と〈応用〉に分け、さらにすべての問題の解答と詳細な解説を掲載した解答・解説編の３部で構成しています。

問題編

問題１から72までの72題を掲載しています。このうち、問題１から43までの43題を基本問題、問題44から72までの29題を応用問題と位置づけています。

基本：基礎的な力を養うための問題です。各問題に、『日商簿記２級光速マスターNEO 商業簿記テキスト』に対応した章、目標解答時間、解答・解説の掲載ページを示しています。

応用：本試験に対応していく力を養うための問題です。各問題に重要度、目標解答時間、解答・解説の掲載ページを示しています。

解答・解説編

問題１から72までの解答・解説を掲載しています。

◇

簿記の力は、就職、キャリアアップ、または独立開業など、社会のあらゆる場面で活かすことができます。身につけた力がこれほど直接役立つ資格はありません。

本書を活用していただき、みなさまが合格の栄冠を勝ちとられることを祈念しております。

2022年 4 月

株式会社東京リーガルマインド
ＬＥＣ総合研究所　日商簿記試験部

本書を使用するにあたって

1 学習を始める前に

簿記の学習は、次のものを準備して始めましょう。

準備するもの

鉛筆またはシャープペンシル、消しゴム、電卓

日商簿記検定は、自分で用意した電卓を持って受験します。また、鉛筆またはシャープペンシルを使って答案を作成します。ですから、普段の学習も必ずこれらを準備して行いましょう。

電卓は、日商簿記検定２級の受験に際しては、一般的に販売されているものを使っていただいてかまいません。手のひらくらいの大きさのものが、大きく使いやすいでしょう。

2 勉強の方法

本書は、『日商簿記２級光速マスターNEO 商業簿記テキスト』で得た知識を用いて演習を行う問題集です。テキストと問題集を効果的に使用して、簿記の力を身につけていきましょう。

1．問題編〈基本〉で基礎的な力を養いましょう。

学習方法

『日商簿記２級光速マスターNEO 商業簿記テキスト』では、日商簿記検定２級の合格のために必要な知識を解説しており、自分の学習ペースに合った10日・15日・20日を目安にした進度で学習できるように構成しています。本書の問題編〈基本〉に掲載した43題には、テキストに対応する章番号が示してあります。

１日目で『日商簿記２級光速マスターNEO 商業簿記テキスト』の第１章を学習したら、本書の問題編〈基本〉に掲載した問題のうち、「第１章」というマークのついたものを解きましょう。同じように、２日目で第２章を学習したら、

問題編〈基本〉の「第２章」の問題を解く、といった章ごとに対応した順序で学習を進めていきます。

学習の効果

理解と問題演習を並行した学習によって、十分な基礎力を獲得することができます。この基礎力が、より難易度の高い問題や、様々な論点を組み合わせた応用的な問題を解くための土台となります。

2. 問題編〈応用〉で本試験に対応していく力を養いましょう。

学習方法

『日商簿記２級光速マスターNEO 商業簿記テキスト』と本書の問題編〈基本〉を使っての学習を終えたら、問題編〈応用〉に掲載した問題を解いていきましょう。

学習の効果

問題編〈応用〉の問題は、日商簿記検定２級の出題形式に合わせて、仕訳問題、個別論点、決算整理、財務諸表、その他の５つの論点に分類してあります。さらに、重要度も示してあるため、本試験で合格点をとるための目安をつかむことができます。

3. 解答・解説編で復習し、何度も解き直しましょう。

学習方法

本書ではすべての問題に目標解答時間を示しています。しかし、初めて解くときはあまり時間にこだわる必要はありません。解答手順や計算方法をそのまま覚えてしまうのではなく、まずは、解説をよく読み、本質的な理解に努めましょう。また、テキストのどの項目から出題された問題かがわかるようにしてありますので、必要に応じてテキストに戻って丁寧に復習しましょう。

すべての問題を解き終えたら、もう一度解き直しましょう。解き直す際は、目標解答時間を意識して、時間内に解き終えることができるようにしてください。

学習の効果

簿記は技術です。技術を身につけるためには、知識を得るだけでなく、その知識を使って実践してみることが重要です。例えば、スノーボードが上手になるためには、スクールに行って習っただけではなかなかうまくいきません。自分で実際に練習することで上達していくのです。これと同じように、簿記の力も問題演習で練習を積むことによって身についていきます。

解答用紙のダウンロード・サービス

本書に直接書き込んでしまった方が解き直しの際に不都合を感じないように、解答用紙のダウンロード・サービスを提供しています。下記のURLにアクセスしてください。

アクセス方法

LECのインターネットホームページにアクセス
URL www.lec-jp.com/boki/book

↓

「書籍購入者専用ページ」の中の「日商簿記」から書籍名を選んでクリック

↓

ID入力画面で本書専用ID「BBDD」を入力し、後は画面の指示に従って登録してください

専用ID: BBDD 送信

↓

解答用紙のダウンロード・サービスがご利用できます

※2020年3月1日よりサービス開始予定

CONTENTS

問題編

解答・解説編

※A、B、Cは重要度を表しています。A重要度が特に高い　B重要度が高い　C余裕がある時に解く問題

本書の効果的活用法

■テキストと一緒に解こう！

問題編〈基本〉には、問題番号1～43の問題を掲載しています。
『光速マスターNEOテキスト』での学習と並行して解くことができます。

■学習後のチェック

すべての問題にチェック欄がついています。解き終わった問題にチェックを入れたり、理解できたときに日付を入れたりして利用しましょう。

■テキストと対応した構成

『光速マスターNEOテキスト』の何章の内容に対応した問題なのかがわかります。
『光速マスターNEOテキスト』と問題編〈基本〉を使って学習を行うことで、合格のための基礎力が身につきます。

●第1章　繰越利益剰余金

基本 2　目標 10分　解答・解説▶P157　check　テキスト第1章　1章

繰越利益剰余金

問題編〈基本〉

…引に基づき、繰越利益剰余金勘定と損益勘定に記入しなさい(決算…31日)。

…主総会において、剰余金の配当等につき以下のとおり決議した。
　利益準備金：各自推定
　配当金：¥700,000
　別途積立金：¥500,000
なお、このとき純資産の各勘定残高は以下のとおりであった。
　資本金 ¥10,000,000、資本準備金 ¥1,200,000、利益準備金 ¥1,250,000
3月31日　当期の決算整理後の諸費用および諸収益の総額はそれぞれ ¥5,200,000、¥6,400,000であった。これに基づき損益振替を行い、損益勘定の残高

■解答・解説頁

ここで解答・解説が本書の何ページに載っているのかを確認することができます。
解答・解説は、解答・解説編にまとめて掲載しています。

■解答時間の目安

目標解答時間を示しています。問題を解く際の目安にしてください。

■本試験対策をしよう！

問題編〈応用〉には、問題番号44～72の問題を掲載しています。
本試験レベルの問題に対応するための演習として解いていきましょう。

■論点ごとの構成

問題編〈応用〉には、5つの分野に分けて問題を掲載しています。
論点ごとに集中して問題を解くことで、より理解を深めることができます。

■出重要度

学習の重要度をA、B、Cで示しています。
重要度A→重要度が特に高い
重要度B→重要度が高い
重要度C→余裕がある時に解く問題
重要度が特に高いAが付された問題は、重点的に練習しましょう。

●仕訳問題1

応用 44　目標 20分　解答・解説▶P282　check　重要度A　仕訳問題

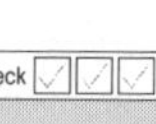

仕訳問題1

問題編〈応用〉

次の各取引について仕訳しなさい。ただし、各勘定科目は、各取引の下の勘定科…も最も適切なものを選び、記号で解答すること。

…する電子記録債権残高は1,250,000円、貸付金残高は1,600,000円で…記録債権については過去の貸倒実績率2％に基づき貸倒引当金を…、貸付金についてはその回収不能額を40％と見積もって貸倒引当…する。なお、貸倒引当金の決算整理前残高は10,500円であった。
ア．売掛金　イ．電子記録債権　ウ．貸付金　エ．貸倒引当金
オ．貸倒引当金戻入　カ．貸倒引当金繰入　キ．貸倒損失

2．長期利殖目的で保有するB株式(帳簿価額800,000円、時価1,000,000円)につ

■テキストと一緒に解こう！

問題ごとに、『光速マスターNEO テキスト』の何章からの出題なのかがわかります。テキストに戻ってじっくり復習したい場合に便利です。

解答・解説編

●第1章　繰越利益剰余金

基本　テキスト　第1章

2 繰越利益剰余金

解答

損　　益

(3/31)	(諸　費　用)	(5,200,000)	(3/31)	(諸　収　益)	(6,400,000)
		(1,200,000)			
		(6,400,000)			(6,400,000)

繰越利益剰余金

3/31	次期繰越	(1,450,000)
		(2,700,000)
		(2,700,000)

解説

ここがポイント！　繰越利益剰余金に関する問題です。当期中に、繰越利益剰余金の前期繰越高のうち一部を配当するなどしています。その後、当期末決算によって当期純利益が計上されます。当期純利益は、配当等を行った後の繰越利益剰余金の残額とともに、繰越利益剰余金として次期に繰越されることになります。

6/25　繰越利益剰余金の前期繰越高のうち ¥700,000を配当金として株主に支払い、¥500,000を別途積立金として積立てます。また、配当金の10

■問題の要点を確認できる

問題を解く時に注目すべき点や中心となっている論点を説明しています。出題者の意図をつかみ、解法のポイントを確認しましょう。

■解法の注意点がわかる

受験生が間違えやすいところや、わかりにくい部分を詳しく解説しています。解答を導く過程で特に重要な点や、見逃してはならない点を意識することで、解答のテクニックを身につけることができます。

ここに注意！

社債を発行している会社は利払日に、その日に社債を持っている者に利息を支払います。12/31の利払日に社債を持っているのは東京商会であるため、東京商会は新宿商事株式会社から６ヶ月分の利息 ¥73,000をもらえます。しかし、東京商会が社債を持っていなかった7/1～9/1の利息は、9/1に池袋商会に支払っています。

5．期限の到来した社債の利札は通貨代用証券であるため、現金として処理します。

$$6\text{ヶ月分の有価証券利息：}¥2,000,000\times7.3\%\times\frac{6\text{ヶ月}}{12\text{ヶ月}}=¥73,000$$

■関連事項を整理できる

問題で問われた論点と関わりのある内容をまとめています。関係した論点を合わせて復習することで、さらに理解を深めることができます。

復習しよう！

役務費用が発生したときの仕訳は、上記５および６の設問のように役務収益の発生とほぼ同時である場合には、「仕掛品」を経由させる必要性は乏しく、「役務原価」勘定にそのまま計上することになります。しかし、役務収益が発生する時点と比較的タイムラグがある場合には、役務提供の完了時に「役務原価」に計上し、それまでは「仕掛品」にいったん計上しておきます。

■解法の手順がわかる

特に解法に注意したい問題は、解答を導くまでの手順をわかりやすく示しました。簿記全体の流れを把握し、ひとつひとつの処理の意味を理解して解くことができるようになります。

〔問１〕

(1)　親会社と子会社の個別財務諸表の金額を合算し、(2)以下の連結修正仕訳を加味すると解答の連結損益計算書および連結貸借対照表の金額になります。

STEP 1　資本連結

1．開始仕訳

支配獲得時の投資と資本の相殺消去と×２年度および×３年度の連結修正仕訳は開始仕訳として引継がれます。

(借)	資本金当期首残高	400,000	(貸) S　社　株　式	450,000
	資本剰余金当期首残高	100,000	非支配株主持分当期首残高	152,500
	利益剰余金当期首残高	75,500		
	の　れ　ん	27,000		

日商簿記２級 検定ガイド

「ネット試験（CBT方式）」導入でますます受験しやすい検定試験に!!

日商簿記２級検定試験は、高校程度の商業簿記および工業簿記（初歩的な原価計算を含む）を習得している程度の出題がなされます。すなわち、中規模程度の株式会社の簿記と考えてください。

合格点は70点です。競争試験ではありませんので、十分な対策・勉強をすることで合格できる試験といえます。

日商簿記検定試験２級は、2020年11月の検定試験までは「答案用紙」に解答を記入する「ペーパー試験」（以下、「統一試験」）のみで実施されていましたが、安定した受験機会の確保やデジタル社会にふさわしい試験とするために、2020年12月からは「ネット試験（CBT方式）」も始まりました。

「統一試験」は従来どおり実施されていますので、受験機会や方法の選択肢が増えたことになります。これにより、たとえば「統一試験」を受験する予定で勉強をすすめている途中でも、実力がついたところで「統一試験」を待たずに「ネット試験」を受験するということも可能になります。選択肢が増えたことで、これまでにも増してますます受験しやすい試験となっています。

以下、試験概要とそれぞれの受験までの流れについてご案内いたします。

1．試験概要

下記は、「ネット試験」「統一試験」共通です。

◉ **受験資格**　年齢・性別・学歴・国籍による制限はありません。誰でも受験できます。

◉ **合格基準点**　合格点　70点以上（100点満点）

◉ **試験科目**　商業簿記・工業簿記（レベル中級）

◉ **「合格」の扱い**　「ネット試験」「統一試験」の合格は同じ扱いになります。履歴書等には「日商簿記検定２級取得」と記載できます。

2.「ネット試験（CBT方式）」と「統一試験（ペーパー試験）」の申込みから受験までの流れ

	ネット試験（CBT方式）※1	統一試験（ペーパー試験）
試験日	試験センターが定める日時において随時受験可	6月第2週、11月第3週、2月第4週 ※2
試験会場	日本商工会議所が指定する試験センター	各商工会議所や指定の会場
受験申込み方法	「株式会社CBT-Solutionsの日商簿記申込専用ページ」から申込み https://cbt-s.com/examinee/examination/jcci.html ※受験希望日時、希望受験会場、受験者情報を入力し、受験料・申込み手数料を決済	各商工会議所の指定する方法で申込み（ネット・窓口・書店など）※2
試験時間・出題数	90分（5題出題） （出題内容は次ページ参照）	
出題範囲	日本商工会議所が定める「簿記検定出題区分表」に則して出題	
受験料	4,720円（ネット試験・統一試験とも同額）※3	
解答方法	①試験センター設置の端末に、受験者ごとに問題が配信される。 ②キーボード・マウスを使用して解答を入力（プルダウン＋入力式）	答案用紙に解答を記載。 ネット試験の「プルダウン式」や「入力式」と共通にするため、一覧から選択する方式となる問題もある。
合格発表	①試験終了後に自動採点され、パソコン画面に結果が表示される。 ②QRコードから＜**デジタル合格証**＞が即日取得できる。	実施後、2～3週間程度必要となる。
その他	計算用紙が2枚配付される。試験終了後に回収。	計算用紙は冊子に綴じ込まれています。

※1 「ネット試験」詳細は商工会議所検定（HP）の案内をご確認ください。
https://www.kentei.ne.jp/

※2 各商工会議所により申込期間および申込方法が異なりますので、最寄りの商工会議所の案内でご確認ください。
http://www5.cin.or.jp/examrefer/

※3 「統一試験」では、別途事務手数料が必要となる場合がございます。
詳細は商工会議所検定（HP）でご確認ください。

日商簿記２級 傾向と対策

■ 試験の出題形式 ■

日商簿記検定２級は、第１問から第５問までの５題の問題が出題されます。制限時間は90分です。100点満点で、70点以上得点できれば合格となります。第１問から第３問は商業簿記、第４・５問は工業簿記から出題されます。

第1問	[出題内容] 仕訳問題が5題 [配点] 20点	幅広い範囲から仕訳問題が５題出題されます。解答に使用する勘定科目は、語群やプルダウンから選択します。１題あたり２～３分程度で解答する必要があるため、早さと正確性の両方を身に付ける必要があります。
第2問	[出題内容] 連結精算表、連結財務諸表、勘定記入、空欄補充などに関する問題 [配点] 20点	一つの論点を系統的に理解できているかを問う問題が出題されます。具体的には、連結会計、純資産会計、銀行勘定調整表、商品売買、有価証券、固定資産などが出題されます。
第3問	[出題内容] 個別財務諸表などの個別決算に関する問題 [配点] 20点	財務諸表を中心として、精算表や決算整理後残高試算表などの出題が想定されます。本支店会計では、本支店合併財務諸表や決算における帳簿上の処理が出題される可能性があります。出題される決算整理の多くはパターン化しているので、決算整理仕訳をしっかりと学習することが大切です。
第4問	[出題内容] (1)仕訳問題 (2)原価計算などの問題 [配点] 28点 (1) 12点 (2) 16点	(1) では仕訳問題が３題出題されます。勘定連絡図に基づいた工業簿記全体の仕組みを理解しているかが重要です。(2) では個別原価計算や総合原価計算に基づいた原価計算が出題の中心です。また、財務諸表作成や勘定記入も出題される可能性があります。
第5問	[出題内容] 標準原価計算の差異分析、ＣＶＰ分析などの直接原価計算 [配点] 12点	標準原価計算における差異分析と直接原価計算におけるＣＶＰ分析（損益分岐点分析）が出題の中心です。直接原価計算に基づく損益計算書も出題される可能性があります。

【ネット試験における注意点】
1．仕訳問題における勘定科目は選択式（プルダウン方式）です。
2．金額を入力する時は数字のみ入力します。カンマを入力する必要はありません。
3．財務諸表作成などの問題で、科目名の入力が必要な場合もあります。

※その他「ネット試験」詳細は商工会議所の案内をご確認ください。
https://www.kentei.ne.jp/

問　題　編

基本

問題編〈基本〉には、本試験レベルの問題を解くための基本となる問題を掲載しました。『日商簿記２級光速マスターNEO　商業簿記テキスト』を使って１章分の学習が終わったら、問題編〈基本〉の対応する各章の問題を解いて理解を深めましょう。自分に合ったペースで、問題編〈基本〉を進めていくことで、本試験レベルの問題に対応していくための基礎力を身につけていきます。

基本 目標 25分 解答・解説 ▶ P155 check

1 純資産会計(仕訳問題)

次の各取引について仕訳しなさい。

1. 飛騨工業株式会社は増資を行うこととなり、未発行株式のうち2,000株を@600円で募集したところ、全株式が申込まれ、払込金額に相当する額を申込証拠金として受入れ、別段預金とした。
2. 上記1の募集に際して、募集のための広告費など10,000円を現金で支払った。
3. 上記1の払込期日となり、別段預金を当座預金とするとともに、申込証拠金を資本に振替えた。なお、資本金組入額は会社法で認められている最低限度額とした。
4. 株主総会において、借方残高となっている繰越利益剰余金215,600円を別途積立金を取崩してすべて補填することが決議された。
5. 浜松工業株式会社は研究開発部門に従事している研究員の給料1,200円、研究開発活動のみに用いられる特別仕様の機械の購入代金11,000円を現金で支払った。また研究用機械の減価償却費は2,650円であった。なお、減価償却の記帳方法は間接法を採用している。
6. 岡山商事は株主総会の決議で利益準備金1,000円を減少させ、繰越利益剰余金とすることが決議された。
7. 和歌山商事株式会社の当期の収益は15,000円、費用は17,500円であり、損益振替を行う。なお、収益・費用の勘定科目については、諸収益および諸費用を用いること。
8. 上記7において当期の損益を繰越利益剰余金に振替えた。
9. 株主総会において、その他資本剰余金500,000円及び繰越利益剰余金500,000円を財源として、株主への配当金を1,000,000円とすることが決議された。なお、資本準備金を50,000円、利益準備金を50,000円積立てる。

解答用紙

	借 方 科 目	金 額	貸 方 科 目	金 額
1				
2				
3				
4				
5				
6				
7				
8				
9				

基本　目標 10分　解答・解説 ▶P157　check

2 繰越利益剰余金

次の一連の取引に基づき、繰越利益剰余金勘定と損益勘定に記入しなさい(決算日は年1回3月31日)。

6月25日　株主総会において、剰余金の配当等につき以下のとおり決議した。

　　利益準備金：各自推定
　　配　当　金：¥700,000
　　別途積立金：¥500,000

　なお、このとき純資産の各勘定残高は以下のとおりであった。

　　資本金 ¥10,000,000、資本準備金 ¥1,200,000、利益準備金 ¥1,250,000

3月31日　当期の決算整理後の諸費用および諸収益の総額はそれぞれ ¥5,200,000、¥6,400,000であった。これに基づき損益振替を行い、損益勘定の残高を繰越利益剰余金勘定に振替える。なお、相手勘定科目は諸費用、諸収益とすること。

解答用紙

損　　益

( )	( )	( )	( )	( )	( )
( )	( )	( )			
		( )			( )

繰越利益剰余金

( )	( )	( )	4/ 1	前　期　繰　越	1,500,000
( )	( )	( )	( )	( )	( )
( )	( )	( )			
3/31	次　期　繰　越	( )			
		( )			( )

基本 目標 10分 解答・解説 ▶P160 check

テキスト 第1章

3 株主資本等変動計算書

以下の資料に基づいて×８年度(×８年４月１日～×９年３月31日)の株主資本等変動計算書(一部)を作成しなさい。

1．×８年６月に開催された株主総会で以下の事項が決議された。
- ⑴　株主への利益剰余金の配当が3,000円と決議された。
- ⑵　会社法で規定された額の利益準備金を計上する。
- ⑶　新築積立金500円を積立てる。

2．×９年２月１日に新株発行を行い5,200円を現金で受取った。なお、資本金増加額は会社法規定の原則額とした。

3．×９年３月31日、決算の結果、当期純利益は4,200円であることが判明した。

解答用紙

	株主資本							
		資本剰余金		利益剰余金				
					その他利益剰余金			
	資本金	資本準備金	資本剰余金合計	利益準備金	新築積立金	別途積立金	繰越利益剰余金	利益剰余金合計
当期首残高	6,000	1,200	1,200	200	350	600	5,100	6,250
当期変動額								
新株の発行								
剰余金の配当等								
当期純利益								
株主資本以外の項目の当期変動額(純額)								
当期変動額合計								
当期末残高								

基本　目標 15分　解答・解説 ▶P162　check

テキスト 第2章

4 銀行勘定調整表

当社の決算日現在の当座預金勘定の残高は¥819,000であるのに対し、銀行から入手した残高証明書の残高は¥755,000であった。そこで照合を試みたところ、以下の事実が判明した。これらの資料に基づき、企業残高銀行残高区分調整法による銀行勘定調整表を作成するとともに、当社で必要となる仕訳を当座預金勘定に転記しなさい。なお、当座預金勘定には日付に代えて1～6の番号を記入すること(締切不要)。

1. 広告宣伝費¥20,000を支払うために振出した小切手が手渡されないままになっていた。
2. 買掛金支払いのために振出した小切手¥40,000が銀行に未呈示であった。
3. 当座預金口座に現金¥70,000を預入れたが、銀行の営業時間終了後であったため、銀行では翌日の入金として扱われた。
4. 得意先より売掛金¥55,000が当座預金口座に振込まれたが、当社では未記帳となっていた。
5. 手形代金の回収として小切手¥100,000を受取り、直ちに当座預金としたが、未だ取立てられていなかった。
6. 当座預金口座から電話代¥21,000が支払われたが、当社では誤って¥12,000と記帳していた。

解答用紙

銀行勘定調整表

当座預金勘定残高		(　　)	銀行残高証明書残高		(　　)
加算			加算		
(　　)	(　　)		(　　)	(　　)	
(　　)	(　　)	(　　)	(　　)	(　　)	(　　)
計		(　　)	計		(　　)
減算			減算		
(　　)		(　　)	(　　)		(　　)
		(　　)			(　　)

当座預金

○　○　○　819,000	

基　本　目標 20分　解答・解説 ▶ P165　check

5 手形の裏書と割引

次の取引を仕訳し、勘定に転記しなさい。

4月1日　仕入先より商品￥150,000を仕入れ、代金は仕入先宛の約束手形を振出して支払った。

4月30日　4月1日に振出した約束手形の満期日につき、手形代金￥150,000が当座預金から引落とされた。

5月3日　得意先へ商品￥200,000を販売し、代金として得意先振出、当社宛の約束手形を受取った。

6月3日　5月3日に受取った約束手形の満期日につき、手形代金￥200,000が当座預金に入金された。

6月15日　神奈川商会より商品￥140,000を仕入れ、代金は茨城商会振出、当社宛の約束手形を裏書譲渡した。

7月20日　埼玉商会へ商品￥220,000を販売し、代金として群馬商会振出の約束手形￥120,000と、当社振出の約束手形￥100,000を裏書譲渡された。

8月1日　7月20日に受取った約束手形￥120,000を取引銀行で割引き、割引料を差引いた手取金を当座預金とした。割引率は年7.3％、割引日数は20日である。

解答用紙

日付	借方科目	金　　額	貸方科目	金　　額
4/ 1				
4/30				
5/ 3				
6/ 3				
6/15				
7/20				
8/ 1				

当　座　預　金

借方	貸方
4/ 1　前期繰越　500,000	

受　取　手　形

借方	貸方
4/ 1　前期繰越　300,000	

支　払　手　形

借方	貸方
	4/ 1　前期繰越　270,000

売　　　　上

借方	貸方

仕　　　　入

借方	貸方

手 形 売 却 損

借方	貸方

基本　目標 20分　解答・解説 ▶ P168　check

テキスト 第3章

6 手形と電子記録債権・債務

次の一連の取引に基づき、受取手形勘定と電子記録債権勘定に記入しなさい(締切不要)。

7月20日：盛岡商会(株)に対する売掛金300,000円の決済として、同社振出の約束手形を受取った。

7月26日：仙台商会(株)振出の約束手形100,000円が本日満期を迎えたが、同社より支払延期の申し出があったため当社はこれを承諾し、期間延長に伴う利息2,000円を加えた新手形と交換した。

8月 2日：かねて保有する八戸商会(株)振出の約束手形200,000円を取引銀行にて割引き、割引料8,000円を差引かれ、手取金を当座預金とした。

8月14日：7月20日に盛岡商会(株)から受取った手形代金300,000円の受取りを電子記録債権機関で行うため、仕入先の了承を得て取引銀行を通して債権の発生記録の請求を行い、盛岡商会(株)は取引銀行よりその通知を受けた。

8月19日：秋田商会(株)から商品150,000円を仕入れ、代金は山形商会(株)振出の約束手形を裏書譲渡して支払った。

8月31日：8月14日に電子記録債権機関に発生記録した債権の支払期日が到来し、普通預金口座に振込まれた。

解答用紙

受　取　手　形

○　○　○　×××	

電子記録債権

○　○　○　×××	

基本 目標 25分 解答・解説 ▶P170 check

テキスト 第3章

7 債権・債務(仕訳問題)

次の各取引について仕訳しなさい。

1．決算において代金決済のために振出した18,000円の小切手が未渡しであったことが判明した。なお、そのうち10,000円は商品の掛代金決済に対するものであった。

2．千葉商事は、会社の事業活動に使うためにパソコンを80,000円で購入した。なお、30,000円は翌月末に支払う掛けとし、残額については3ヶ月後に支払期日が到来する手形を振出した。

3．掛代金決済のために福岡商事から受取っていた当社宛の約束手形6,000円が不渡りとなった旨の通知を受けたので、支払拒絶証書を作成して福岡商事に償還請求した。なお、支払拒絶証書の作成費用など100円は現金で支払った。

4．上記3の不渡手形について1,000円を現金で回収したが、残額は貸倒れとなった。なお、貸倒引当金は設定されていなかった。

5．商品50,000円をクレジット払いの条件で販売した。なお、信販会社への手数料(販売代金の2％)は販売時に計上する。

6．青森商事に対する買掛金80,000円の支払いを電子債権記録機関で行うため、取引銀行を通して債務の発生記録を行った。

7．上記6の電子債権記録機関に発生記録した債務80,000円の支払期日が到来したので、当座預金口座から引落とされた。

8．高松商事は、電子記録債権のうち30,000円を銀行で割引き、割引料1,000円が差引かれた残額が当座預金口座へ振込まれた。

解答用紙

	借　方　科　目	金　　　額	貸　方　科　目	金　　　額
1				
2				
3				
4				
5				
6				
7				
8				

基本 目標 20分 解答・解説 ▶P173 check

8 有価証券の売買の基礎

次の取引を仕訳し、勘定に転記しなさい。

1月19日　売買目的で愛知工業株式会社の株式120株を@￥300で買入れ、代金は買入手数料￥2,400とともに現金で支払った。

1月24日　1月19日に購入した愛知工業株式会社の株式のうち40株を@￥350で売却し、代金は現金で受取った。

1月31日　1月19日に購入した愛知工業株式会社の株式のうち80株を@￥300で売却し、代金は現金で受取った。

2月1日　売買目的で三重商会株式会社の社債（額面総額￥150,000）を額面￥100につき￥95で買入れ、代金は買入手数料￥3,000とともに現金で支払った。

2月12日　2月1日に購入した三重商会株式会社の社債のうち額面総額￥50,000を額面￥100につき￥98で売却し、代金は現金で受取った。

2月26日　2月1日に購入した三重商会株式会社の社債のうち額面総額￥100,000を額面￥100につき￥96で売却し、代金は現金で受取った。

解答用紙

日付	借方科目	金　額	貸方科目	金　額
1/19				
1/24				
1/31				
2/ 1				
2/12				
2/26				

現　金

借方	貸方
1/ 1　前期繰越　200,000	

有　価　証　券

借方	貸方

有価証券売却益

借方	貸方

有価証券売却損

借方	貸方

4
章

基本 目標 20分 解答・解説 ▶ P176 check

9 有価証券(仕訳問題)1

次の各取引について仕訳しなさい。ただし、勘定科目は、次の中から最も適当と思われるものを選ぶこと。

現　　　金	当座預金	売　掛　金	買　掛　金
売買目的有価証券	満期保有目的債券	仕　　　入	売　　　上
借　入　金	未払配当金	未　払　金	未収入金
受取配当金	受取利息	支払利息	有価証券利息
有価証券売却損	有価証券売却益	有価証券評価損	有価証券評価益

1. 栃木乳業株式会社(決算日は年1回12月31日)は、×1年1月1日に売買目的で茨城製菓株式会社の株式を1株あたり ¥400で1,000株購入し、代金は購入手数料 ¥15,000とともに小切手を振出して支払った。
2. 上記1の株式につき、配当金領収証 ¥25,000を受取った。
3. 栃木乳業株式会社は、×1年10月1日に、上記1の株式すべてを1株あたり ¥450で売却し、代金は翌月に受取ることとした。
4. 東京商会(決算日は年1回3月31日)は、×7年9月1日に売買目的で新宿商事株式会社の社債(額面総額 ¥2,000,000)を額面 ¥100につき ¥96で池袋商会から購入し、代金は端数利息とともに小切手を振出して支払った。なお、当該社債の発行条件は以下のとおりであった。

   発行日：×4年1月1日　　満期日：×8年12月31日

   利率：年7.3%　　利払日：6月末日および12月末日(年2回)
5. ×7年12月31日となり、上記4の社債の利札の支払期日が到来したので処理する。
6. 東京商会は、×8年1月12日に、上記4の社債のうち額面総額 ¥500,000を額面 ¥100につき ¥95で渋谷商会に売却し、代金は端数利息とともに現金で受取った。

解答用紙

	借　方　科　目	金　　　額	貸　方　科　目	金　　　額
1				
2				
3				
4				
5				
6				

基本 目標 20分 解答・解説 ▶ P180 check

テキスト 第4章

10 有価証券（仕訳問題）2

次の各取引について仕訳しなさい。

1．茨城商事株式会社は、水戸商事株式会社の株式400株を @880円で取得し、代金は小切手を振出して支払った。なお、茨城商事株式会社はこれまでに水戸商事株式会社が発行する株式の過半数を取得している。

2．愛媛商事株式会社は、新たに松山商事株式会社の株式2,200株を @1,100円で取得し、代金は手数料等11,000円とともに小切手を振出して支払った。なお、松山商事株式会社の発行済株式総数は8,000株である。

3．広島産業株式会社は長期利殖目的で福山産業株式会社の株式4,500株を @660円で取得した。なお、買入手数料等32,000円を含めた代金は５営業日以内に証券会社に支払うことにした。

4．上記３について決算日を迎えた。福山産業株式会社の時価は @680円であった。

5．上記３について翌期首を迎えた。

6．鹿児島商事は、×３年12月１日に熊本商事の社債を発行と同時に満期まで保有する目的で小切手を振出して取得した。当該社債の額面総額は100,000円、取得価額は97,000円（額面総額との差額は金利の調整のため償却原価法（定額法）を採用する）、利率年３％、利払日は年１回11月30日、満期日は×８年11月30日である。なお、鹿児島商事の会計期間は４月１日～３月31日である。

7．上記６について×４年３月31日を迎えた。熊本商事の社債の時価は99,000円であった。

解答用紙

	借　方　科　目	金　　　　　額	貸　方　科　目	金　　　　　額
1				
2				
3				
4				
5				
6				
7				

基本 目標 15分 解答・解説 ▶P182 check

テキスト 第4章

11 有価証券の評価1

次の資料に基づき、解答用紙の決算整理後残高試算表(一部)を完成させなさい。なお、会計期間は×8年4月1日～×9年3月31日である。

〔資料Ⅰ〕決算整理前残高試算表（一部）

残 高 試 算 表

借　　方	勘定科目	貸　　方
	：	
805,000	有　価　証　券	
	：	
	有 価 証 券 利 息	10,000
	：	
×××		×××

〔資料Ⅱ〕決算整理事項

1．有価証券のうち¥320,000は当期首に売買目的で取得した茨城工業株式会社の株式200株である。当該株式の当期末における時価は@¥1,500である。

2．有価証券のうち¥485,000は×8年10月1日に満期保有目的で発行と同時に取得した福島商事株式会社の社債(額面総額¥500,000)である。当該社債の償還期間は5年、利率は年4％、利払日は3月末日と9月末日の年2回であり、取得原価と額面金額の差額は金利の調整と認められるため、償却原価法(定額法)を適用する。

解答用紙

決算整理後残高試算表
×9年3月31日

借　　方	勘定科目	貸　　方
	：	
	売買目的有価証券	
	満期保有目的債券	
	：	
	有 価 証 券 利 息	
	有価証券(　　　)	
	：	
×××		×××

基本　目標 15分　解答・解説 ▶ P185　check

テキスト 第4章

12 有価証券の評価2

次の資料に基づき、解答用紙の決算整理後残高試算表(一部)を完成させなさい。なお、会計期間は×8年4月1日～×9年3月31日である。

〔資料Ⅰ〕決算整理前残高試算表（一部）

決算整理前残高試算表

借　　方	勘定科目	貸　　方
	：	
1,580,000	有　価　証　券	
	：	
×××		×××

〔資料Ⅱ〕決算整理事項

1．有価証券のうち2,000株は当期首に長期的に保有する目的で取得した、瀬戸工業株式会社の株式である。なお、取得時の瀬戸工業株式会社の株式の時価は@85円であり、当期末には@83円となっていた。

2．有価証券のうち12,000株は当期首に取得した、金沢株式会社の株式である。取得時の金沢株式会社の発行済株式総数は30,000株であり、当期末現在変わっていない。なお、取得時の金沢株式会社の株式の時価は@66円であり、前期末の時価は@63円、当期末の時価は@62円となっていた。

3．有価証券のうち6,000株は×7年4月1日に取得した、旭川株式会社の株式である。取得時の旭川株式会社の発行済株式総数は10,000株であり、当期末現在変わっていない。なお、取得時の旭川株式会社の株式の時価は@103円であり、前期末の時価は@105円、当期末の時価は@109円となっていた。

4．その他有価証券は全部純資産直入法により処理している。

4 章

解答用紙

決算整理後残高試算表
×９年３月31日

借　　方	勘定科目	貸　　方
	：	
	子会社株式	
	関連会社株式	
	その他有価証券	
	：	
	(　　　　　　)	
	：	
×××		×××

基本　目標 20分　解答・解説 ▶ P187　check

13 商品売買・サービス業

次の各取引について仕訳しなさい。

1．当社は、岩手商会(株)からの商品の仕入高が所定の金額を超えたので、仕入高500,000円の２％の割戻を受け、買掛金と相殺した。なお、商品売買の記帳方法は三分法を採用している。

2．当社は、難波(株)より商品80,000円(@800円×100個)を仕入れ、代金は掛けとした。なお、商品売買の記帳方法は、販売の都度、売上原価を商品勘定から売上原価勘定へ振替える方法を採用している。

3．当社は、所沢商会(株)に商品180個(原価@320円、売価@400円)を売上げ、代金は掛けとした。なお、商品売買の記帳方法は、販売の都度、売上原価を商品勘定から売上原価勘定へ振替える方法を採用している。

4．資格試験の受験学校を経営しているＬ学園は、11月10日、12月開講予定の簿記講座(受講期間６ヶ月)の受講料300,000円を現金で受取った。

5．上記４について、決算(決算日は３月末日)を迎え、上記の取引について収益を計上した。なお、上記講座は決算日現在、全体の３分の２が完了している。

6．旅行業を営むＬＬツーリスト(株)は、４泊６日のツアーを企画したところ、15名からの申込みがあり、代金合計2,400,000円を現金で受取った。

7．上記６のツアーを催行したので収益を計上する。また、宿泊代や移動のための交通費や添乗員への報酬など1,900,000円は小切手を振出して支払った。

8．建築物の設計・管理を請け負っている中野設計事務所は、給料400,000円及び出張旅費150,000円を現金にて支払った。

9．上記８の支払いのうち、給料180,000円及び出張旅費45,000円については、期末においてまだ完了していない案件のために、直接費やされたものであることが判明したので、仕掛品勘定に振替えた。

10．上記９の案件の設計図が完成したので、これを顧客に提出し、対価として340,000円が当座預金口座に振込まれた。

解答用紙

	借　方　科　目	金　　　　額	貸　方　科　目	金　　　　額
1				
2				
3				
4				
5				
6				
7				
8				
9				
10				

基本　目標 15分　解答・解説▶P190　check

14 商品売買の記帳方法の比較

下記の〔資料〕に基づいて、商品売買の記帳方法として問１『三分法』を採用した場合、問２『売上原価対立法』を採用した場合の（１）決算整理前残高試算表および（２）決算整理後残高試算表を作成しなさい。

〔資料〕

1．当期の売上高：1,200,000円
2．当期の仕入高：1,000,000円
3．期首商品棚卸高：110,000円
4．期末商品棚卸高：210,000円
5．当期の売上および仕入はすべて掛取引によっている。
6．当期中の原価率は75％で一定であった。

5章

解答用紙

問１(1)

決算整理前残高試算表

繰越商品	(　　　)	売上	(　　　)
仕入	(　　　)		

(2)

決算整理後残高試算表

繰越商品	(　　　)	売上	(　　　)
仕入	(　　　)		

問２(1)

決算整理前残高試算表

商品	(　　　)	売上	(　　　)
売上原価	(　　　)		

(2)

決算整理後残高試算表

商品	(　　　)	売上	(　　　)
売上原価	(　　　)		

基本 目標 15分 解答・解説 ▶ P193 check 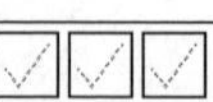

テキスト 第5章

15 商品の決算整理

下記の〔資料〕に基づいて、問１および問２に答えなさい。

問１　解答用紙の損益計算書を作成しなさい。

問２　貸借対照表の「商品」の金額を求めなさい。

〔資料〕

1．当社はＡ商品とＢ商品の２種類の商品を販売している。

2．決算整理前残高試算表（一部）は次のとおりである。

決算整理前残高試算表（一部）

繰越Ａ商品	27,000	売上	651,000
繰越Ｂ商品	54,250		
仕入	455,500		

3．Ａ商品とＢ商品の期末商品棚卸高は次のとおりである。なお、棚卸減耗損は売上原価に算入せず、商品評価損は売上原価に算入する。

	帳簿棚卸高		正味売却価額	実地棚卸数量
Ａ商品	@81円	430個	@83円	400個
Ｂ商品	@63円	670個	@60円	620個

解答用紙

問１

損　益　計　算　書		(単位：円)
売　　上　　高		651,000
売　上　原　価		
期首商品棚卸高	(　　　　)	
当期商品仕入高	455,500	
合　　　　計	(　　　　)	
期末商品棚卸高	(　　　　)	
差　　　　引	(　　　　)	
(　　　　)	(　　　　)	(　　　　)
売　上　総　利　益		(　　　　)
：		
販売費及び一般管理費		
(　　　　)		(　　　　)
：		

問２

[　　　　　　] 円

5
章

基本 目標 20分 解答・解説 ▶P197 check

16 収益の認識基準

次の各取引について仕訳しなさい。なお、仕訳が不要の場合には、借方科目欄に「仕訳なし」と記入しなさい。また、商品売買の記帳は三分法による。

1. 得意先より商品70,000円(原価56,000円)の注文が入り、代金は掛けとして本日発送した。なお、売上の計上は検収基準による。
2. 上記1の商品について、得意先より注文どおり商品が届き、検収が完了した旨の連絡が入った。
3. 当社は、商品A(売価150,000円)と商品B(売価200,000円)を販売する契約を締結し、商品Aを得意先へ引渡した。なお、販売代金の請求は商品Bを引渡した後に行う契約となっている。また、商品Aと商品Bの引渡しはそれぞれ、独立した履行義務として識別する。
4. 上記3の商品Bを得意先に引渡し、販売代金の請求書を送付した。
5. 当社は得意先と商品Cを300,000円で販売する契約を締結した際、手付金100,000円を現金で受取っていたが、本日、商品Cを引渡し、手付金を差引いた残額は翌月末に受取ることとした。なお、前受金勘定は使用しないこと。
6. 当期の12月1日に3年間の保守サービス付きで商品Dを販売する一つの契約を締結し、商品Dを引渡した。代金は合計354,000円(うち、商品D部分300,000円、保守サービス部分54,000円)であり、現金で受取った。なお、履行義務についてはそれぞれ別個の履行義務として識別しており、保守サービスについては時の経過に応じて履行義務が充足する。
7. 上記6につき、当期の決算日(3月31日)を迎え、保守サービスについて履行義務が充足した部分の収益計上を行う。
8. 当社は得意先へ商品Eを1個あたり1,000円で掛けにて販売しているが、7月から8月の間の販売数量が500個以上となった場合に1個あたり50円のリベートを支払う契約を結んでいる。7月中の販売数量が240個と確定したので、月末付で収益の計上を行った。なお、リベート条件の達成可能性は高いと見込んでいる。
9. 上記8の後、8月中の販売数量が300個と確定しリベート条件が達成されたので、月末付で収益の計上を行った。なお、リベートは9月に支払うこととした。

解答用紙

	借　方　科　目	金　　　　　額	貸　方　科　目	金　　　　　額
1				
2				
3				
4				
5				
6				
7				
8				
9				

基本 目標 15分 解答・解説▶P200 check

テキスト 第6章

17 減価償却の記帳方法の比較

当社の当期(×8年4月1日～×9年3月31日)の取引を⑴間接法、⑵直接法で仕訳し、勘定に転記しなさい。なお、備品Aは×6年4月1日に¥20,000で購入したものであり、減価償却は、耐用年数6年、残存価額を取得原価の10%として定額法により行っている。

×8年 7月1日　備品Bを¥60,000で購入し、代金は現金で支払った。
×8年12月31日　備品Aを¥12,000で売却し、代金は現金で受取った。
×9年 2月1日　備品Cを¥45,000で購入し、代金は現金で支払った。
×9年 3月31日　備品B、備品Cともに耐用年数10年、残存価額を取得原価の10%とし、定額法により減価償却を行った。
×9年 3月31日　損益振替を行い、勘定を締切った。

解答用紙

(1)　間接法

日付	借方科目	金　　額	貸方科目	金　　額
7/ 1				
12/31				
2/ 1				
3/31				
3/31				

備　品

4/ 1　前期繰越　20,000	

減価償却費

減価償却累計額

	4/ 1　前期繰越　6,000

固定資産売却益

(2)　直接法

日付	借方科目	金　額	貸方科目	金　額
7/ 1				
12/31				
2/ 1				
3/31				
3/31				

備　品

4/ 1　前期繰越　14,000	

減価償却費

固定資産売却益

基本 目標 25分 解答・解説 ▶ P203 check

テキスト 第6章

18 有形固定資産1

次の資料に基づき、解答用紙の決算整理後残高試算表(一部)を完成させなさい。なお、会計期間は×6年4月1日～×7年3月31日である。

〔資料Ⅰ〕期首貸借対照表上の金額

建物	¥5,000,000	建物減価償却累計額	¥3,750,000
備品	¥800,000	備品減価償却累計額	¥395,000
車両	¥1,200,000	車両減価償却累計額	¥442,800
建設仮勘定	¥2,500,000		

〔資料Ⅱ〕期中取引

1. 前期に建物の建設(請負金額¥11,000,000)を依頼し、代金の一部(¥2,500,000)を支払い、建設仮勘定として処理していたが、×6年9月1日に当該建物が完成し、引渡しを受けた。その際、請負金額の残額を小切手を振出して支払った。
2. ×7年1月31日に営業用の車両(取得原価 ¥1,200,000、期首減価償却累計額¥442,800)を下取りに出し、新車両(取得原価 ¥1,500,000)を購入した。なお、旧車両の下取価額は ¥500,000であり、新車両の取得原価との差額は翌月に支払うこととした。

〔資料Ⅲ〕決算整理事項

建物、備品および車両の減価償却を行う。

	償却方法	残存価額	備考
建物	定額法	取得原価の10%	耐用年数30年
備品	定率法	取得原価の10%	償却率25%
車両	生産高比例法	取得原価の10%	(注)

(注) 旧車両の見積総走行可能距離は100,000kmであり、当期の実際走行距離は17,000kmである。

新車両の見積総走行可能距離は120,000kmであり、当期の実際走行距離は5,000kmである。

解答用紙

決算整理後残高試算表
×７年３月31日

借　　方	勘定科目	貸　　方
	：	
	建　　　　　物	
	備　　　　　品	
	車　　　　　両	
	：	
	建物減価償却累計額	
	備品減価償却累計額	
	車両減価償却累計額	
	：	
	減　価　償　却　費	
	車　　両(　　　　)	
	：	
×××		×××

基本 目標 10分 解答・解説 ▶ P206 check

テキスト 第6章

19 200%定率法

白浜商事株式会社は×1年4月1日(会計期間：毎年4月1日～3月31日)に機械800,000円を取得し、同日より使用を開始している。以下の〔資料〕および〔備考〕に基づき減価償却を行う場合に、解答用紙における①～⑤の率および金額を答えなさい。

〔資料〕

償却方法200％定率法、耐用年数5年、保証率0.10800、改定償却率0.500

〔備考〕

200％定率法は、調整前償却費が償却保証額よりも少額となる年度より改定取得価額×改定償却率の減価償却費を計上することとなる。ここで調整前償却費とは、通常の定率法と同様に計算して算出した償却費のことをいい、改定取得価額とは、調整前償却費が償却保証額よりも少額となる最初の年度における期首帳簿価額をいう。

解答用紙

① 償却率	
② 償却保証額	円
③ 改定取得価額	円
④ 減価償却費(×2年度)	円
⑤ 減価償却費(×4年度)	円

基本　目標 25分　解答・解説 ▶P208　check

20 有形固定資産２(仕訳問題)

次の各取引について仕訳しなさい。

1．期首において備品(取得原価400,000円、期首減価償却累計額313,600円、記帳方法は間接法)を除却した。なお、備品の処分価値は30,000円である。

2．期首において使用不能となった備品(取得原価700,000円、期首減価償却累計額630,000円、記帳方法は直接法)を廃棄した。

3．期首に火災が発生し、商品(原価200,000円、記帳方法は三分法)と建物(取得原価3,000,000円、期首減価償却累計額1,000,000円、記帳方法は間接法)が焼失した。当該資産には、上限3,000,000円の火災保険が付されていたため、保険会社に保険金の支払いを請求した。

4．上記３の保険金について、保険会社より2,500,000円の保険金を支払う旨の通知を受けた。

5．×１年11月１日に配送用トラック(現金購入価額2,600,000円)を割賦契約で購入した。代金は、毎月末に支払期限の到来する額面550,000円の約束手形５枚を振出して交付した。なお、利息相当額は前払費用で処理すること。

6．上記５の約束手形につき×１年11月30日を迎え、支払期限の到来した約束手形の代金が当座預金口座より引落された。なお、利息相当額を支払利息に振替える処理も行う。

7．×１年６月20日に機械取得のために国庫補助金800,000円の交付を受け、当座預金口座に入金された。

8．×１年７月15日に上記７の補助金を利用して機械1,800,000円を購入し、同月中に使用を開始していたが、本日、×１年８月５日に国庫補助金の返還不要が確定したので、直接減額方式による圧縮記帳の処理を行う。なお、機械取得時の処理は適切に行われている。

9．×２年３月31日を迎え、上記８の機械について減価償却を行う。減価償却方法は200％定率法、耐用年数は８年、記帳方法は直接法とする。

7章

解答用紙

	借　方　科　目	金　　　　額	貸　方　科　目	金　　　　額
1				
2				
3				
4				
5				
6				
7				
8				
9				

基本　目標 20分　解答・解説 ▶ P211　check

テキスト 第8章

21 無形固定資産(仕訳問題)

次の各取引について仕訳しなさい。

1．期首に、新商品の開発に際し特許権を取得し、取得費用700,000円を普通預金口座から振込んで支払った。
2．決算を迎え、上記1の特許権の償却を行う。なお、特許権の償却期間は8年とし、定額法により行う。
3．決算(×2年3月31日)にあたり、×1年11月1日に自社利用目的で購入したソフトウェア(取得原価600,000円)について定額法により償却を行う。なお、ソフトウェアの利用可能期間は5年と見積もられている。
4．×1年4月に、社内で利用する目的のシステム開発を外部に委託した。契約総額は5,400,000円であり、契約総額のうち3,000,000円を当座預金口座から振込んで支払った。
5．上記4のシステムが完成し、×1年12月より使用を開始した。これに伴い、契約総額のうち、残りの2,400,000円を当座預金口座から振込んで支払った。
6．上記5のシステムにつき、決算日(×2年3月31日)を迎えたので、定額法により償却を行う。なお、システムの利用可能期間は5年と見積もられている。
7．当期首において、浦和産業株式会社は、草加商工株式会社を吸収合併し、諸資産を9,700,000円、諸負債を4,200,000円で引継ぐとともに、株式800株(1株あたりの時価7,500円)を交付した。なお、交付した株式の時価のうち5,000,000円を資本金とし、残額は資本準備金とする。
8．上記7ののれんにつき、決算日を迎えたため、償却を行う。償却は、毎期均等額を20年で行う。
9．当社は株式会社群馬物産を吸収合併し、同社から次の資産・負債を承継した。この合併に際し当社の株式500株(時価@￥15,000)を同社の株主に交付した。なお、株式の交付に伴って増加する株主資本のうち￥5,000,000は資本金、￥2,000,000は資本準備金、残額はその他資本剰余金とする。

　現　金(帳簿価額￥400,000、時価￥400,000)
　売掛金(帳簿価額￥3,000,000、時価￥3,000,000)
　土　地(帳簿価額￥4,000,000、時価￥5,000,000)
　買掛金(帳簿価額￥1,800,000、時価￥1,800,000)

解答用紙

	借方科目	金額	貸方科目	金額
1				
2				
3				
4				
5				
6				
7				
8				
9				

基本　目標 30分　解答・解説 ▶P214　check

22 固定資産のまとめ

テキスト第8章

次の資料に基づき、解答用紙の決算整理後残高試算表(一部)を完成させなさい。なお、会計期間は×８年４月１日～×９年３月31日である。

〔資料Ⅰ〕決算整理前残高試算表（一部）

決算整理前残高試算表

借　方	勘定科目	貸　方
	：	
5,500,000	建　　物	
2,700,000	機　　械	
1,100,000	車　　両	
1,450,000	備　　品	
770,000	の　れ　ん	
	：	
	建物減価償却累計額	1,237,500
	機械減価償却累計額	1,242,000
	車両減価償却累計額	770,000
	備品減価償却累計額	580,000
	：	
580,000	修　繕　費	
	：	
×××		×××

〔資料Ⅱ〕決算整理事項など

1．当期の１月31日に火災が発生し、機械の一部(取得原価900,000円、期首減価償却累計額270,000円)が焼失した。当該機械には保険が付されており２月25日に保険金500,000円が現金で支払われているが、これら一連の会計処理が未処理となっている。

2．当期首にすべての車両を廃棄しているが一連の処理が未処理であった。

3．当期首に建物を修繕した。修繕にかかった支出は全額修繕費として処理しているが、支出のうち７割は資本的支出であった。

4．備品は×７年度に一括で取得したものである。

8 章

5．決算整理前残高試算表ののれんは×２年４月１日に取得したものである。
6．各資産の減価償却方法などは以下のとおりである。

	償却方法	残存価額	備　考
建　　　物	定額法	取得原価の10％	耐用年数40年
資本的支出部分	定額法	取得原価の10％	耐用年数30年
機　　　械	定額法	取得原価の10％	耐用年数10年
車　　　両	生産高比例法	取得原価の10％	−
備　　　品	200％定率法	ゼ　ロ	耐用年数５年
の　れ　ん	定額法	？	最長償却期間により償却する

解答用紙

決算整理後残高試算表　　(単位：円)

借　方	勘定科目	貸　方
	：	
	建　　　物	
	機　　　械	
	備　　　品	
	の　れ　ん	
	：	
	建物減価償却累計額	
	機械減価償却累計額	
	備品減価償却累計額	
	：	
	減価償却費	
	のれん償却	
	修　繕　費	
	車　　両(　　　)	
	(　　　　　)	
	：	
×××		×××

基本　目標 15分　解答・解説 ▶ P218　check 

23 リース会計

当社の保有するリース資産は以下の表のとおりである。〔資料〕に基づき、（問１）ファイナンス・リース取引の会計処理として利子込法を採用した場合と、（問２）ファイナンス・リース取引の会計処理として利子抜法を採用した場合の、解答用紙に示す財務諸表の各金額を求めなさい。

名　　称	リース開始日	リース期間	リース料支払日	リース料(年額)	見積現金購入価額
機　　械	×６年４月１日	８年	毎年３月末	20,000千円	144,000千円
備　　品	×６年12月１日	４年	毎年11月末	9,000千円	32,000千円

〔資料〕

１．会計期間は×６年４月１日～×７年３月31日である。

２．機械のリース取引はファイナンス・リース取引に該当する。また、備品のリース取引はオペレーティング・リース取引に該当する。

３．利子抜法を採用する場合における利息の期間配分は定額法による。

４．減価償却が必要な資産については、定額法（残存価額はゼロ、耐用年数はリース期間）により減価償却を行い、直接法により記帳する。

５．該当する金額がない場合は答案用紙に「－」を記入すること。

解答用紙

（単位：千円）

	（問１）　利子込法	（問２）　利子抜法
① リース資産		
② 減価償却費		
③ リース債務		
④ 支払利息		
⑤ 支払リース料		

9章

基本 目標 20分 解答・解説▶P221 check

テキスト 第10章

24 税金1（仕訳問題）

次の各取引について仕訳しなさい。

1．土地と建物に対する固定資産税320,000円の納税通知書を受取り、第1期分から第4期分までのうち、第1期分80,000円を現金で納付し、残額は未払計上した。

2．商品143,000円（税込価格）を仕入れ、代金は現金で支払った。なお、当社は消費税の処理は税抜方式を採用しており、消費税率は10％とする。

3．商品60個を@2,200円（うち消費税200円）で売上げ、代金は現金で受取った。なお、当社の消費税の処理方法は税抜方式によっている。

4．決算において、消費税の納付額が確定した。なお、当社は消費税の処理は税抜方式を採用しており、消費税の仮払分は160,000円、仮受分は220,000円である。

5．1年満期の定期預金（年利率0.3％）5,000,000円が満期を迎え、受取利息の手取額を加算した金額が普通預金口座に入金された。なお、受取利息に対しては、15％の源泉所得税が控除されている。

6．普通預金口座にA社の期末配当金200,000円が入金された。なお、入金額は、源泉所得税20％が控除された後の金額である。

7．期末となり決算を行ったところ、法人税等が1,200,000円と確定した。なお、中間納付額は700,000円であった。

8．過年度に納税した法人税等について税務当局から指摘を受け、その後、追徴額が200,000円である旨の連絡を受けたので、未払法人税等として負債に計上した。

解答用紙

	借　方　科　目	金　　　　　額	貸　方　科　目	金　　　　　額
1				
2				
3				
4				
5				
6				
7				
8				

10
章

基本 目標 10分 解答・解説 ▶P224 check

テキスト 第10章

25 税金2(決算問題)

下記の〔資料〕に基づいて、問1および問2に答えなさい。

問1　解答用紙の決算整理後残高試算表を作成しなさい。

問2　解答用紙の損益計算書を完成させなさい。

〔資料〕

1．決算整理前残高試算表(一部)は次のとおりである。

決算整理前残高試算表(一部)

仮払法人税等	150,000		

2．当期の固定資産税は250,000円であり、そのうち187,500円(第1期～第3期分)を小切手を振出して納付している。なお、固定資産税については納税通知書を受取ったときに、未払計上をしている。

3．当期の税引前当期純利益1,280,000円の25％を法人税等に計上する。

解答用紙

問1

決算整理後残高試算表(一部)

(　　　　)	(　　　　)	未払金	(　　　　)
法人税等	(　　　　)	(　　　　)	(　　　　)

問2

損益計算書　(単位：円)

:	
販売費及び一般管理費	
(　　　　)	(　　　　)
:	
税引前当期純利益	(　　　　)
法人税等	(　　　　)
当期純利益	(　　　　)

基　本　目標 20分　解答・解説 ▶ P226　check

テキスト 第11章

26 引当金１(仕訳問題)

次の各取引について仕訳しなさい。

1．当社は、建物の修繕を行い4,000,000円の小切手を振出して支払った。なお、このうち、2,400,000円は建物の改良のための支出(資本的支出)と認められる。また、当該修繕については前期末において修繕引当金1,100,000円が設定されている。

2．従業員が定年退職し、退職金5,000,000円を普通預金口座から振込んで支払った。なお、退職給付引当金の残高は30,000,000円である。

3．決算(決算日３月31日)にあたり、当期末における退職給付債務の額が8,000,000円であることが判明した。なお、退職給付引当金の残高は、6,500,000円である。

4．決算(決算日３月31日)にあたり、次年度の７月における従業員に対する賞与の支給見込額1,500,000円のうち当期負担分を賞与引当金として設定する。なお、７月賞与の支給対象期間は１月から６月までである。

5．７月15日、従業員の賞与1,600,000円(前期末に賞与引当金750,000円を設定している)に対して、源泉所得税等の預り金240,000円を差引き、残額を当座預金口座から支払った。

6．決算(決算日３月31日)にあたり、当期の売上高5,000,000円に対して0.4％の商品の補修が見込まれるため、商品保証引当金を設定する。

7．上記６の翌期となり、商品補修の依頼を受け、補修費用8,000円を普通預金口座から振込んで支払った。なお、補修費用のうち6,000円は前期の売上に対応する分であり、残額は当期の売上に対応する分である。

8．当期において、無料の品質保証(１年間)付き商品の販売高は2,000,000円であり、また、品質保証を２年間延長できる有料のサポートサービスの販売高は36,000円であった。決算にあたり、無料の品質保証付き商品の販売高に対して0.5％の商品保証引当金を設定する。

解答用紙

	借　方　科　目	金　　　　額	貸　方　科　目	金　　　　額
1				
2				
3				
4				
5				
6				
7				
8				

基本　目標 10分　解答・解説 ▶ P229　check

テキスト 第11章

27 引当金２(決算問題)

次の資料に基づき、解答用紙の決算整理後残高試算表(一部)を完成させなさい。なお、会計期間は×８年４月１日～×９年３月31日である。

〔資料Ⅰ〕決算整理前残高試算表（一部）

残　高　試　算　表

借　　方	勘定科目	貸　　方
	：	
	修繕引当金	50,000
	退職給付引当金	12,000,000
	：	
×××		×××

〔資料Ⅱ〕決算整理事項

1．修繕引当金 ¥50,000を戻入れ、建物の修繕費の当期負担分¥500,000を繰入れる。
2．¥3,200,000の賞与引当金を設定する。
3．退職給付引当金への当期繰入額は ¥6,000,000である。

解答用紙

決算整理後残高試算表
×９年３月31日

借　　方	勘定科目	貸　　方
	：	
	修繕引当金	
	賞与引当金	
	退職給付引当金	
	：	
	修繕引当金戻入	
	修繕引当金(　　)	
	賞与引当金(　　)	
	退職給付(　　)	
	：	
×××		×××

11 章

基本 目標 20分 解答・解説 ▶ P230 check

テキスト 第12章

28 外貨換算会計

次の問1～問3の各取引について仕訳しなさい。なお、日付に示されている為替相場はその日の直物為替相場を示している。また、仕訳を行う必要がないものは解答用紙の借方科目欄に「仕訳なし」と記入しなさい。

問1

1．6月15日(112円／ドル)：アメリカの仕入先より商品3,000ドルを掛けで購入した。

2．7月20日(108円／ドル)：商品代金3,000ドルを支払うために、取引銀行でドルに両替し、当座預金口座により仕入先に送金した。

問2

1．3月10日(107円／ドル)：アメリカの得意先に商品1,500ドルを輸出し、代金は掛けとした。

2．3月31日(110円／ドル)：決算日を迎えた。

3．4月25日(112円／ドル)：商品代金1,500ドルの送金があり、取引銀行で円貨に両替し当座預金口座に入金した。

問3

1．3月1日(105円／ドル)：アメリカの仕入先より商品4,000ドルを掛けで購入した。なお、当該掛代金の決済予定日は4月30日である。

2．3月20日(108円／ドル)：取引銀行との間で、4月30日支払いの買掛金4,000ドルについて為替予約を締結した。なお、為替予約の方法は振当処理とし、同日における先物為替相場は111円／ドルであった。

3．3月31日(110円／ドル)：決算日を迎えた。

4．4月30日(114円／ドル)：輸入代金4,000ドルの支払期日を迎えたので、取引銀行との為替予約契約に基づき仕入先に4,000ドルを送金し、当座預金から決済した。

解答用紙

問1

	借方科目	金額	貸方科目	金額
1				
2				

問2

	借方科目	金額	貸方科目	金額
1				
2				
3				

問3

	借方科目	金額	貸方科目	金額
1				
2				
3				
4				

基本 目標 25分 解答・解説 ▶P232 check

29 精算表1

次の資料に基づき、当期(×２年１月１日から×２年12月31日)の精算表を作成しなさい。

〔資料〕決算整理事項等

1．×２年10月１日に備品20,000円を購入し代金を現金で支払ったが、仮払金として処理したのみである。

2．売掛金の期末残高に対し２％の貸倒引当金を設定する。

3．期末商品棚卸高は次のとおりである。なお、棚卸減耗損は売上原価に算入せず、商品評価損は売上原価に算入する。また、売上原価は「仕入」の行で計算する。

帳簿棚卸数量　220個　　原　　　価　@300円
実地棚卸数量　212個　　正味売却価額　@286円

4．備品の減価償却を定率法により行う。前期以前に取得した備品、当期中に取得した備品ともに償却率は20％である。

5．売買目的有価証券は、A社株式を当期中に購入したものであり、決算日における時価は26,500円である。

6．満期保有目的債券は、×２年７月１日にB社発行の社債(額面総額30,000円、年利率１％、利払日は６月末日と12月末日の年２回、発行日は×２年７月１日、償還期間５年)を額面100円につき98円で購入したものである。償却原価法(定額法)によって評価する。

7．当期首に行った企業買収によりのれんを計上している。のれんは最長償却期間にわたり、定額法により償却する。

解答用紙

精　算　表

（単位：円）

勘定科目	試算表		修正記入		損益計算書		貸借対照表	
	借方	貸方	借方	貸方	借方	貸方	借方	貸方
現　　　金	16,200							
売　掛　金	39,000							
売買目的有価証券	26,900							
繰越商品	58,200							
備　　　品	100,000							
満期保有目的債券	29,400							
仮　払　金	20,000							
の　れ　ん	28,000							
買　掛　金		28,040						
貸倒引当金		690						
減価償却累計額		20,000						
資　本　金		220,000						
繰越利益剰余金		17,000						
売　　　上		150,000						
受取配当金		120						
有価証券利息		150						
仕　　　入	104,000							
給　　　料	14,300							
	436,000	436,000						
貸倒引当金繰入								
棚卸減耗損								
商品評価損								
減価償却費								
のれん償却								
(　　　)								
当期純利益								

基本 目標 25分 解答・解説 ▶P235 check

30 精算表２

以下に示した当社の当期(×５年４月１日～×６年３月31日)の決算整理事項等に基づき、精算表を完成させなさい。

〔決算整理事項等〕

1．前期発生売掛金 70千円が回収不能であることが判明した。

2．売上債権の期末残高に対して、過去の貸倒実績率により２％の貸倒れを見積もる。貸倒引当金の計上は差額補充法によること。

3．商品の期末棚卸高は次のとおりである。売上原価の計算は仕入勘定で行い、精算表上、棚卸減耗損および商品評価損は独立の科目として表示する。

帳簿棚卸高	数量	300個	原　　価	@15千円
実地棚卸高	数量	290個	正味売却価額	@14千円

4．備品の減価償却を定率法により行う。償却率は20％である

5．満期保有目的債券は、A社社債(額面総額 8,000千円、年利率0.5％、利払日３月末日および９月末日の年２回、償還日 ×８年３月31日)を当期首に取得したものである。額面総額と取得価額との差額は金利の調整の性格を有していると判断されるため、償却原価法(定額法)により評価する。

6．買掛金の中に、ドル建買掛金 880千円(８千ドル、仕入時の為替相場１ドル110円)が含まれており、決算時の為替相場は、１ドル 115円であった。

7．従業員に対する退職給付債務を見積もった結果、当期の負担に属する金額は200千円と計算されたので、退職給付引当金として計上する。

8．保険料の中には、当期中の12月１日に１年分の火災保険料を前払いした 36千円が含まれている。

13 章

解答用紙

精　算　表　　(単位：千円)

勘定科目	試算表		修正記入		損益計算書		貸借対照表	
	借方	貸方	借方	貸方	借方	貸方	借方	貸方
現金預金	5,640							
売掛金	15,070							
繰越商品	5,100							
備品	3,000							
満期保有目的債券	7,760							
買掛金		7,660						
貸倒引当金		270						
退職給付引当金		5,000						
減価償却累計額		1,080						
資本金		12,000						
繰越利益剰余金		3,000						
売上		55,000						
有価証券利息		40						
仕入	38,000							
給料	9,380							
保険料	100							
	84,050	84,050						
棚卸減耗損								
商品評価損								
減価償却費								
貸倒引当金繰入								
退職給付費用								
(　　　)								
(　)保険料								
当期純(　)								

基本 目標 10分 解答・解説 ▶P239 check

31 英米式決算法

次の資料は、当社の各勘定の決算整理後の残高と、期中の配当に関する取引である。これらに基づき、解答用紙の損益勘定、繰越利益剰余金勘定を作成しなさい(決算日は年１回３月31日)。なお、法人税等は考慮しないこと。

1．各勘定の決算整理後の残高

売　　　　上	2,255,000円	受　取　家　賃	258,000円
仕　　　　入	1,353,000円	給　　　　料	516,000円
支　払　地　代	364,000円	減価償却費	30,000円
貸倒引当金戻入	1,000円	現　　　　金	290,500円
当　座　預　金	753,000円	売　掛　金	950,000円
繰　越　商　品	307,000円	建　　　　物	1,000,000円
買　掛　金	780,500円	貸倒引当金	19,000円
減価償却累計額	450,000円	資　本　金	1,500,000円
利益準備金	210,000円	別途積立金	40,000円
繰越利益剰余金	50,000円		

2．利益剰余金からの配当

当期の６月25日の株主総会で100,000円の配当を行うことが決議された。なお、この際10,000円の利益準備金の積立てと40,000円の別途積立金の積立ても決議された。

解答用紙

損　　益

3/31	(　　　)	(　　　)	3/31	(　　　)	(　　　)
〃	(　　　)	(　　　)	〃	(　　　)	(　　　)
〃	(　　　)	(　　　)	〃	(　　　)	(　　　)
〃	(　　　)	(　　　)			
〃	(　　　)	(　　　)			
		(　　　)			(　　　)

繰越利益剰余金

6/25	(　　　)	(　　　)	4/ 1	(　　　)	(　　　)
〃	(　　　)	(　　　)	3/31	(　　　)	(　　　)
〃	(　　　)	(　　　)			
3/31	(　　　)	(　　　)			
		(　　　)			(　　　)

基本　目標 30分　解答・解説 ▶ P242　check

32 財務諸表作成

次の決算整理前残高試算表と決算整理事項等に基づき、解答用紙の損益計算書、貸借対照表を作成しなさい。なお、会計期間は×２年４月１日から×３年３月31日の１年間である。

決算整理前残高試算表　(単位：円)

借　方	勘定科目	貸　方
182,000	現　金	
262,500	当座預金	
535,500	受取手形	
384,500	売掛金	
80,000	仮払法人税等	
240,000	売買目的有価証券	
188,000	満期保有目的債券	
375,000	繰越商品	
750,000	建　物	
120,000	機　械	
	支払手形	306,000
	買掛金	350,500
	短期借入金	140,000
	貸倒引当金	10,250
	建物減価償却累計額	247,500
	機械減価償却累計額	52,500
	資本金	1,000,000
	繰越利益剰余金	568,000
	売　上	2,825,800
	有価証券利息	6,000
1,621,550	仕　入	
492,000	給　料	
152,000	支払保険料	
111,000	租税公課	
12,500	支払利息	
5,506,550		5,506,550

〔決算整理事項等〕

⑴　売上債権の期末残高に対して２％の貸倒引当金を設定する。

⑵　期末商品棚卸高は次のとおりである。なお、棚卸減耗損は売上原価に算入せず、商品評価損は売上原価に算入する。

帳簿棚卸数量	1,550個	原　　　価	@250円
実地棚卸数量	1,470個	正味売却価額	@246円

⑶　有価証券に関する事項は以下のとおりである。

①　売買目的有価証券の期末時価は243,000円であった。

②　満期保有目的債券は、×２年４月１日にＡ社発行の社債(額面総額200,000円、年利率３％、利払日は３月末日、償還期間６年)を額面100円につき94円で発行と同時に購入したものである。償却原価法(定額法)によって評価する。

⑷　固定資産に関する事項は以下のとおりである。

①　建物につき定額法により減価償却を行う。なお、残存価額は取得原価の10％、耐用年数は30年とする。

②　×２年11月30日に機械のすべてを58,000円で売却し、現金を受取ったが未処理であった。なお、機械の減価償却は定率法で行われており、償却率は25％である。

⑸　収入印紙の未使用高が20,000円ある。

⑹　保険料は毎期、11月１日に向こう１年分を支払っている。

⑺　120,000円を法人税等として計上する。

解答用紙

損益計算書
自×2年4月1日　至×3年3月31日

Ⅰ	売　上　高		2,825,800
Ⅱ	売　上　原　価		
	1　期首商品棚卸高	(　　　)	
	2　当期商品仕入高	(　　　)	
	合　　計	(　　　)	
	3　期末商品棚卸高	(　　　)	
	差　　引	(　　　)	
	4　(　　　)	(　　　)	(　　　)
	売上総利益		(　　　)
Ⅲ	販売費及び一般管理費		
	1　給　　料	(　　　)	
	2　減価償却費	(　　　)	
	3　租税公課	(　　　)	
	4　支払保険料	(　　　)	
	5　(　　　)	(　　　)	
	6　貸倒引当金繰入	(　　　)	(　　　)
	営業利益		(　　　)
Ⅳ	営業外収益		
	1　有価証券利息	(　　　)	
	2　(　　　)	(　　　)	(　　　)
Ⅴ	営業外費用		
	1　支払利息		(　　　)
	経常利益		(　　　)
Ⅵ	特別利益		
	1　(　　　)		(　　　)
	税引前当期純利益		(　　　)
	法人税等		(　　　)
	当期純利益		(　　　)

貸借対照表
×3年3月31日

(単位：円)

資産の部			負債の部	
Ⅰ 流動資産			Ⅰ 流動負債	
1 現金預金		(　)	1 支払手形	(　)
2 受取手形	(　)		2 買掛金	(　)
3 売掛金	(　)		3 短期借入金	(　)
貸倒引当金	(　)	(　)	4 (　)	(　)
4 有価証券		(　)	流動負債合計	(　)
5 商品		(　)	負債合計	(　)
6 貯蔵品		(　)	純資産の部	
7 (　)		(　)	Ⅰ 株主資本	
流動資産合計		(　)	1 資本金	(　)
Ⅱ 固定資産			2 利益剰余金	
有形固定資産			(1)その他利益剰余金	
1 建物	(　)		繰越利益剰余金	(　)
減価償却累計額	(　)	(　)	株主資本合計	(　)
有形固定資産合計		(　)	純資産合計	(　)
投資その他の資産				
1 投資有価証券		(　)		
投資その他の資産合計		(　)		
固定資産合計		(　)		
資産合計		(　)	負債・純資産合計	(　)

基本 目標 20分 解答・解説 ▶P248 check

33 本支店間の取引

次の本支店間の取引に基づき、本店勘定および支店勘定に記入しなさい(締切不要)。

4月 1日　当社は支店を開設し、以下の資産・負債を本店の勘定から分離した。

現　　金	150,000円	備　　品	200,000円
繰越商品	42,000円	減価償却累計額	75,000円

4月 8日　支店は、本店の売掛金70,000円を現金で回収し、本店はその通知を受けた。

4月14日　本店は、支店の売掛金33,000円を得意先振出の約束手形で回収し、支店はその通知を受けた。

4月19日　本店は、支店の通信費6,500円を現金で支払い、支店はその通知を受けた。

4月24日　支店は、本店の未払金20,000円を現金で支払い、本店はその通知を受けた。

4月28日　支店は、本店の従業員の出張旅費10,000円を現金で立替払いし、本店はその通知を受けた。

解答用紙

本　店

支　店

基本　目標 15分　解答・解説 ▶ P251　check

34 本支店会計の決算手続き

次の決算整理後残高試算表をもとに、以下の問1および問2に答えなさい。なお、当期の税引前当期純利益の25%を、未払法人税等に計上する。

問1　解答用紙の総合損益勘定(日付欄省略)を作成しなさい。

問2　次期に繰越される本店における支店勘定の金額を答えなさい。

〔資料〕決算整理後残高試算表

決算整理後残高試算表　(単位：円)

借方	本店	支店	貸方	本店	支店
現金	2,300	700	買掛金	1,990	1,620
売掛金	4,150	1,240	貸倒引当金	120	50
繰越商品	1,100	320	減価償却累計額	3,400	860
建物	6,800	1,110	本店	―	780
支店	780	―	資本金	8,000	―
仕入	2,100	820	繰越利益剰余金	1,460	―
本店より仕入	―	550	売上	2,420	1,890
営業費	420	330	支店へ売上	550	―
減価償却費	200	100			
貸倒引当金繰入	90	30			
	17,940	5,200		17,940	5,200

解答用紙

問1

総合損益

(　　)	(　　)	(　　)	(　　)
(　　)	(　　)	(　　)	(　　)

問2

|　　| 円

基　本　目標 10分　解答・解説 ▶ P254　check

テキスト 第15章

35 課税所得の計算

以下の〔資料〕に基づいて解答用紙の表を完成させ、当期の法人税等の金額を求めなさい。なお、法人税等の実効税率は30%とする。

〔資料〕

1. 当期の収益総額は860,000円、費用総額は620,000円である。
2. 当期における調整項目は以下のとおりである。
   ① 損金算入項目：貸倒引当金繰入超過額認容1,100円
   ② 損金不算入項目：減価償却超過額3,800円
   　　　　　　　　　交際費等の損金不算入額2,800円
   ③ 益金算入項目：売上計上漏れ4,000円
   ④ 益金不算入項目：受取配当金の益金不算入額：3,500円

解答用紙

区　分		金　額(単位：円)
当期純利益		(　　　)
加算調整	(　　　)	(　　　)
	(　　　)	(　　　)
	(　　　)	(　　　)
減算調整	(　　　)	(　　　)
	(　　　)	(　　　)
課税所得		(　　　)

法　人　税　等　[　　　　円]

基本　目標 20分　解答・解説 ▶ P256　check

36 税効果会計１

次の各取引について仕訳しなさい。なお、法人税等の実効税率は30%とする。

1．×１年度の決算において、売掛金に対して貸倒引当金を￥80,000計上したが、うち￥30,000は税法上損金に算入することが認められなかった。そこで、貸倒引当金の設定に関する仕訳と税効果に関する仕訳を行う。

2．上記１で損金に算入することが認められなかった貸倒引当金繰入額￥30,000について、当期(×２年度)において該当する売掛金が貸倒れ、当期中に適切に処理して当期の損金に算入することが認められた。そこで、税効果会計の処理を行う。

3．決算にあたり、当期首に取得した備品(取得原価 ￥360,000、残存価額ゼロ、耐用年数４年、間接法により記帳)について、定額法により減価償却を行った。なお、税法で認められている耐用年数は６年であるために、税法で認められる償却額を超過した部分については損金に算入することが認められない。そこで、減価償却に関する仕訳と税効果に関する仕訳を行う。

4．当期首(×２年４月１日)において、得意先である大阪商事株式会社との取引開始にあたり、同社との長期にわたる取引関係を維持するために、同社の株式10,000株を取得することとなり、１株あたり￥1,200にて購入し、取引費用￥80,000とともに現金にて支払った。

5．当期末(×３年３月31日)となり、決算整理事項として、上記４の株式について時価評価を行う。当該株式の時価は、１株あたり￥1,500である。なお、当社は、全部純資産直入法により処理することとしている。

6．翌期首(×３年４月１日)に、上記５の処理に基づく洗替仕訳を行う。

15
章

解答用紙

	借　方　科　目	金　　　　額	貸　方　科　目	金　　　　額
1				
2				
3				
4				
5				
6				

テキスト 第15章

基本 目標 15分 解答・解説 ▶ P259 check

37 税効果会計2

次の資料に基づき、解答用紙の決算整理後残高試算表(一部)を完成しなさい。
なお、法人税等の実効税率は30%である。

〔資料Ⅰ〕決算整理前残高試算表（一部）

決算整理前残高試算表

借　　方	勘定科目	貸　　方
	:	
600,000	備　　品	
1,300,000	その他有価証券	
9,750	繰延税金資産	
	貸倒引当金	30,000
	備品減価償却累計額	120,000
	:	
×××		×××

〔資料Ⅱ〕決算整理事項

1．売上債権に対し￥50,000の貸倒引当金を設定する。なお、税法上の損金算入限度額は￥35,000である。
2．備品(前期首に取得、残存価額 ゼロ、耐用年数５年)について、定額法により減価償却を行う。なお、税法で認められている耐用年数は６年である。
3．その他有価証券の期末時価は￥1,500,000である。
4．当期首における繰延税金資産の内訳は貸倒引当金に係る金額が￥3,750、備品に係る金額が￥6,000であった。

15 章

解答用紙

決算整理後残高試算表

借　　方	勘定科目	貸　　方
	:	
	繰延税金資産	
	:	
	繰延税金負債	
	:	
	法人税等調整額	
	:	
×××		×××

基本 目標 15分 解答・解説 ▶ P261 check

38 資本連結（支配獲得時）

以下の資料に基づき、各問いに答えなさい。

問１　以下の資料に基づき、Ｐ社にて行う支配獲得日における連結修正仕訳（投資と資本の相殺消去）を示しなさい。

1．Ｐ社は、×１年３月31日にＳ社の株式の100％を￥420,000で取得し、Ｓ社を連結子会社とした。支配獲得日におけるＳ社の純資産の内訳は、資本金￥200,000、資本剰余金￥120,000、利益剰余金￥80,000であった。

2．Ｐ社は、×１年３月31日にＳ社の株式の60％を￥350,000で取得し、Ｓ社を連結子会社とした。支配獲得日におけるＳ社の純資産の内訳は、資本金￥250,000、資本剰余金￥150,000、利益剰余金￥100,000であった。

3．Ｐ社は、×１年３月31日にＳ社の株式の80％を￥540,000で取得し、Ｓ社を連結子会社とした。支配獲得日におけるＳ社の純資産の内訳は、資本金￥400,000、資本剰余金￥200,000、利益剰余金￥150,000であった。

問２　Ｐ社（決算日：毎年３月31日）は、×１年３月31日にＳ社の発行済株式の75％を45,000円で取得し、Ｓ社を連結子会社とした。同日におけるＰ社およびＳ社の個別貸借対照表は以下のとおりであり、Ｓ社の資産と負債の時価は、帳簿価額と同じであった。支配獲得日における連結貸借対照表を完成させなさい。

貸借対照表
×１年３月31日　　（単位：円）

資　　産	Ｐ社	Ｓ社	負債・純資産	Ｐ社	Ｓ社
諸資産	530,000	180,000	諸負債	325,000	130,000
子会社株式	45,000	―	資本金	150,000	30,000
			利益剰余金	100,000	20,000
	575,000	180,000		575,000	180,000

解答用紙

問 1

	借方科目	金額	貸方科目	金額
1				
2				
3				

問 2

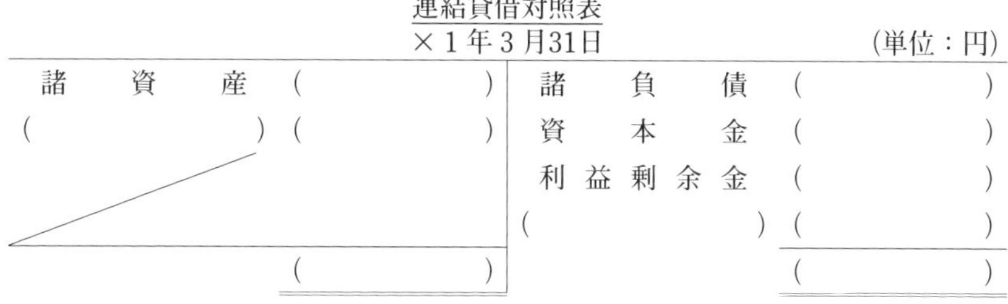

連結貸借対照表
×1年3月31日　　(単位：円)

諸資産	(　　)	諸負債	(　　)
(　　)	(　　)	資本金	(　　)
		利益剰余金	(　　)
		(　　)	(　　)
	(　　)		(　　)

基本 目標 10分 解答・解説 ▶P263 check

39 成果連結（仕訳問題）

次の1～6に基づいて当期の決算において必要な連結修正仕訳をしなさい。

1．中野産業株式会社（以下中野産業）は、杉並商事の発行済株式の70％を保有し、連結子会社としている。
2．当期における中野産業から杉並商事への商品の売上高は140,000円であった。なお、中野産業の売上利益率は25％である。
3．杉並商事の保有する、中野産業からの仕入商品は、当期首において23,000円、当期末において36,000円であった。
4．中野産業の杉並商事に対する売上債権の残高は以下のとおりである（5に関する手形残高は除く）。

	前期末	当期末
受取手形	13,000円	14,500円
売掛金	10,000円	11,000円

5．当期において、中野産業は杉並商事振出の約束手形6,000円のうち4,000円を銀行で割引いた。当該手形は期末現在未だ決済されていない。なお、手形の割引料は考慮しない。
6．中野産業の杉並商事に対する売上債権の期末残高に対して毎期2％の貸倒引当金を設定している。

解答用紙

1．商品売買取引および商品に関する連結修正仕訳

借　方　科　目	金　　　　額	貸　方　科　目	金　　　　額

2．売上債権・仕入債務および手形に関する連結修正仕訳

借　方　科　目	金　　　　額	貸　方　科　目	金　　　　額

3．貸倒引当金に関する連結修正仕訳

借　方　科　目	金　　　　額	貸　方　科　目	金　　　　額

基　本　目標 20分　解答・解説 ▶P266　check

テキスト 第17章

40 未実現利益の消去

次の各取引について、未実現利益の消去に関する連結修正仕訳をしなさい。なお、P社はS社の発行済の議決権付きの株式を80%所有しており、S社を支配しているものとする。

1．P社は、当期より、S社に対する商品の販売を開始しており、外部から100,000円で仕入れた商品を120,000円でS社に販売していたが、S社の期末商品棚卸高のうち24,000円はP社から仕入れた商品であった。
2．P社は仕入原価に15％の利益を付加してS社に販売しており、S社の期末商品棚卸高のうち138,000円はP社から仕入れた商品であった。なお、P社は、当期より、S社に対する商品の販売を開始している。
3．P社は、前期より、S社に対する商品の販売を開始しており、前期より売上総利益は20％で一定である。S社の期首商品棚卸高のうち80,000円、期末商品棚卸高のうち110,000円はP社からの仕入分であった。
4．P社は、当期中に、所有していた土地（帳簿価額3,000,000円）を3,240,000円でS社に売却した。なお、S社はこの土地を当期末において所有している。
5．S社は仕入原価に10％の利益を付加してP社に販売しており、P社の期末商品棚卸高のうち132,000円はS社から仕入れた商品であった。なお、S社は、当期より、P社に対する商品の販売を開始している。
6．S社は、当期中に、所有していた土地（帳簿価額2,000,000円）を2,150,000円でP社に売却した。なお、P社はこの土地を当期末において所有している。

解答用紙

	借　方　科　目	金　　　　　額	貸　方　科　目	金　　　　　額
1				
2				
3				
4				
5				
6				

基本 目標 15分 解答・解説 ▶ P269 check 

41 連結貸借対照表

P社(会計年度は4月1日から翌年3月31日までの1年間)は、×3年3月31日にS社の発行済株式の60%を3,600千円で取得し、S社を連結子会社とした。同日におけるP社およびS社の個別貸借対照表は解答用紙の連結精算表に示すとおりであり、S社の資産と負債の時価は、帳簿価額と同じであった。そこで、各設問に答えなさい。なお、P社には、S社以外に子会社はないものとする。

問1　解答用紙の連結精算表(×3年3月31日)を完成させなさい。

問2　以下の×4年3月31日におけるP社とS社の個別財務諸表および(1)〜(3)を考慮して、答案用紙の×4年3月31日における連結貸借対照表を完成させなさい。

貸借対照表
×4年3月31日　　(単位：千円)

資産	P社	S社	負債・純資産	P社	S社
諸資産	44,400	16,000	諸負債	25,000	11,000
子会社株式	3,600	—	資本金	12,000	3,000
			利益剰余金	11,000	2,000
	48,000	16,000		48,000	16,000

(1)　×3年度におけるS社の当期純利益は1,000千円である。

(2)　×3年度中にS社は利益剰余金を財源とした配当を500千円行った。

(3)　のれんが発生している場合には、支配獲得時の翌年度から10年間にわたり定額法により償却する。

解答用紙

問1

連　結　精　算　表　　　　(単位：千円)

科　　目	個別財務諸表		修正・消去		連結財務諸表
	P　社	S　社	借　方	貸　方	
貸借対照表					連結貸借対照表
諸　資　産	42,600	15,000			
(　　　　)					
子会社株式	3,600				
資産合計	46,200	15,000			
諸　負　債	(25,500)	(10,500)			
資　本　金	(12,000)	(3,000)			
利益剰余金	(8,700)	(1,500)			
(　　　　)					
負債・純資産合計	(46,200)	(15,000)			

(注) 精算表において(　　)を付してある金額欄は貸方項目を意味している。

問2

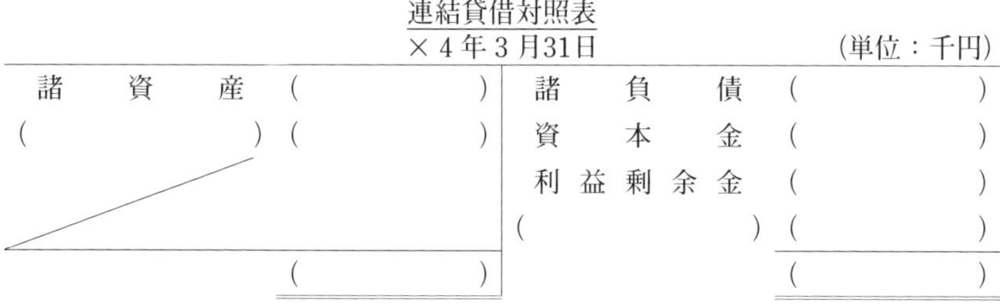

連結貸借対照表
×4年3月31日　　　　(単位：千円)

諸　資　産	(　　　　)	諸　負　債	(　　　　)
(　　　　)	(　　　　)	資　本　金	(　　　　)
		利益剰余金	(　　　　)
		(　　　　)	(　　　　)
	(　　　　)		(　　　　)

基本 目標 20分 解答・解説 ▶ P273 check

テキスト 第18章

42 連結財務諸表

次の〔資料〕に基づき、×３年度（×３年４月１日～×４年３月31日）の（問１）連結損益計算書を作成し、（問２）連結貸借対照表に関する解答用紙の科目の金額を答えなさい。

〔資料Ⅰ〕

1．Ｐ社は×２年３月31日にＳ社の発行済株式総数（12,000株）の70％を60,000千円で取得し、連結子会社としている。

2．×２年３月31日のＳ社の純資産は80,000千円であり、その内訳は次のとおりである。

資本金：50,000千円、資本剰余金10,000千円、利益剰余金20,000千円

3．Ｓ社の×２年度の当期純利益は6,000千円であり、剰余金の配当は実施していない。

4．のれんは発生年度の翌期より10年で均等償却を行っている。

〔資料Ⅱ〕

1．Ｐ社およびＳ社の×３年度における貸借対照表および損益計算書は次のとおりである。

貸借対照表

×４年３月31日　　(単位：千円)

資産	Ｐ社	Ｓ社	負債・純資産	Ｐ社	Ｓ社
諸資産	500,000	165,000	諸負債	190,000	120,000
売掛金	111,000	96,000	買掛金	88,780	65,940
貸倒引当金	△2,220	△920	資本金	300,000	50,000
商品	45,000	22,000	資本剰余金	70,000	10,000
Ｓ社株式	60,000	―	利益剰余金	65,000	36,140
	713,780	282,080		713,780	282,080

損益計算書

×3年4月1日～×4年3月31日　(単位：千円)

	P社	S社
売上高	980,000	389,000
売上原価	752,000	298,000
売上総利益	228,000	91,000
販売費及び一般管理費	179,700	65,800
営業利益	48,300	25,200
営業外収益	12,300	8,990
営業外費用	36,700	21,050
当期純利益	23,900	13,140

2．S社は×3年度において3,000千円の剰余金の配当を実施している。

3．当期よりP社はS社に対して、仕入原価に15％の利益を付加して商品を販売しており、当期中におけるP社のS社に対する売上高は120,000千円である。また、当期末においてS社の保有するP社仕入商品は28,750千円である。

4．P社は売上債権期末残高に対して2％の貸倒引当金を設定している。なお、当期末におけるP社のS社に対する売掛金は32,000千円である。

解答用紙

（問１）

連結損益計算書

×３年４月１日～×４年３月31日　（単位：千円）

売上高	（　）
売上原価	（　）
売上総利益	（　）
販売費及び一般管理費	（　）
営業利益	（　）
営業外収益	（　）
営業外費用	（　）
当期純利益	（　）
非支配株主に帰属する当期純利益	（　）
親会社株主に帰属する当期純利益	（　）

（問２）

連結貸借対照表の金額

（×４年３月31日）　（単位：千円）

	金額
商品	
のれん	
利益剰余金	
非支配株主持分	

基　本　目標 25分　解答・解説 ▶ P277　check

43 連結精算表

次の〔資料〕に基づき、×８年度(×８年４月１日～×９年３月31日)の連結精算表を作成しなさい。なお、法人税等および税金は考慮しないものとする。また、貸方残高となるものには(　)をつけること。

〔資料Ⅰ〕Ｓ社に関する事項等

1．Ｐ社は×７年３月31日にＳ社の発行済株式の80％を196,000千円で取得し、連結子会社としている。

2．×７年３月31日のＳ社の純資産は次のとおりである。
　　資本金：80,000千円、資本剰余金48,000千円、利益剰余金100,000千円

3．Ｓ社の×７年度の当期純利益は10,000千円であり、剰余金の配当は実施していない。

4．のれんは発生年度の翌期より20年で均等償却を行っている。

〔資料Ⅱ〕連結修正仕訳に関する事項等

1．Ｐ社はＳ社に対して、原価率75％で商品を販売しており、当期中におけるＰ社のＳ社に対する売上高は215,000千円である。

2．前期末におけるＳ社の保有するＰ社からの仕入商品は33,000千円、当期末におけるＳ社の保有するＰ社からの仕入商品は42,000千円であった。

3．前期末におけるＰ社のＳ社に対する売掛金は50,000千円、当期末におけるＰ社のＳ社に対する売掛金は58,000千円である。なお、Ｐ社はＳ社に対する売上債権について貸倒引当金を設定していない。

4．当期中にＰ社はＳ社に対して、帳簿価額90,000千円の土地を105,000千円で売却している。

5．当期首にＰ社はＳ社に20,000千円(貸付期間５年、年利率４％、利払日毎年３月31日)を貸付けている。

6．Ｓ社の×８年度の当期純利益は16,000千円であり、当期中に6,000千円の剰余金の配当を実施している。

解答用紙

連結精算表　　　　(単位：千円)

科目	個別財務諸表			連結修正仕訳		連結財務諸表
	P社	S社	合計	借方	貸方	
損益計算書						
売上高	(892,000)	(450,000)	(1,342,000)			
売上原価	710,000	325,000	1,035,000			
営業費	166,700	99,200	265,900			
(　　　)	−	−	−			
受取配当金	(22,000)	−	(22,000)			
受取利息	(4,000)	−	(4,000)			
支払利息	12,300	9,800	22,100			
土地売却益	(15,000)	−	(15,000)			
非支配株主帰属純利益	−	−	−			
親会社株主帰属純利益	44,000	16,000	(60,000)			
株主資本等変動計算書						
資本金						
当期首残高	(200,000)	(80,000)	(280,000)			
当期末残高	(200,000)	(80,000)	(280,000)			
資本剰余金						
当期首残高	(90,000)	(48,000)	(138,000)			
当期末残高	(90,000)	(48,000)	(138,000)			
利益剰余金						
当期首残高	(145,000)	(110,000)	(255,000)			
配当金	25,000	6,000	31,000			
親会社株主帰属純利益	(44,000)	(16,000)	(60,000)			
当期末残高	(164,000)	(120,000)	(284,000)			
非支配株主持分						
当期首残高	−	−	−			
当期変動額	−	−	−			
当期末残高	−	−	−			

次ページへ続く

連結精算表

(単位：千円)

科目	個別財務諸表			連結修正仕訳		連結財務諸表
	P社	S社	合計	借方	貸方	
貸借対照表						
現金預金	40,000	30,500	70,500			
売掛金	126,000	94,500	220,500			
商品	88,000	63,000	151,000			
土地	190,000	142,000	332,000			
S社株式	196,000	−	196,000			
のれん	−	−	−			
長期貸付金	60,000	−	60,000			
資産合計	700,000	330,000	1,030,000			
買掛金	(146,000)	(42,000)	(188,000)			
長期借入金	(100,000)	(40,000)	(140,000)			
資本金	(200,000)	(80,000)	(280,000)			
資本剰余金	(90,000)	(48,000)	(138,000)			
利益剰余金	(164,000)	(120,000)	(284,000)			
非支配株主持分	−	−	−			
負債・純資産合計	(700,000)	(330,000)	(1,030,000)			

18
章

問題編

応用

問題編〈応用〉には、本試験の出題形式に合わせて問題を掲載しました。『日商簿記２級光速マスターNEO 商業簿記テキスト』と本書の問題編〈基本〉を使って学習が終わったら、問題編〈応用〉の問題を解きましょう。問題ごとに重要度と目標時間が示してあるので、より本試験を意識した実戦的な練習を積むことができます。問題編〈応用〉に掲載した29題を解くことで、本試験レベルの問題に対応できる力を養います。

応用　目標 20分　解答・解説 ▶ P282　check

44 仕訳問題１

次の各取引について仕訳しなさい。ただし、各勘定科目は、各取引の下の勘定科目の中から最も適切なものを選び、記号で解答すること。

1．期末における電子記録債権残高は1,250,000円、貸付金残高は1,600,000円であった。電子記録債権については過去の貸倒実績率２％に基づき貸倒引当金を設定するが、貸付金についてはその回収不能額を40％と見積もって貸倒引当金を設定する。なお、貸倒引当金の決算整理前残高は10,500円であった。
　ア．売掛金　イ．電子記録債権　ウ．貸付金　エ．貸倒引当金
　オ．貸倒引当金戻入　カ．貸倒引当金繰入　キ．貸倒損失

2．長期利殖目的で保有するＢ株式(帳簿価額800,000円、時価1,000,000円)について、期末の時価評価を行う。また、その他有価証券の処理方法は全部純資産直入法によることとし、実効税率30％として税効果会計を適用する。
　ア．売買目的有価証券　イ．その他有価証券　ウ．繰延税金資産
　エ．繰延税金負債　オ．その他有価証券評価差額金　カ．有価証券評価益
　キ．有価証券評価損

3．１年満期の定期預金(年利率0.8％) 5,000,000円が満期を迎え、受取利息の手取額を加算した金額が普通預金に入金された。なお、受取利息に対して15％の源泉所得税が控除されており、仮払法人税等に計上する。
　ア．普通預金　イ．定期預金　ウ．仮払法人税等　エ．受取利息
　オ．租税公課　カ．支払利息　キ．法人税等

4．店舗の駐車場用の土地を6,000,000円で購入し、購入手数料300,000円および整地費用300,000円を含めた金額について約束手形を振出した。また、取得原価に含める不動産取得税198,000円を後日納付するため、未払計上した。
　ア．当座預金　イ．土地　ウ．支払手形　エ．未払金
　オ．営業外支払手形　カ．支払手数料　キ．租税公課

5．研究開発部門の当月の人件費800,000円を普通預金から支払った。また、研究開発目的のみに使用する備品650,000円を購入し、翌月に支払うこととした。
　ア．当座預金　イ．普通預金　ウ．備品　エ．買掛金
　オ．未払金　カ．給料手当　キ．研究開発費

解答用紙

	借方科目	金額	貸方科目	金額
1				
2				
3				
4				
5				

応用　目標 15分　解答・解説 ▶ P285　check

45 仕訳問題2

次の各取引について仕訳しなさい。ただし、各勘定科目は、各取引の下の勘定科目の中から最も適切なものを選び、記号で解答すること。

1．当社が建設を依頼していた建物（建設請負金額9,000,000円）が完成し、本日その引渡しを受け、発注後2回に分けて支払っていた5,500,000円（支払時に建設仮勘定で処理済み）を差引いた残額を当座預金口座から振込んだ。なお、建設請負金額についてはその全額をいったん建設仮勘定に計上すること。また、この建物の登記手数料700,000円を現金で支払っている。

ア．建物　イ．建設仮勘定　ウ．支払手数料　エ．現金
オ．租税公課　カ．未払金　キ．当座預金

2．株主総会において、現金による配当700,000円（内訳：その他資本剰余金200,000円、繰越利益剰余金500,000円）を決定した。その際、配当金の10分の1の金額を準備金として積み立てた。

ア．資本金　イ．資本準備金　ウ．繰越利益剰余金　エ．未払配当金
オ．受取配当金　カ．利益準備金　キ．その他資本剰余金

3．品質保証を付けて前期に売上げた商品について修理の申し出があったため、修理業者に修理を依頼し現金200,000円を支払った。なお、当社は前期末決算において230,000円の商品保証引当金を計上していた。

ア．役務原価　イ．売掛金　ウ．商品保証費　エ．役務収益
オ．商品保証引当金　カ．商品保証引当金繰入　キ．現金

4．火災保険に加入し、3年分の保険料1,620,000円を一括で普通預金から支払った。この保険料支払時にその総額を長期前払費用に計上した上で当月分を費用に振替える処理を行った。

ア．役務原価　イ．当座預金　ウ．現金　エ．長期前払費用
オ．仮払金　カ．支払保険料　キ．普通預金

5．土地と建物に対する固定資産税1,120,000円の納税通知書を受取り、第１期分から第４期分までのうち、第１期分280,000円を現金で納付し、残額は未払計上した。

ア．前払費用　　イ．租税公課　　ウ．未払金　　エ．貯蔵品
オ．現金　　カ．法人税等　　キ．未払法人税等

解答用紙

	借　方　科　目	金　　　額	貸　方　科　目	金　　　額
1				
2				
3				
4				
5				

応用　目標 15分　解答・解説 ▶ P288　check

46 仕訳問題３

次の各取引について仕訳しなさい。ただし、各勘定科目は、各取引の下の勘定科目の中から最も適切なものを選び、記号で解答すること。

1．当社は、商品Ａ（売価200,000円）と商品Ｂ（売価350,000円）を販売する契約（それぞれ独立した履行義務である）を締結し、商品Ａは引渡済みである。なお、販売代金の請求は商品Ｂを引渡した後に行う契約となっている。本日、商品Ｂを引渡し、販売代金の請求書を送付した。

ア．売掛金　イ．契約資産　ウ．買掛金　エ．契約負債
オ．返金負債　カ．売上　キ．仕入

2．得意先へ商品Ｃを@800円で掛けにて販売しているが、４月から６月の間の販売数量が900個以上となった場合に@20円のリベートを支払う契約を結んでいる。４月中の販売数量が330個と確定したので、収益の計上を行う。なお、リベート条件の達成可能性は高いと見込んでいる。

ア．売掛金　イ．契約資産　ウ．買掛金　エ．契約負債
オ．返金負債　カ．売上　キ．仕入

3．当社（会計期間は４月１日から３月31日までの年１回決算）は使用中の備品（取得原価600,000円、前々期の期首に取得）を10月末日に除却した。この備品の処分価値は120,000円と見積もられた。なお、備品の減価償却は200％定率法（耐用年数５年）によって行い、直接法により記帳すること。

ア．貯蔵品　イ．未収入金　ウ．備品　エ．減価償却累計額
オ．固定資産除却益　カ．減価償却費　キ．固定資産除却損

4．商品231,000円（税込価格）を売上げ、31,000円は現金で受取り、残額はクレジット払いであった。信販会社へのクレジット手数料はクレジット決済額の３％であり、販売時に計上する。なお、消費税の税率は10％、税抜方式で処理している。また、クレジット手数料には消費税が課税されない。

ア．現金　イ．当座預金　ウ．クレジット売掛金　エ．仮払消費税
オ．仮受消費税　カ．売上　キ．支払手数料

解答用紙

	借　方　科　目	金　　　　額	貸　方　科　目	金　　　　額
1				
2				
3				
4				

重要度 A

応用 目標 10分 解答・解説 ▶P291 check

47 貸借対照表の表示区分

次の決算整理後残高試算表(一部)に基づき、解答用紙の貸借対照表(一部)を作成しなさい。なお、会計期間は×6年4月1日から×7年3月31日の1年間である。

〔決算整理後残高試算表(一部)〕

残高試算表
×7年3月31日
(単位:千円)

:	:	:	:
現金	20,000	支払手形	130,000
普通預金	48,000	借入金	60,000
当座預金	96,200	:	:
有価証券	262,800		
繰越商品	111,000		
前払費用	28,800		
:	:		

〔留意事項〕

(1) 借入金

債務額:100,000千円

借入日:×5年4月1日

返済方法:毎年3月末日に20,000千円ずつの分割返済による

(2) 前払費用

前払費用は、当期の10月1日に支払った3年分の保険料のうち当期に費用化されなかった分である。

(3) 支払手形

決算整理後残高試算表における支払手形には、機械装置を購入する際に振出した約束手形100,000千円が含まれている。

(4) 有価証券

決算整理後残高試算表における有価証券は、以下の有価証券である。

① 売買目的有価証券:8,000千円

② 満期保有目的債券:9,800千円(×3年4月1日に発行と同時に取得したものであり、償還期間は5年である)

③　子会社株式：150,000千円
④　関連会社株式：70,000千円
⑤　その他有価証券：25,000千円(当期に取得した株式である)

解答用紙

貸　借　対　照　表(一部)
×7年3月31日　　(単位：千円)

資産の部		負債の部	
Ⅰ 流　動　資　産		Ⅰ 流　動　負　債	
1 現　金　預　金	(　　　)	1 支　払　手　形	(　　　)
：		2 短 期 借 入 金	(　　　)
：		3 (　　　　　)	(　　　)
4 有　価　証　券	(　　　)	：	
5 (　　　　　)	(　　　)	Ⅱ 固　定　負　債	
6 前　払　費　用	(　　　)	1 長 期 借 入 金	(　　　)
：		：	
Ⅱ 固　定　資　産			
：			
投資その他の資産			
1 投資有価証券	(　　　)		
2 (　　　　　)	(　　　)		
3 長期前払費用	(　　　)		
：			

応用　目標 15分　解答・解説 ▶ P294　check

48 貸倒引当金

次の決算整理前残高試算表（一部）と決算整理事項等に基づき、解答用紙の損益計算書（一部）、貸借対照表（一部）を作成しなさい。なお、会計期間は×２年４月１日から×３年３月31日の１年間である。

残高試算表
×３年３月31日　（単位：円）

：	：	：	：
受取手形	650,000	貸倒引当金	44,500
売掛金	400,000	：	：
電子記録債権	220,000		
：	：	：	：
貸付金	800,000		

〔決算整理事項等〕

債権について、次のように貸倒引当金の設定を行う。なお、決算整理前残高試算表の貸倒引当金残高のうち、24,000円は売上債権に対するものであり、20,500円は営業外債権に対するものである。

(1)　売上債権

甲社に対する売掛金200,000円：債権額から担保処分見込額40,000円を控除した残額の60％の金額を貸倒見積高とする

乙社に対する売掛金50,000円：債権額の40％を貸倒見積高とする

その他の売上債権：貸倒見積高２％として貸倒引当金を設定する

(2)　営業外債権

貸付金：期末残高の３％の貸倒引当金を設定する

解答用紙

損益計算書(一部)

自×2年4月1日　至×3年3月31日　(単位：円)

販売費及び一般管理費	
：	
貸倒引当金繰入	(　　　)
：	
営業外費用	
貸倒引当金繰入	(　　　)
：	

貸借対照表(一部)

×3年3月31日　(単位：円)

資産の部			負債の部	
：		：		
受取手形	(　　)		：	：
貸倒引当金	(　　)	(　　)		
売掛金	(　　)		：	：
貸倒引当金	(　　)	(　　)		
電子記録債権	(　　)			
貸倒引当金	(　　)	(　　)		
：		：		
貸付金	(　　)			
貸倒引当金	(　　)	(　　)		
：		：		

応　用　目標 15分　解答・解説 ▶ P297　check 

49 有価証券

下記の〔資料〕に基づいて、当社（年１回12月末日決算）の有価証券に関する以下の問に答えなさい。

問　×２年度の有価証券利息勘定を完成させなさい。なお、利息は利払日に適正に当座預金から支払われており、有価証券の評価は償却原価法（定額法）により行っている。

〔資料〕

×１年10月１日

社債（額面総額1,000,000円、年利率３％、利払日は３月末と９月末日の年２回、償還期間５年）を額面100円につき96円で、発行と同時に満期まで保有する目的で取得し、代金は当座預金から振込んで支払った。なお、利払日に受取る利息については、当座預金口座に振込まれることになっている。

解答用紙

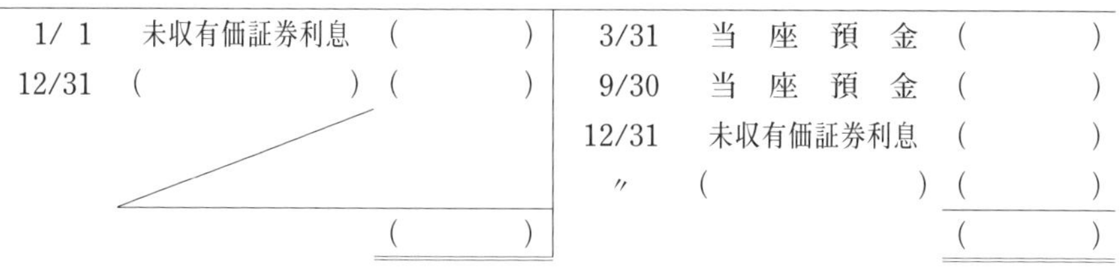

有価証券利息

1/ 1	未収有価証券利息	(　　　)	3/31	当　座　預　金	(　　　)
12/31	(　　　)	(　　　)	9/30	当　座　預　金	(　　　)
			12/31	未収有価証券利息	(　　　)
			〃	(　　　)	(　　　)
		(　　　)			(　　　)

応用　目標 20分　解答・解説▶P299　check

50 減価償却1

次の資料に基づき、当期(×5年1月1日〜×5年12月31日)の備品勘定と減価償却費勘定を完成させなさい。なお、備品の減価償却はすべて、残存価額を取得原価の10%とし、定額法により行っており、直接法で記帳している。

〔資料〕

×3年1月1日

備品A (取得原価 ¥500,000、耐用年数6年)を現金で購入した。

×4年4月1日

備品B (取得原価 ¥350,000、耐用年数5年)を現金で購入した。

×5年3月31日

備品Aを ¥335,000で売却し、代金を現金で受取った。

×5年8月1日

備品C (取得原価 ¥440,000、耐用年数8年)を現金で購入した。

×5年10月31日

備品Bを除却した。処分価値は ¥220,000と見積られた。

解答用紙

備　品

日付	摘要	金額	日付	摘要	金額
1/1	前期繰越	(　　)	3/31	諸口	(　　)
8/1	現金	(　　)	10/31	諸口	(　　)
			12/31	減価償却費	(　　)
			〃	次期繰越	(　　)
		(　　)			(　　)

減価償却費

日付	摘要	金額	日付	摘要	金額
3/31	諸口	(　　)	12/31	損益	(　　)
10/31	備品	(　　)			
12/31	備品	(　　)			
		(　　)			(　　)

応用 目標 25分 解答・解説 ▶ P302 check

51 減価償却2

次の資料に基づき、解答用紙の決算整理後残高試算表(一部)を完成させなさい。なお、会計期間は×８年４月１日～×９年３月31日である。

〔資料Ⅰ〕決算整理前残高試算表（一部）

決算整理前残高試算表　(単位：円)

借　方	勘定科目	貸　方
	:	
25,000,000	建物	
10,800,000	機械	
8,000,000	備品	
1,530,000	ソフトウェア	
	:	
	仮受金	2,600,000
	建物減価償却累計額	8,100,000
	機械減価償却累計額	1,512,000
	備品減価償却累計額	2,880,000
	:	
×××		×××

〔資料Ⅱ〕決算整理事項等

1．当社は当期首に機械のファイナンス・リース取引を開始しているが、リース取引に関する処理はリース資産として計上すべき金額を機械の現金取得としているのみであった。なお、当該機械の見積現金購入価額は6,000,000円、リース料は1年あたり1,100,000円（リース料支払日は毎年3月31日、現金支払）、リース期間は6年、利子込法を採用している。なお、前期以前に取得した機械は一括で取得している。

2．当期の9月1日に備品のオペレーティング・リース取引を開始した。当該備品の見積現金購入価額は1,300,000円、リース料は1年あたり240,000円（リース料支払日は毎年8月31日）、リース期間は4年である。

3．当期の12月1日に建物12,000,000円を取得したが、取得に際し国庫補助金の交付を当座預金口座への振込みにより受けており、国庫補助金相当額の圧縮記帳を直接減額方式により実施することとしている。また、これら一連の処理について国庫補助金振込時に仮受金として処理しているほか、建物取得の処理を適切に行っている。なお、前期以前に取得した建物は一括で取得している。

4．×7年7月1日に自社利用目的でソフトウェアを購入した。

5．当期首に久留米商会の衣料品事業を3,000,000円で買収し、小切手を振出して支払ったが一連の処理が未処理であった。買収時の久留米商会の帳簿価額は諸資産5,000,000円、土地1,000,000円、諸負債3,500,000円である。なお、土地について時価1,200,000円であった。

6．各資産の減価償却方法などは以下のとおりである。

	償却方法	残存価額	備　考
建　　物	定額法	取得原価の10％	耐用年数50年
機　　械	定額法	取得原価の10％	耐用年数10年
備　　品	定率法	取得原価の10％	償却率20％
リース資産	定額法	ゼ　ロ	?
ソフトウェア	定額法	?	利用可能期間5年
の れ ん	定額法	?	最長償却期間で償却

解答用紙

決算整理後残高試算表　（単位：円）

借　方	勘定科目	貸　方
	：	
	建　　　　物	
	機　　　　械	
	備　　　　品	
	土　　　　地	
	リ ー ス 資 産	
	（　　　　）	
	ソフトウェア	
	：	
	リ ー ス 債 務	
	（　　　　）	
	建物減価償却累計額	
	機械減価償却累計額	
	備品減価償却累計額	
	リース資産減価償却累計額	
	：	
	減 価 償 却 費	
	の れ ん 償 却	
	ソフトウェア償却	
	支払リース料	
	固定資産受贈益	
	（　　　　）	
×××		×××

応用　目標 30分　解答・解説 ▶P307　check

52 有形固定資産

中野商事株式会社の有形固定資産の状況は次の資料のとおりである。この〔有形固定資産の資料〕および〔仕訳で用いる勘定科目〕に基づいて以下の問1～問4に答えなさい。なお、会計期間は×9年4月1日～×10年3月31日であり、記帳方法は間接法によること。

問1　建物に関する当期の減価償却費の金額を答えなさい。

問2　機械について、本年度の仕訳(①購入時、②初回分割代金支払時および③決算時)を行いなさい。ただし、消費税の処理方式は税抜方式とし、利息の処理方法は、取得時に資産の勘定で処理し、決算時に定額法により費用計上する方法とする。

問3　車両について、買換時の仕訳を答えなさい。

問4　当期の損益計算書に計上される固定資産除却損の金額を答えなさい。

〔有形固定資産の資料〕

資産の名称	建物	機械	車両	備品
取得日	×1年 4月1日	×9年 10月1日	不明	×7年 4月1日
取得価額	30,000,000円	5,000,000円 (本体価格)	1,100,000円	1,200,000円
減価償却方法	定額法	定額法	生産高比例法	200%定率法
耐用年数	30年	10年	－	5年
残存価額	ゼロ	ゼロ	10%	ゼロ
償却率	－	各自推定	－	0.4
備考	下記(1)参照	下記(2)参照	下記(3)参照	下記(4)参照

(1)　当期の1月1日に修繕を実施しており、6,500,000円を支出している。このうち、4,400,000円は耐震機能を向上させるための支出であった。資本的支出部分は、建物本体部分と同じ方法により、期首時点の残存耐用年数にわたって減価償却を実施していく。

(2)　機械の消費税込みの価額は5,500,000円(消費税率は10%)であり、頭金1,000,000円(現金払い)を除き、月あたり79,000円(割賦利息込み)で購入月より60ヶ月の分割払い(預金口座引落し)とした。

(3) 車両の一部(取得原価1,200,000円)を買換えた。当該車両の買換時の走行距離は3,600km(うち、当期走行距離600km)であり、総走行可能距離は12,000kmである。また、新車両の購入価額は1,100,000円であり、下取価額(各自推定)との差額を約束手形を振出して支払った。なお、買換えにより固定資産売却損26,000円が発生している。

(4) 当期の12月末日に除却している。なお、除却資産の評価額は70,000円である。

〔仕訳で用いる勘定科目〕

現金預金	機械	車両	仮払消費税
未払消費税	長期前払費用	固定資産売却損	未払金
未収入金	減価償却費	減価償却累計額	支払利息
受取利息	貯蔵品	支払手形	営業外支払手形

解答用紙

問1

[　　　　　　]円

問2

①

借方科目	金額	貸方科目	金額

②

借方科目	金額	貸方科目	金額

③

借　方　科　目	金　　　　額	貸　方　科　目	金　　　　額

問 3

借　方　科　目	金　　　　額	貸　方　科　目	金　　　　額

問 4

円

重要度 B

応用 目標 20分 解答・解説 ▶ P313 check

53 役務収益・役務原価

下記の〔決算整理前残高試算表(一部)〕と〔資料〕に基づいて、(問1)解答用紙の損益計算書(一部)を完成させ、(問2)貸借対照表に計上される仕掛品の金額を答えなさい。なお、会計期間は×3年4月1日から×4年3月31日までである。

〔決算整理前残高試算表（一部)〕

決算整理前残高試算表 (単位：千円)

借方科目	金額	貸方科目	金額
仕掛品	2,300	役務収益	4,222,000
役務原価(報酬)	3,150,000		
役務原価(その他)	42,000		

〔資料〕

1．事業の内容

当社は、事務作業、コンピュータ・オペレーション等を中心とした人材派遣業を営んでいる。顧客への請求と役務収益への計上は、①1時間あたりの請求額が契約上定められており勤務報告書に記入された時間に基づき請求・計上するものと、②一定の作業完了後に一括して契約額総額を請求・計上するものの2つの形態がある。派遣されたスタッフの給与は、いずれの形態であっても、勤務報告書で報告された時間に1時間あたりの給与額を乗じたもので支払われ、役務原価(報酬)に計上される。①の形態の場合には、1時間あたりの給与額は顧客への請求額の75％で設定されているが、②の形態の場合にはそのような関係はなく別々に決められる。

2．決算整理事項等

(1) 仕掛品は2月末日に「事業の内容」に記述された②の形態の給与を先行して支払ったものであるが、3月に請求(売上計上)されたため、役務原価に振替える。また、この②の形態で、4月以降に請求(売上計上)されるものに対する3月給与の支払額で役務原価に計上されたものが2,700千円ある。

(2) 「事業の内容」に記述された①の形態で、勤務報告書の提出漏れ(勤務総時間100時間、1時間あたりの給与額750円)が発見され、これを適切に処理することとした。

解答用紙

(問1)

損益計算書		(単位：千円)
×3年4月1日　至×4年3月31日		
Ⅰ 役務収益		(　　　)
Ⅱ 役務原価		
報酬	(　　　)	
その他	(　　　)	(　　　)
売上総利益		(　　　)
：		

(問2)

|　　　| 千円

応用 目標  解答・解説 ▶P315 check 

54 外貨換算会計

下記の〔資料Ⅰ〕～〔資料Ⅲ〕に基づき、解答用紙の決算整理後残高試算表を作成しなさい。なお、為替予約については振当処理を採用している。

〔資料Ⅰ〕当期（×6年4月1日～×7年3月31日）の外貨建取引（すべて未処理）

9月1日：1,200千ドルを利率年4％、利払日年2回2月28日と8月31日、借入期間4年という条件で借入れて、当座預金口座に入金した。

2月1日：商品を250千ドルで仕入れ、代金は掛けとした。

2月15日：商品を100千ドルで仕入れ、代金は掛けとした。

3月1日：2月1日に取得した買掛金250千ドルについて、買掛金の決済日である×7年6月30日を実行日とする為替予約を締結した。予約締結時における先物為替相場は1ドル＝109円であった。

3月15日：備品を600千ドルで取得し、代金は5月20日に支払うこととした。

3月25日：商品を50千ドルで仕入れる契約を締結し、前渡金10千ドルを小切手を振出して支払った。

〔資料Ⅱ〕 直物為替相場

日　付	直物為替相場
×6年9月1日	94円／ドル
×7年2月1日	102円／ドル
×7年2月15日	104円／ドル
×7年2月28日	105円／ドル
×7年3月1日	105円／ドル
×7年3月15日	107円／ドル
×7年3月25日	108円／ドル
×7年3月31日	110円／ドル

〔資料Ⅲ〕決算整理前残高試算表（一部）

決算整理前残高試算表　　（単位：千円）

借　方	勘定科目	貸　方
	：	
38,000	備　品	
	：	
	買　掛　金	54,000
	長 期 借 入 金	200,000
	：	
	為 替 差 損 益	2,620
6,000	支 払 利 息	
	：	
×××		×××

解答用紙

決算整理後残高試算表　　（単位：千円）

借　方	勘定科目	貸　方
	：	
	備　品	
	前　渡　金	
	：	
	買　掛　金	
	長 期 借 入 金	
	未 払 費 用	
	（　　　　）	
	：	
	為 替 差 損 益	
	支 払 利 息	
	：	
×××		×××

重要度 B

応用 目標 30分 解答・解説 ▶ P319 check

55 連結会計(アップ・ストリーム)

次の〔資料Ⅰ〕～〔資料Ⅳ〕に基づき、×8年度(×8年4月1日～×9年3月31日)の(問1)連結損益計算書を作成し、(問2)連結貸借対照表に関する解答用紙の科目の金額を答えなさい。

〔資料Ⅰ〕 支配獲得時および×7年度に関する事項

1. P社は×7年4月1日にS社株式320,000株を1株あたり350円で取得し、連結子会社としている。
2. S社の発行済株式総数は400,000株である。
3. 支配獲得時におけるS社の資本金は70,000千円、資本剰余金10,000千円、利益剰余金45,000千円であった。
4. ×7年度のS社の当期純利益は19,000千円であった。

〔資料Ⅱ〕 P社とS社の取引に関する事項

1. 前期よりS社はP社に対して商品を販売している。当期中におけるS社のP社に対する売上高は170,000千円である。なお、前期末におけるP社の保有するS社からの仕入商品は14,000千円、当期末においてP社の保有するS社からの仕入商品は17,500千円である。
2. S社は売上債権期末残高に対して1.5%の貸倒引当金を設定している。なお、前期末におけるS社のP社に対する売掛金は33,000千円、当期末におけるS社のP社に対する売掛金は31,000千円である。
3. 当期中にP社はS社に対して40,000千円の土地を48,000千円で売却した。なお、当該土地は当期末現在S社が保有している。
4. S社は、商品販売において外部売上向けとP社売上向けの原価率を区別していない。また、毎期同じ原価率を使用している。

〔資料Ⅲ〕 損益計算書および貸借対照表

1．P社およびS社の×8年度における貸借対照表は次のとおりである。

貸借対照表

×9年3月31日　　　　　　　　　　(単位：千円)

資産	P社	S社	負債・純資産	P社	S社
諸資産	290,000	204,000	諸負債	242,400	195,330
売掛金	140,000	98,000	買掛金	108,000	91,600
貸倒引当金	△ 2,100	△ 1,470	資本金	160,000	70,000
商品	95,500	55,400	資本剰余金	70,000	10,000
土地	160,000	98,000	利益剰余金	215,000	87,000
S社株式	112,000	－			
	795,400	453,930		795,400	453,930

2．P社およびS社の×8年度における損益計算書は次のとおりである。

損益計算書

×8年4月1日～×9年3月31日　　(単位：千円)

	P社	S社
売上高	1,120,000	620,000
売上原価	784,000	434,000
売上総利益	336,000	186,000
販売費及び一般管理費	241,000	151,100
営業利益	95,000	34,900
営業外収益	19,000	7,700
営業外費用	22,200	19,600
経常利益	91,800	23,000
特別利益	28,000	－
当期純利益	119,800	23,000

〔資料Ⅳ〕 解答上の留意事項

1．のれんは発生年度より10年で均等償却を行っている。

2．S社は剰余金の配当を行っていない。

3．税金等は考慮しないものとする。

解答用紙

（問１）

連結損益計算書

×８年４月１日～×９年３月31日　　（単位：千円）

売上高	（　　　）
売上原価	（　　　）
売上総利益	（　　　）
販売費及び一般管理費	（　　　）
営業利益	（　　　）
営業外収益	（　　　）
営業外費用	（　　　）
経常利益	（　　　）
特別利益	（　　　）
当期純利益	（　　　）
非支配株主に帰属する当期純利益	（　　　）
親会社株主に帰属する当期純利益	（　　　）

（問２）

連結貸借対照表の金額

（×９年３月31日）　　（単位：千円）

	金額
売掛金（貸倒引当金控除前）	
貸倒引当金	
商品	
のれん	
土地	
利益剰余金	
非支配株主持分	

応用 目標 20分 解答・解説 ▶P327 check

重要度 A

56 精算表

次の資料に基づき、当期(×4年4月1日から×5年3月31日)の精算表を作成しなさい。

〔資料〕決算整理事項等

1．期限到来済みのA社発行の社債の利札300円が未処理であった。

2．売掛金の期末残高に対し2％の貸倒引当金を設定する。

3．期末商品棚卸高は次のとおりである。なお、棚卸減耗損と商品評価損はともに売上原価に算入する。また、売上原価は「仕入」の行で計算する。

帳簿棚卸数量　180個　　原　　　　価　@210円
実地棚卸数量　175個　　正味売却価額　@206円

4．建物の減価償却を定額法により行う。耐用年数は30年、残存価額は取得原価の10％である。

5．満期保有目的債券は、×3年1月1日にA社発行の社債(額面総額20,000円、年利率3％、利払日は6月末日と12月末日の年2回、償還期間10年)を額面100円につき92円で、発行と同時に購入したものである。償却原価法(定額法)によって評価する。

6．当期に新株60,000円を発行しており、払込金を当座預金とした。また、その際に新株発行の広告など2,000円を現金で支出しているが、一連の処理が行われていない。なお、資本金の増加額は会社法規定の原則額とする。

解答用紙

精　算　表　　　　(単位：円)

勘定科目	試算表		修正記入		損益計算書		貸借対照表	
	借方	貸方	借方	貸方	借方	貸方	借方	貸方
現金預金	96,800							
売掛金	49,550							
繰越商品	36,000							
建物	180,000							
満期保有目的債券	18,600							
買掛金		17,420						
貸倒引当金		780						
減価償却累計額		10,800						
資本金		297,000						
繰越利益剰余金		13,500						
売上		240,000						
有価証券利息		150						
仕入	156,600							
給料	42,100							
	579,650	579,650						
貸倒引当金繰入								
棚卸減耗損								
商品評価損								
減価償却費								
株式交付費								
(　　　)								
当期純利益								

決算整理

応用 目標 20分 解答・解説 ▶P330 check

57 英米式決算法

次の資料に基づき、当期(×6年4月1日～×7年3月31日)の損益勘定および繰越利益剰余金勘定を作成しなさい。

決算整理前残高試算表

借　　方	勘定科目	貸　　方
948,075	現金預金	
650,000	受取手形	
750,000	売掛金	
157,000	繰越商品	
2,500,000	建物	
	支払手形	326,000
	買掛金	315,000
	修繕引当金	148,000
	退職給付引当金	53,000
	貸倒引当金	32,000
	減価償却累計額	150,000
	資本金	3,500,000
	利益準備金	34,000
	別途積立金	12,000
	繰越利益剰余金	130,000
	売上	3,000,000
1,810,000	仕入	
884,925	その他費用	
7,700,000		7,700,000

〔資料〕決算整理事項等

1. 売上債権の期末残高に対し2％の貸倒引当金を設定する。
2. 期末商品棚卸高は次のとおりである。なお、棚卸減耗損と商品評価損はともに売上原価に算入する。また、売上原価は仕入勘定で計算する。
   帳簿棚卸数量780個
   原価@￥230
   実地棚卸数量773個
   正味売却価額@￥225
3. 建物の減価償却を定額法により行う。耐用年数は30年、残存価額は取得原価の10％である。
4. 修繕引当金を￥150,000設定する。なお、決算整理前残高は全額戻入れる。
5. 賞与引当金の当期繰入額は￥78,000である。
6. 退職給付引当金に当期負担分￥19,000を繰入れる。
7. 税引前当期純利益の30％を法人税等として計上する。

解答用紙

損　　益

3/31	仕入	(　　　)	3/31	売上	(　　　)
〃	減価償却費	(　　　)	〃	貸倒引当金戻入	(　　　)
〃	修繕引当金繰入	(　　　)	〃	修繕引当金戻入	(　　　)
〃	賞与引当金繰入	(　　　)			
〃	退職給付費用	(　　　)			
〃	その他費用	(　　　)			
〃	法人税等	(　　　)			
〃	繰越利益剰余金	(　　　)			
		(　　　)			(　　　)

繰越利益剰余金

6/25	利益準備金	14,000	4/ 1	前期繰越	289,000
〃	未払配当金	140,000	3/31	損益	(　　　)
〃	別途積立金	5,000			
3/31	次期繰越	(　　　)			
		(　　　)			(　　　)

決算整理

重要度 B

応用 目標 20分 解答・解説 ▶P335 check

58 決算整理後残高試算表

次の決算整理前残高試算表と決算整理事項等に基づき、解答用紙の決算整理後残高試算表を作成しなさい。なお、会計期間は×8年1月1日から×8年12月31日の1年間であり，法人税等は考慮しなくてよい。

決算整理前残高試算表　　(単位：円)

借　方	勘定科目	貸　方
897,000	現金預金	
775,000	売掛金	
360,000	繰越商品	
1,500,000	建物	
300,000	備品	
500,000	車両	
450,000	建設仮勘定	
400,000	ソフトウェア	
	買掛金	127,800
	仮受金	200,000
	貸倒引当金	11,200
	建物減価償却累計額	90,000
	備品減価償却累計額	75,000
	車両減価償却累計額	45,000
	資本金	3,500,000
	繰越利益剰余金	361,000
	売上	2,920,000
1,736,000	仕入	
158,000	給料	
254,000	その他費用	
7,330,000		7,330,000

〔決算整理事項等〕

1．×8年4月30日に備品をすべて売却したが、売却代金200,000円を仮受金で処理したのみである。備品は定率法(償却率25%)で減価償却を行っている。

2．建設仮勘定は建物代金の一部を支払った際に計上したものである。この建物が×8年10月1日に完成し、引渡しを受けるとともに使用を開始し、建物代金の残額500,000円を現金で支払ったが未処理である。

3．売掛金の期末残高に対し2%の貸倒引当金を設定する。

4．期末商品棚卸高は次のとおりである。なお、棚卸減耗損と商品評価損は売上原価に算入する。また、売上原価は仕入勘定で計算する。

　帳簿棚卸数量　1,200個　　原　　　　価　@320円
　実地棚卸数量　1,190個　　正味売却価額　@315円

5．建物と車両の減価償却を行う。残存価額はともに取得原価の10%である。なお、当期中に引渡しを受けた建物についても、同一の条件とする。

　建物：定額法、耐用年数30年
　車両：生産高比例法
　見積総走行可能距離120,000㎞、当期の実際走行距離25,000㎞

6．その他費用の中には、期末において未使用となっている郵便切手および収入印紙が合計で2,300円ある。

7．決算整理前残高試算表のソフトウェアは、自社利用のソフトウェアであり、5年間で定額法により償却計算をしている。なお、ソフトウェアは前期首に一括して取得している。

解答用紙

決算整理後残高試算表　　　　(単位：円)

借　　方	勘定科目	貸　　方
	現金預金	
	売掛金	
	繰越商品	
	貯蔵品	
	建物	
	車両	
	ソフトウェア	
	買掛金	
	貸倒引当金	
	建物減価償却累計額	
	車両減価償却累計額	
	資本金	
	繰越利益剰余金	
	売上	
	仕入	
	給料	
	貸倒引当金繰入	
	ソフトウェア償却	
	減価償却費	
	その他費用	
	固定資産売却損	

重要度 A

応用 目標 20分 解答・解説▶P338 check

59 株主資本等変動計算書

以下の資料に基づいて、×３年度(×３年４月１日～×４年３月31日)の株主資本等変動計算書の①～⑩に当てはまる金額を答えなさい。なお、各金額がマイナスになる場合は金額の前に「△」を付すこと。

１．×３年５月15日に新株発行を行い、55,000千円を現金で受取った。なお、資本金組入額は会社法の原則額とする。

２．×３年６月に開催された株主総会で以下の事項が決議された。

⑴ 株主への利益剰余金の配当が20,000千円と決議された。

⑵ 会社法で規定された額の利益準備金を計上する。

⑶ 別途積立金1,500千円を積立てる。

３．×３年11月に資本準備金32,000千円をその他資本剰余金に振替えた。

４．×４年２月に岐阜工業のＣ事業を自社の株式を交付して買収した。Ｃ事業の諸資産の時価は9,000千円、諸負債の時価は5,500千円、交付した株式の時価は4,000千円であった。なお、資本金増加額は3,000千円であり、残額をその他資本剰余金とした。

５．×４年３月31日、決算の結果、当期純利益は15,000千円であることが判明した。

６．株主資本等変動計算書のその他有価証券評価差額金は、前期に取得した越谷株式会社の株式に係るものである。当該株式の取得原価は9,000千円であり、当期末の時価は9,500千円である。

財務諸表

株主資本等変動計算書

自×3年4月1日　至×4年3月31日　　（単位：千円）

	株主資本			
	資本金	資本剰余金		
		資本準備金	その他資本剰余金	資本剰余金合計
当期首残高	480,000	75,000	11,000	86,000
当期変動額				
新株の発行	①			
剰余金の配当等				
資本準備金からその他資本剰余金への振替		③		
C事業の買収	②		④	
当期純利益				
株主資本以外の項目の当期変動額(純額)				
当期変動額合計				
当期末残高				

下段へ続く

上段より続く

	株主資本					評価・換算差額等		純資産合計
	利益剰余金				株主資本合計	その他有価証券評価差額金	評価・換算差額等合計	
	利益準備金	その他利益剰余金		利益剰余金合計				
		別途積立金	繰越利益剰余金					
当期首残高	43,500	55,000	78,000	176,500	742,500	800	800	743,300
当期変動額								
新株の発行								
剰余金の配当等	⑤	⑥	⑦					
資本準備金からその他資本剰余金への振替								
C事業の買収								
当期純利益			⑧					
株主資本以外の項目の当期変動額(純額)								
当期変動額合計						⑨		
当期末残高								⑩

解答用紙

①	②	③	④
⑤	⑥	⑦	⑧
⑨	⑩		

応用 目標 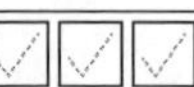 解答・解説 ▶ P342 check

60 損益計算書

次の決算整理前残高試算表と〔資料Ⅰ〕および〔資料Ⅱ〕に基づき、解答用紙の損益計算書を作成しなさい。なお、会計期間は×２年４月１日から×３年３月31日の１年間である。

決算整理前残高試算表　(単位：千円)

借方	勘定科目	貸方
149,550	現金預金	
87,000	受取手形	
45,500	売掛金	
383,150	繰越商品	
360,000	建物	
120,000	備品	
190,000	建設仮勘定	
94,200	ソフトウェア	
500,000	貸付金	
	支払手形	125,450
	買掛金	98,800
	借入金	350,000
	貸倒引当金	1,100
	賞与引当金	32,000
	前受収益	9,000
	退職給付引当金	70,000
	建物減価償却累計額	224,250
	備品減価償却累計額	74,400
	資本金	550,000
	繰越利益剰余金	66,514
	売上	1,489,000
	受取手数料	31,100
957,150	仕入	
144,000	給料	
12,900	支払保険料	
(　　　)	減価償却費	
43,514	支払利息	
3,121,614		3,121,614

〔資料Ⅰ〕未処理事項

1．当期中に売掛金1,200千円の貸倒れが生じていたが未処理であった。なお、そのうち850千円は前期に発生した売掛金である。

2．当期の12月20日に建物が完成し、引渡しを受けている。当該建物に関する前期以前の支出190,000千円は建設仮勘定で処理されているが当期において何ら処理されていない。また、建物引渡時に代金の残額50,000千円を小切手を振出して支払っているが、これについても未処理である。なお、当該建物は×３年１月５日から事業の用に供している。

〔資料Ⅱ〕決算整理事項等

1．商品の期末帳簿棚卸高は423,700千円であり、一部の商品については棚卸減耗損と商品評価損が発生している。棚卸減耗や正味売却価額の下落が生じている商品は、以下の甲商品、乙商品、丙商品である。なお、棚卸減耗損は売上原価に算入せず、商品評価損は売上原価に算入する。

商品名	甲商品	乙商品	丙商品
帳簿棚卸数量	2,000個	8,200個	11,000個
実地棚卸数量	2,000個	8,020個	10,400個
取得原価	@2,500円	@11,000円	@23,500円
正味売却価額	@2,450円	@11,500円	@22,800円

2．売上債権の期末残高に対して２％、営業外債権の期末残高に対して2.5％の貸倒引当金を設定する。なお、前期以前に営業外債権に貸倒引当金を設定していない。

3．当期の２月１日に500,000千円を貸付けている。そのときに貸付金に対する１年分の利息(年利率1.8％)を受取っており、その全額を前受収益に計上している。

4．従業員に対する退職給付を見積もった結果、当期の負担分は34,000千円であった。

5．従業員に対する当期の賞与の支払い48,000千円は支出時に全額給料として処理している。なお、前期の決算で32,000千円の賞与引当金を設定している。また、当期の決算にあたり賞与引当金30,000千円を見積もることとなった。

6．固定資産の減価償却計算を以下のとおり行う。

	建物	備品
減価償却方法	定額法	200％定率法
耐用年数	40年	5年
償却率	0.025	0.400
備考	残存価額ゼロ	―

① 減価償却計算は固定資産の当期首残高をベースとして計算された減価償却費を4月から2月までの11ヶ月の毎月末に見積計上してきた。建物については750千円を、備品については2,400千円を毎月計上しており、これらの金額は決算整理前残高試算表の減価償却費と減価償却累計額に含まれている。

② 当期に引渡しを受けた建物については(〔資料Ⅰ〕2参照)減価償却費について未処理であるので、期末に一括して減価償却費を計上(月割償却)する。

7．ソフトウェアは10年間の定額法で償却しており、その内訳は、期首残高22,200千円(期首で取得後6年経過)と当期取得(6月1日取得)の新経理システム72,000千円である。この新経理システムの取得・稼働に伴い期首残高のソフトウェアは当期5月末に除却することとしたが、その処理が行われていない。

8．税引前当期純利益の25％を、法人税、住民税及び事業税に計上する。

解答用紙

損益計算書

自×2年4月1日　至×3年3月31日　(単位：千円)

Ⅰ	売上高		(　　)
Ⅱ	売上原価		
	1　期首商品棚卸高	(　　)	
	2　当期商品仕入高	(　　)	
	合計	(　　)	
	3　期末商品棚卸高	(　　)	
	差引	(　　)	
	4　(　　)	(　　)	(　　)
	売上総利益		(　　)
Ⅲ	販売費及び一般管理費		
	1　給料	(　　)	
	2　(　　)	(　　)	
	3　貸倒引当金繰入	(　　)	
	4　賞与引当金繰入	(　　)	
	5　退職給付費用	(　　)	
	6　減価償却費	(　　)	
	7　ソフトウェア償却	(　　)	
	8　支払保険料	(　　)	
	9　貸倒損失	(　　)	
	10　棚卸減耗損	(　　)	(　　)
	営業利益		(　　)
Ⅳ	営業外収益		
	1　受取手数料	(　　)	
	2　受取利息	(　　)	(　　)
Ⅴ	営業外費用		
	1　支払利息	(　　)	
	2　(　　)	(　　)	(　　)
	経常利益		(　　)
Ⅵ	特別損失		
	1　(　　)		(　　)
	税引前当期純利益		(　　)
	法人税等		(　　)
	当期純利益		(　　)

財務諸表

重要度 A

応用 目標 30分 解答・解説 ▶ P348 check

61 貸借対照表

次の〔決算整理前残高試算表〕と〔資料Ⅰ〕および〔資料Ⅱ〕に基づき、解答用紙の問1：貸借対照表を作成し、問2：損益計算書に計上される⑴棚卸減耗損および⑵商品評価損の金額を求めなさい。なお、会計期間は×2年4月1日から×3年3月31日の1年間である。

〔決算整理前残高試算表〕

決算整理前残高試算表　(単位：円)

借　方	勘定科目	貸　方
30,300,000	現金預金	
3,100,000	受取手形	
3,560,000	売掛金	
270,000	仮払法人税等	
860,000	繰越商品	
200,000	前払費用	
30,000,000	建物	
15,000,000	土地	
450,000	特許権	
650,000	その他有価証券	
	支払手形	2,222,000
	買掛金	2,000,000
	未払費用	82,500
	借入金	25,000,000
	貸倒引当金	97,000
	減価償却累計額	8,187,500
	資本金	30,000,000
	繰越利益剰余金	14,922,000
	売上	28,098,500
	受取手数料	1,297,000
20,248,500	仕入	
1,840,000	給料	
687,500	減価償却費	
2,340,000	支払家賃	
670,500	通信費	
950,000	水道光熱費	
780,000	支払利息	
111,906,500		111,906,500

〔資料Ⅰ〕未処理事項

⑴　通信費3,500円が当座預金口座から引落とされたが、その処理が行われていない。

⑵　当期において顧客から商品の返品があったが、その処理が行われていない。なお、返品された商品は12,800円で掛けにて販売したものであり、原価率は80％であった。

〔資料Ⅱ〕決算整理事項等

⑴　受取手形および売掛金の期末残高に対して２％の貸倒引当金を設定する。

⑵　期末商品帳簿棚卸高は1,190,000円であり、期末商品実地棚卸高は1,142,000円であった。帳簿棚卸高と実地棚卸高の差異（棚卸差異）の原因を調べたところ、〔資料Ⅰ〕⑵の返品分が実地棚卸高のみに反映されていた。

　なお、返品された商品の正味売却価額は7,000円であった。また、当該返品分のほかに原価50,000円の品質不良品があり、正味売却価額は原価の60％と見積もられた。

⑶　決算整理前残高試算表に計上されている前払費用と未払費用は前期末の決算整理で計上されたものであり、当期の期首に再振替仕訳は行われていない。内訳は前払家賃と未払水道光熱費であり、当期末の前払・未払として計上すべき金額は、それぞれ190,000円と75,000円であった。

⑷　当期に取得したその他有価証券は以下のとおりである。

　　取得原価：650,000円　　期末時価：725,000円

⑸　建物の減価償却については期首の残高を基礎に４月から２月までの11ヶ月間にわたり毎月62,500円を見積計上しており、３月も同様の処理を行う。

⑹　決算整理前残高試算表の現金預金には、当期の12月１日に預入れた10年物の定期預金12,000,000円が含まれている。当該定期預金の利率は年１％、利払日は毎年11月末日である。

⑺　借入金は×１年４月１日に借入れたものであり、その内訳は以下のとおりである。

　　①10,000,000円　借入期間３年　利率年2.4％　利払日３月末日

　　②15,000,000円　借入期間８年　利率年3.6％　利払日３月末日

⑻　特許権は×１年10月１日に取得したものであり、定額法により８年間で償却を行っている。

⑼　500,000円を「法人税、住民税及び事業税」に計上する。

財務諸表

解答用紙

問1

貸借対照表
×3年3月31日
(単位：円)

資産の部			負債の部	
Ⅰ 流動資産			Ⅰ 流動負債	
1 現金預金		(　)	1 支払手形	(　)
2 受取手形	(　)		2 買掛金	(　)
3 売掛金	(　)		3 未払費用	(　)
貸倒引当金	(　)	(　)	4 未払法人税等	(　)
4 商品		(　)	5 短期借入金	(　)
5 前払費用		(　)	流動負債合計	(　)
6 未収収益		(　)	Ⅱ 固定負債	
流動資産合計		(　)	1 長期借入金	(　)
Ⅱ 固定資産			固定負債合計	(　)
有形固定資産			負債合計	(　)
1 建物	(　)		純資産の部	
減価償却累計額	(　)	(　)	Ⅰ 株主資本	
2 土地		(　)	1 資本金	30,000,000
有形固定資産合計		(　)	2 利益剰余金	
無形固定資産			(1)その他利益剰余金	
1 特許権		(　)	繰越利益剰余金	16,422,516
無形固定資産合計		(　)	株主資本合計	46,422,516
投資その他の資産			Ⅱ 評価・換算差額等	
1 投資有価証券		(　)	1 その他有価証券評価差額金	(　)
2 (　)		(　)	評価・換算差額等合計	(　)
投資その他の資産合計		(　)	純資産合計	(　)
固定資産合計		(　)		
資産合計		(　)	負債・純資産合計	(　)

問2

(1) 棚卸減耗損 [　　　　] 円

(2) 商品評価損 [　　　　] 円

重要度 A

応用 目標 30分 解答・解説 ▶ P353 check

62 損益計算書と貸借対照表

次の決算整理前残高試算表と〔資料Ⅰ〕および〔資料Ⅱ〕に基づき、解答用紙の損益計算書、貸借対照表を作成しなさい。なお、会計期間は×7年4月1日から×8年3月31日の1年間である。

決算整理前残高試算表　(単位：円)

借　方	勘定科目	貸　方
712,660	現金預金	
245,000	受取手形	
361,000	売掛金	
210,000	繰越商品	
60,000	仮払消費税	
47,500	仮払法人税等	
600,000	建物	
400,000	備品	
	支払手形	182,000
	買掛金	206,000
	仮受消費税	108,000
	借入金	370,000
	貸倒引当金	9,860
	賞与引当金	33,000
	建物減価償却累計額	180,000
	備品減価償却累計額	80,000
	資本金	1,000,000
	繰越利益剰余金	21,465
	売上	1,400,000
	受取家賃	338,200
780,000	仕入	
350,000	給料	
33,000	賞与引当金繰入	
55,765	広告費	
73,600	保険料	
3,928,525		3,928,525

財務諸表

〔資料Ⅰ〕未処理事項

1．当座預金の帳簿残高と銀行の残高証明書残高を照合したところ、以下の事項が判明した。

⑴　買掛金決済のために振出した小切手20,000円が未渡しになっていた。

⑵　広告費の支払いのために振出した小切手123,000円が未渡しになっていた。

〔資料Ⅱ〕決算整理事項等

1．売上債権の期末残高に対し２％の貸倒引当金を設定する。

2．期末商品棚卸高は次のとおりである。

帳簿棚卸数量　200個　　原　　　価　@1,100円
実地棚卸数量　197個　　正味売却価額　@1,075円

3．建物と備品の減価償却を行う。

建物：定額法、耐用年数30年、残存価額は取得原価の10％
備品：定率法、償却率20％

4．借入金は、Ａ社からの120,000円（借入日は×７年９月１日、借入期間１年、年利率２％、利息は返済時に全額支払う）と、Ｂ社からの250,000円（借入日は×８年２月１日、借入期間３年、年利率３％、利息は毎年１月末日に支払う）である。

5．保険料は、毎年８月１日に向こう１年分を支払っている。なお、保険料は毎年同額である。

6．受取家賃は、11月１日に、毎年同額を向こう１年分として受取っている。

7．賞与は年１回決算後に支払われるため、月次決算において２月まで毎月各3,000円ずつ計上してきたが、期末において支給見込み額が37,500円と見積もられた。

8．消費税の処理を行う。なお、当社は税抜方式を採用している。

9．税引前当期純利益の30％を法人税等として計上する。

解答用紙

損益計算書

自×7年4月1日　至×8年3月31日　(単位：円)

Ⅰ	売上高		(　　)
Ⅱ	売上原価		
	1　期首商品棚卸高	(　　)	
	2　当期商品仕入高	(　　)	
	合計	(　　)	
	3　期末商品棚卸高	(　　)	
	差引	(　　)	
	4　商品評価損	(　　)	(　　)
	売上総利益		(　　)
Ⅲ	販売費及び一般管理費		
	1　給料	(　　)	
	2　保険料	(　　)	
	3　広告費	(　　)	
	4　(　　)	(　　)	
	5　貸倒引当金繰入	(　　)	
	6　賞与引当金繰入	(　　)	
	7　減価償却費	(　　)	(　　)
	営業利益		(　　)
Ⅳ	営業外収益		
	1　受取家賃		(　　)
Ⅴ	営業外費用		
	1　支払利息		(　　)
	税引前当期純利益		(　　)
	法人税等		(　　)
	当期純利益		(　　)

財務諸表

貸　借　対　照　表
×8年3月31日
(単位：円)

資産の部			負債の部	
Ⅰ 流　動　資　産			Ⅰ 流　動　負　債	
1 現　金　預　金		(　　)	1 支　払　手　形	(　　)
2 受　取　手　形	(　　)		2 買　　掛　　金	(　　)
3 売　　掛　　金	(　　)		3 前　受　収　益	(　　)
貸 倒 引 当 金	(　　)	(　　)	4 賞 与 引 当 金	(　　)
4 商　　　　品		(　　)	5 未　　払　　金	(　　)
5 前　払　費　用		(　　)	6 未払法人税等	(　　)
流動資産合計		(　　)	7 未　払　費　用	(　　)
Ⅱ 固　定　資　産			8 未 払 消 費 税	(　　)
有形固定資産			9 短 期 借 入 金	(　　)
1 建　　　　物	(　　)		流動負債合計	(　　)
減価償却累計額	(　　)	(　　)	Ⅱ 固　定　負　債	
2 備　　　　品	(　　)		1 長 期 借 入 金	(　　)
減価償却累計額	(　　)	(　　)	固定負債合計	(　　)
有形固定資産合計		(　　)	負　債　合　計	(　　)
固定資産合計		(　　)	純資産の部	
			Ⅰ 株　主　資　本	
			1 資　　本　　金	(　　)
			2 利 益 剰 余 金	
			(1)その他利益剰余金	
			繰越利益剰余金	(　　)
			株主資本合計	(　　)
			純 資 産 合 計	(　　)
資　産　合　計		(　　)	負債・純資産合計	(　　)

重要度 A

応用 目標 30分 解答・解説 ▶P359 check

63 財務諸表(税効果あり)

次の(A)決算整理前残高試算表および(B)決算整理事項に基づいて、損益計算書を完成させるとともに、解答用紙に記載の貸借対照表の各金額を答えなさい。なお、会計期間は×２年４月１日から×３年３月31日までの１年である。

(A)決算整理前残高試算表

決算整理前残高試算表
×３年３月31日　　(単位：千円)

借方科目	金額	貸方科目	金額
現金預金	104,680	支払手形	24,500
受取手形	16,000	買掛金	15,800
売掛金	38,000	借入金	40,000
繰越商品	18,000	リース債務	12,000
貸付金	20,000	貸倒引当金	600
仮払法人税等	4,000	建物減価償却累計額	12,000
建物	60,000	備品減価償却累計額	4,000
備品	10,000	資本金	100,000
車両	15,000	資本準備金	16,000
その他有価証券	14,500	利益準備金	9,000
繰延税金資産	1,200	繰越利益剰余金	13,570
仕入	123,000	売上	197,000
給料	18,990	為替差益	600
保険料	1,800	受取利息	1,300
支払利息	1,200		
	446,370		446,370

(B)決算整理事項

1．買掛金期末残高には、当期中に生じた外貨建ての買掛金6,000千円(発生時の為替相場：１ドル100円)が含まれている。決算日の為替相場は１ドル103円である。

2．債権について、以下のように貸倒引当金を設定する。なお、決算整理前残高試算表の貸倒引当金残高のうち、500千円は売上債権に対するものであり、

100千円は貸付金に対するものである。

売上債権

甲社に対する売掛金6,000千円：債権額から担保処分見込額2,500千円を控除した残額の50％の金額

乙社に対する売掛金7,000千円：債権額の４％

その他の売上債権：貸倒実績率２％

営業外債権

貸付金に対して、債権金額の２％の貸倒引当金を設定する。

3．期末商品棚卸高は以下のとおりである。

帳簿棚卸高　数量　650個　原　価　@30千円

実地棚卸高　数量　630個　正味売却価額　@29千円

棚卸減耗損と商品評価損は、売上原価の内訳科目として表示する。

4．固定資産の減価償却を次のとおり行う。

建物：定額法(耐用年数20年、残存価額ゼロ)

備品：200％定率法(取得日×１年４月１日、耐用年数５年)

車両：×２年４月１日に契約したリース資産である。

リース期間５年、中途解約不可。リース料は年3,000千円。毎期末に５回均等支払い。

5．その他有価証券は当期に取得したものであり、期末時価は16,000千円である。

6．保険料は×２年11月１日に向こう１年分を支払ったものである。

7．税引前当期純利益に基づいて算定した課税所得に対して、30％を乗じた金額を法人税等として計上する。課税所得を計算するにあたり、下記８の金額を考慮すること。なお、仮払法人税等は法人税等の中間納付額を計上したものである。

8．上記５以外の当期の税効果会計上の一時差異は次のとおりである(法定実効税率は30％)。なお、その他有価証券、貸倒引当金、減価償却について税効果会計を適用する。

	期　首	期　末
貸倒引当金損金算入限度超過額	1,600千円	2,000千円
減価償却限度超過額	2,400千円	3,000千円
合　　計	4,000千円	5,000千円

解答用紙

損益計算書

自×2年4月1日　至×3年3月31日　(単位：千円)

Ⅰ	売上高		(　　)
Ⅱ	売上原価		
1	期首商品棚卸高	(　　)	
2	当期商品仕入高	(　　)	
	合計	(　　)	
3	期末商品棚卸高	(　　)	
	差引	(　　)	
4	(　　)	(　　)	
5	(　　)評価損	(　　)	(　　)
	売上総利益		(　　)
Ⅲ	販売費及び一般管理費		
1	給料	(　　)	
2	保険料	(　　)	
3	貸倒引当金繰入	(　　)	
4	減価償却費	(　　)	(　　)
	営業利益		(　　)
Ⅳ	営業外収益		
1	受取利息	(　　)	
2	為替差益	(　　)	(　　)
Ⅴ	営業外費用		
1	支払利息	(　　)	
2	(　　)	(　　)	(　　)
	税引前当期純利益		(　　)
	法人税、住民税及び事業税	(　　)	
	法人税等調整額	(△　　)	(　　)
	当期純利益		(　　)

(貸借対照表の各金額)

投資有価証券	買掛金	リース債務	繰越利益剰余金
千円	千円	千円	千円

応用　目標 30分　解答・解説 ▶ P365　check

64 製造業の財務諸表

受注生産・販売を行っているLEC製作所の〔資料Ⅰ〕と〔資料Ⅱ〕に基づいて、(問1)貸借対照表を完成させるとともに、(問2)区分式損益計算書に表示される、指定された種類の利益の金額を答えなさい。なお、会計期間は×7年4月1日から×8年3月31日までの1年間である。

〔資料Ⅰ〕×8年2月末現在の残高試算表

残高試算表　(単位：円)

借方科目	金額	貸方科目	金額
現金預金	17,500,300	支払手形	557,000
受取手形	2,237,500	買掛金	773,000
売掛金	3,375,000	貸倒引当金	50,000
材料	50,200	製品保証引当金	7,500
仕掛品	70,000	長期借入金	700,000
製品	15,000	退職給付引当金	1,250,000
短期貸付金	80,000	建物減価償却累計額	175,000
仮払法人税等	100,000	機械減価償却累計額	599,250
建物	1,200,000	資本金	13,500,000
機械	1,020,000	利益準備金	3,000,000
売上原価	3,265,000	繰越利益剰余金	4,733,875
減価償却費	26,400	売上	7,030,000
退職給付費用	154,000	固定資産売却益	20,000
その他販売費及び一般管理費	3,283,100		
支払利息	11,125		
手形売却損	8,000		
	32,395,625		32,395,625

〔資料Ⅱ〕3月の取引・決算整理等に関する事項

1．3月における材料仕入れおよび製品販売はすべて掛けで、また、賃金の支払いおよび間接経費となるものの支払いはすべて現金で行っており、材料・賃金・製造間接費その他の状況は以下のとおりである。

① 材料仕入高￥100,000　直接材料費￥80,000　間接材料費￥30,000

② 直接工直接作業賃金支払高(月初・月末未払はない) ￥120,000

③　製造間接費予定配賦額￥100,000　間接経費の支払額￥31,000

④　当月完成品総合原価￥300,000　当月売上原価￥268,500

⑤　当月売上高￥420,000

⑥　年度末に生じた原価差異は、〔資料Ⅱ〕2以下に示されている事項のみであり、いずれも比較的少額であり正常な原因によるものである。また、4月から2月までの各月の月次決算で生じた原価差異は、それぞれの月で売上原価に賦課されている。なお、2月までの原価差異は、58,300円(不利差異)である。

2．決算にあたり実地棚卸を行った結果、材料実際有高は￥39,000、製品実際有高は￥45,000であった。棚卸減耗は、材料・製品とも正常な理由により生じたものであり、製品の棚卸減耗については売上原価に賦課する。

3．減価償却費については、固定資産の期首残高を基礎に算定した年間発生額の12分の1を毎月計上しており、決算月も同様の処理を行う。

建物￥5,000 (製造活動用￥2,600、販売・一般管理活動用￥2,400)

機械￥12,750 (すべて製造活動用)

4．売上債権の期末残高に対して1％、短期貸付金の期末残高について2％の貸倒れを見積もり、差額補充法により貸倒引当金を設定する。なお、貸倒引当金の決算整理前残高は、すべて売上債権に関するものである。

5．退職給付債務の当期負担額(見積額)の12分の1を毎月計上しており、決算月も同様の処理を行う。

①　製造活動に携わる従業員に関わる分：￥26,000/月

②　それ以外の従業員に関わる分：￥14,000/月

③　年度末に繰入額を確定したところ、年度見積額に比べ、製造活動に携わる従業員に関わる分は￥2,000多く、それ以外の従業員に関わる分は、年度当初の見積もりどおりであった。

6．製品保証引当金を￥7,000設定する。なお、前期末に計上した製品保証引当金に関する特約期間は終了しているため、全額戻入れる。また、製品保証引当金戻入については、製品保証引当金繰入と相殺し、それを超えた額については、営業外収益の区分に計上する。

7．税引前当期純利益の25％を「法人税、住民税及び事業税」に計上する。なお、法人税、住民税及び事業税の算出額については、税法の規定により100円未満を切捨てることとする。

解答用紙

（問１）

貸借対照表

×8年3月31日　　　　(単位：円)

資産の部		負債の部	
Ⅰ　流動資産		Ⅰ　流動負債	
現金預金	(　　　)	支払手形	557,000
受取手形	(　　　)	買掛金	(　　　)
売掛金	(　　　)	未払法人税等	(　　　)
材料	(　　　)	(　　　)引当金	(　　　)
仕掛品	(　　　)	流動負債合計	(　　　)
製品	(　　　)	Ⅱ　固定負債	
短期貸付金	(　　　)	長期借入金	700,000
貸倒引当金	(△　　　)	(　　　)引当金	(　　　)
流動資産合計	(　　　)	固定負債合計	(　　　)
Ⅱ　固定資産		負債合計	(　　　)
建物	(　　　)	純資産の部	
減価償却累計額	(△　　　)	資本金	13,500,000
機械	(　　　)	利益準備金	3,000,000
減価償却累計額	(△　　　)	繰越利益剰余金	(　　　)
固定資産合計	(　　　)	純資産合計	(　　　)
資産合計	(　　　)	負債・純資産合計	(　　　)

（問２）

区分式損益計算書に表示される利益

①売上総利益＿＿＿＿円　　③経常利益＿＿＿＿円

②営業利益＿＿＿＿円　　④当期純利益＿＿＿＿円

重要度 B

応用 目標 30分 解答・解説 ▶ P377 check

65 本支店合併財務諸表

支店独立会計制度を採用する当社の次の資料に基づき、当期(×１年４月１日～×２年３月31日)の本支店合併損益計算書と本支店合併貸借対照表を作成しなさい。

〔資料Ⅰ〕決算整理前残高試算表

決算整理前残高試算表
×２年３月31日
(単位：円)

借方	本店	支店	貸方	本店	支店
現金預金	457,000	146,900	買掛金	206,100	121,500
売掛金	170,000	118,000	本店	—	303,000
繰越商品	70,000	57,000	貸倒引当金	2,900	2,000
貸付金	100,000	50,000	建物減価償却累計額	306,000	54,000
建物	400,000	200,000	備品減価償却累計額	72,000	18,000
備品	200,000	50,000	資本金	950,000	—
支店	303,000	—	繰越利益剰余金	156,000	—
仕入	864,500	283,050	売上	1,000,000	475,000
給料	100,000	58,550	受取利息	1,500	—
販売費	30,000	10,000			
	2,694,500	973,500		2,694,500	973,500

〔資料Ⅱ〕決算整理事項

1．期末商品棚卸高は次のとおりである。

本店：帳簿棚卸高72,000円　実地棚卸高71,200円

支店：帳簿棚卸高26,800円　実地棚卸高25,500円

帳簿棚卸高と実地棚卸高との差額を棚卸減耗損として計上する。

2．本支店ともに売掛金の期末残高に対し２％の貸倒引当金を設定する。

3．本支店ともに建物と備品の減価償却を行う。

建物：定額法、耐用年数30年、残存価額は取得原価の10％

備品：定率法、償却率20％

4．本店において受取利息の前受分が500円ある。

5．支店において販売費1,000円を未払計上する。

解答用紙

損益計算書
自×1年4月1日　至×2年3月31日　(単位：円)

費用	金額	収益	金額
期首商品棚卸高	(　　)	売上高	(　　)
当期商品仕入高	(　　)	期末商品棚卸高	(　　)
棚卸減耗損	(　　)	受取利息	(　　)
給料	(　　)		
販売費	(　　)		
貸倒引当金繰入	(　　)		
減価償却費	(　　)		
当期純利益	(　　)		
	(　　)		(　　)

貸借対照表
×2年3月31日　(単位：円)

費用	金額		負債・純資産	金額
現金		(　　)	買掛金	(　　)
売掛金	(　　)		未払費用	(　　)
貸倒引当金	(　　)	(　　)	前受収益	(　　)
商品		(　　)	資本金	(　　)
貸付金		(　　)	繰越利益剰余金	(　　)
建物	(　　)			
減価償却累計額	(　　)	(　　)		
備品	(　　)			
減価償却累計額	(　　)	(　　)		
		(　　)		(　　)

重要度 A

応用 目標  解答・解説 ▶P380 check 

66 連結財務諸表

P社は×2年3月31日にS社株式60,000株を1株あたり7,500円で取得してS社を連結子会社としている。そこで、次の〔資料Ⅰ〕～〔資料Ⅴ〕に基づき、×4年度（×4年4月1日～×5年3月31日）の（問1）連結損益計算書および連結貸借対照表を作成し、（問2）連結株主資本等変動計算書に関する解答用紙の科目の金額を答えなさい。

〔資料Ⅰ〕P社およびS社の純資産の推移　　(単位：千円)

P　社	×2年3月31日	×3年3月31日	×4年3月31日	×5年3月31日
資　本　金	600,000	600,000	600,000	600,000
資本剰余金	180,000	180,000	180,000	180,000
利益剰余金	180,000	200,000	220,000	250,000
S　社	×2年3月31日	×3年3月31日	×4年3月31日	×5年3月31日
資　本　金	400,000	400,000	400,000	400,000
資本剰余金	100,000	100,000	100,000	100,000
利益剰余金	60,000	80,000	110,000	140,000

1．P社・S社ともに×3年度以前に剰余金の配当は行っておらず、×4年度においては剰余金の配当を行っている。

2．×2年3月31日におけるS社の発行済株式総数は80,000株である。

〔資料Ⅱ〕P社およびS社の当期末貸借対照表　　(単位：千円)

資産の部	P　社	S　社	負債・純資産の部	P　社	S　社
現金預金	269,400	203,000	支払手形	190,000	42,000
受取手形	190,000	140,000	買掛金	150,000	65,000
売掛金	100,000	75,000	未払費用	41,200	3,700
貸倒引当金	△5,800	△4,300	未払法人税等	33,000	23,000
商品	88,600	65,000	長期借入金	30,000	50,000
未収収益	12,000	－	資本金	600,000	400,000
土地	320,000	280,000	資本剰余金	180,000	100,000
関係会社株式	450,000	－	利益剰余金	250,000	140,000
投資有価証券	50,000	35,000			
長期貸付金	－	30,000			
	1,474,200	823,700		1,474,200	823,700

〔資料Ⅲ〕Ｐ社およびＳ社損益計算書

損益計算書
×４年４月１日～×５年３月31日　（単位：千円）

	Ｐ社	Ｓ社
売上高	1,200,000	980,000
売上原価	960,000	760,000
売上総利益	240,000	220,000
営業費	105,000	97,000
販売費	65,000	58,000
貸倒引当金繰入	4,000	3,000
営業利益	66,000	62,000
受取配当金	11,000	4,000
受取利息	9,000	2,000
支払利息	18,000	5,000
経常利益	68,000	63,000
土地売却益	15,000	－
税引前当期純利益	83,000	63,000
法人税等	33,000	23,000
当期純利益	50,000	40,000

〔資料Ⅳ〕Ｐ・Ｓ社間取引

1．Ｐ社はＳ社に対して商品販売を行っており、当期中におけるＰ社のＳ社に対する売上高は185,000千円である。なお、前期末においてＳ社の保有するＰ社仕入商品は32,000千円であり、当期末においてＳ社の保有するＰ社仕入商品は36,000千円である。また原価率は毎期異なるが、Ｐ社はＳ社に対する商品販売と外部に対する商品販売で同一の原価率を使用しており、前期の原価率は78％であった。

2．前期末および当期末におけるＰ社のＳ社に対する売上債権は以下のとおりである。また、当期中にＰ社はＳ社振出の約束手形2,500千円を銀行で割引いた（当期末現在未決済）。

	受取手形	売掛金
前期末	18,000千円	22,000千円
当期末	21,500千円	20,000千円

〔資料Ⅴ〕その他留意事項等

1．のれんは発生年度の翌期より最長償却期間で均等償却を行っている。

2．P社は営業債権期末残高(割引部分は除く)に対して2％の貸倒引当金を設定している。

3．手形の割引料は考慮しない。

解答用紙

(問1)

連結損益計算書

自×4年4月1日　至×5年3月31日　(単位：千円)

Ⅰ	売上高		( )
Ⅱ	売上原価		( )
	売上総利益		( )
Ⅲ	販売費及び一般管理費		
	1 営業費	( )	
	2 販売費	( )	
	3 貸倒引当金繰入	( )	
	4 ( )	( )	( )
	営業利益		( )
Ⅳ	営業外収益		
	1 受取配当金	( )	
	2 受取利息	( )	( )
Ⅴ	営業外費用		
	1 支払利息		( )
	経常利益		( )
Ⅵ	特別利益		
	1 土地売却益		( )
	税引前当期純利益		( )
	法人税等		( )
	当期純利益		( )
	( )に帰属する当期純利益		( )
	親会社株主に帰属する当期純利益		( )

連結貸借対照表
×5年3月31日
(単位：千円)

資産の部			負債の部	
Ⅰ流動資産			Ⅰ流動負債	
1 現金預金		(　)	1 支払手形	(　)
2 受取手形	(　)		2 買掛金	(　)
3 売掛金	(　)		3 短期借入金	(　)
貸倒引当金	(　)	(　)	4 未払費用	(　)
4 商品		(　)	5 未払法人税等	(　)
5 未収収益		(　)	流動負債合計	(　)
流動資産合計		(　)	Ⅱ固定負債	
Ⅱ固定資産			1 長期借入金	(　)
有形固定資産			固定負債合計	(　)
1 土地		(　)	負債合計	(　)
有形固定資産合計		(　)	純資産の部	
無形固定資産			Ⅰ株主資本	
1 のれん		(　)	1 資本金	(　)
無形固定資産合計		(　)	2 資本剰余金	(　)
投資その他の資産			3 利益剰余金	(　)
1 投資有価証券		(　)	株主資本合計	(　)
2 長期貸付金		(　)	Ⅱ (　)	(　)
投資その他の資産合計		(　)	純資産合計	(　)
固定資産合計		(　)		
資産合計		(　)	負債・純資産合計	(　)

(問2)

利益剰余金当期首残高	千円

重要度 C

応用 目標 30分 解答・解説 ▶ P388 check

67 補助簿の読取りと集計

下記の〔補助簿の記入内容〕と〔補助簿に記入されない取引〕に基づいて、解答用紙の合計残高試算表を完成させなさい。なお、金額の単位は円である。

〔補助簿の記入内容〕

現 金 出 納 帳

×5年		摘 要	収 入	支 出	残 高
10	1	前月繰越	6,200		6,200
	5	営業費の支払い		1,100	5,100
	18	受取手形の取立	3,600		8,700
	21	沖縄商店からの掛代金回収	4,100		12,800
	22	水道光熱費の支払い		2,050	10,750
	30	前受金の受取り	1,700		12,450

当 座 預 金 出 納 帳

×5年		摘 要	収 入	支 出	借/貸	残 高
10	1	前月繰越	21,000		借	21,000
	3	長崎商店へ売上	12,000		〃	33,000
	6	広島商店へ売上	26,000		〃	59,000
	9	掛代金決済		11,100	〃	47,900
	13	秋田商店から仕入		?	〃	?
	29	受取手形の取立	3,300		〃	?

仕 入 帳

×5年		摘 要		金 額
10	11	青森商店	掛	31,000
	12	青森商店	返品・掛	2,770
	13	秋田商店	小切手振出	6,250
	25	青森商店	約手振出	8,800

その他

売　上　帳

×5年		摘　　要		金　額
10	3	長崎商店	小切手受取	12,000
	6	広島商店	小切手受取	26,000
	8	沖縄商店	掛	6,800
	19	石川商店	前受金	1,820
	26	沖縄商店	掛	7,200
	28	沖縄商店	返品・掛	1,000

〔補助簿に記入されない取引〕

10月15日　備品を購入し、代金11,000円は翌月末の支払いとした。

10月23日　帳簿価額24,000円の機械を25,200円で売却し、代金は掛けとした。

解答用紙

合計残高試算表　　　　(単位：円)

借方残高 10月31日	借方合計 10月31日	借方合計 9月30日	勘定科目	貸方合計 9月30日	貸方合計 10月31日	貸方残高 10月31日
		12,570	現金	6,370		
		39,000	当座預金	18,000		
		23,000	受取手形	11,580		
		42,500	売掛金	33,300		
		15,000	未収入金			
		250,000	建物			
		115,000	機械			
		82,000	備品			
		8,880	支払手形	18,750		
		19,800	買掛金	44,900		
		2,520	前受金	9,600		
		29,000	未払金	55,000		
			資本金	390,000		
		3,400	売上	237,500		
		164,680	仕入	1,050		
		12,000	営業費			
		6,700	水道光熱費			
			固定資産売却益			
		826,050		826,050		

その他

応用　目標 30分　解答・解説 ▶ P391　check

68 伝票会計

当社は毎日の取引を入金伝票、出金伝票、振替伝票に記入し、これを1日分ずつ集計して仕訳日計表を作成している。総勘定元帳への転記は、仕訳日計表から行う。また、仕入先元帳と得意先元帳も作成している。次の〔資料Ⅰ〕および〔資料Ⅱ〕に基づき、×5年12月1日の仕訳日計表、買掛金勘定を作成しなさい。

なお、伝票の(　　)の金額は各自推定すること。

〔資料Ⅰ〕×5年12月1日に起票した伝票

入金伝票　No.101
(売掛金)熊本商店　26,000

入金伝票　No.102
(売掛金)長崎商店　12,000

入金伝票　No.103
(未収入金)　45,000

出金伝票　No.201
(買掛金)岐阜商店　(　　)

出金伝票　No.202
(借入金)　30,000

出金伝票　No.203
(営業費)　8,800

振替伝票　No.301
(仕入)　(　　)
　(買掛金)岐阜商店　(　　)

振替伝票　No.302
(仕入)　16,000
　(買掛金)富山商店　16,000

振替伝票　No.303
(買掛金)岐阜商店　3,100
　(仕入)　3,100

振替伝票　No.304
(買掛金)富山商店　20,000
　(受取手形)　20,000

振替伝票　No.305
(買掛金)富山商店　(　　)
　(支払手形)　(　　)

振替伝票　No.306
(売掛金)熊本商店　51,000
　(売上)　51,000

振替伝票　No.307
(売掛金)長崎商店　38,000
　(売上)　38,000

振替伝票　No.308
(売上)　2,500
　(売掛金)長崎商店　2,500

振替伝票　No.309
(当座預金)　10,000
　(受取手形)　10,000

振替伝票　No.310
(未収入金)　120,000
(固定資産売却損)　15,000
　(備　品)　(　　)

〔資料Ⅱ〕仕入先元帳

仕　入　先　元　帳

岐　阜　商　店

×5年		摘　要	仕丁	借　方	貸　方	借/貸	金　額
12	1	前月繰越	✓		53,000	貸	53,000
	〃	出金伝票	No.201	(　　)		〃	20,000
	〃	振替伝票	No.301		42,000	〃	(　　)
	〃	振替伝票	No.303	(　　)		〃	(　　)

富　山　商　店

×5年		摘　要	仕丁	借　方	貸　方	借/貸	金　額
12	1	前月繰越	✓		29,000	貸	29,000
	〃	振替伝票	No.302		(　　)	〃	(　　)
	〃	振替伝票	No.304	(　　)		〃	(　　)
	〃	振替伝票	No.305	(　　)		〃	5,500

留意事項：当店の仕入先は、岐阜商店および富山商店のみである。

解答用紙

仕 訳 日 計 表
×5年12月1日　　1

借　方	元丁	勘定科目	元丁	貸　方
		現　　金		
		当座預金		
		受取手形		
		売 掛 金		
		未収入金		
		支払手形		
		買 掛 金		
		借 入 金		
		売　　上		
		備　　品		
		仕　　入		
		営 業 費		
		固定資産売却損		

総 勘 定 元 帳
買 掛 金　　7

×5年		摘　要	仕丁	借　方	貸　方	借/貸	金　額
12	1	前月繰越	✓		82,000	貸	82,000

目標 10分　解答・解説 ▶ P395　check

69 用語穴埋め１

次の文章の中の(　ア　)から(　サ　)に入る最も適切な言葉を〔語群〕の中から一つ選び、番号で答えなさい。

1．他の企業の株主総会など意思決定機関を支配している会社を(　ア　)といい、支配されている当該企業を(　イ　)という。(　イ　)の株式を保有している場合、その株式は貸借対照表上は(　ウ　)株式として表示される。

2．期末時に保有しているその他有価証券は、決算時の時価で評価されることになるが、時価が取得原価を上回っている場合、「その他有価証券評価差額金」は、(　エ　)側に残高が生じることになる。

3．自社利用のソフトウェアを資産として計上する場合には、(　オ　)の区分に計上しなければならない。また、ソフトウェアの取得原価は、原則として(　カ　)により償却する。

4．資産と負債を流動や固定に分類するときには、(　キ　)と(　ク　)という２つの基準で分類します。これらの基準を適用するにあたって、先に(　キ　)を適用し、流動項目にならなかった資産・負債に対して(　ク　)を適用します。

5．貸借対照表の純資産の部は大きく分けると(　ケ　)と(　ケ　)以外に分類されます。(　ケ　)はさらに資本金、(　コ　)、利益剰余金に分類されます。一方、(　ケ　)以外には評価・換算差額等があり、(　サ　)などが該当します。

〔語群〕

1．借方	2．貸方	3．有形固定資産	4．無形固定資産
5．親会社	6．子会社	7．関連会社	8．関係会社
9．定額法	10．定率法	11．一年基準	12．正常営業循環基準
13．重要性基準	14．その他資本剰余金	15．資本金	16．投資その他の資産
17．株主資本	18．任意積立金	19．資本剰余金	20．繰越利益剰余金
21．有価証券評価益	22．その他有価証券評価差額金		

解答用紙

ア		イ		ウ		エ	
オ		カ		キ		ク	
ケ		コ		サ			

重要度 B

応用 目標 10分 解答・解説 ▶P397 check

70 用語穴埋め２

次の文章の中の(　ア　)から(　ス　)に入る最も適切な言葉を〔語群〕の中から一つ選び、番号で答えなさい。なお、同じ言葉を何度使ってもよい。

1．商品の払出数量を求める方法は、(　ア　)と(　イ　)があります。(　ア　)によると、正確な払出数量が求められるので売上原価の算定が正確に行えます。また、商品の払出単価を求める方法は、(　ウ　)や(　エ　)などがあります。(　ウ　)によると、期末の商品は最近仕入れた比較的新しい商品から構成されることになります。

2．期末において商品の(　オ　)が原価よりも下落していた場合に商品評価損を計上することになります。商品評価損は原則として(　カ　)に含めて表示します。

3．会社が期中に法人税等の一部を納付することを(　キ　)といいます。その後、決算で確定した利益に基づいて納付すべき法人税等を算定し、(　キ　)分を差引いた残額を納付することになります。これを(　ク　)といいます。

4．売上債権や営業外債権に貸倒引当金を設定しますが、設定の対象になる債権の区分によって、貸倒引当金繰入の表示区分も異なります。売上債権に係る貸倒引当金繰入は(　ケ　)に表示し、貸付金などの営業外債権に係る貸倒引当金繰入は(　コ　)に表示します。

5．固定資産が火災で焼失したときに、保険を付していた場合、焼失時の固定資産の帳簿価額を(　サ　)とします。その後、保険金を受取ったときに、保険金額が固定資産の帳簿価額より大きい場合、帳簿価額との差額を(　シ　)とします。(　シ　)は(　ス　)に表示します。

〔語群〕

1．租税公課	2．確定申告	3．収入印紙	4．中間申告
5．貯蔵品	6．移動平均法	7．継続記録法	8．棚卸計算法
9．棚卸減耗損	10．帳簿価額	11．正味売却価額	12．売上原価
13．営業外費用	14．販売費及び一般管理費	15．特別損失	16．営業外収益
17．建設仮勘定	18．火災未決算	19．保険差益	20．火災損失
21．仮受金	22．先入先出法	23．特別利益	

その他

解答用紙

ア		イ		ウ		エ	
オ		カ		キ		ク	
ケ		コ		サ		シ	
ス							

重要度 B

応用 目標 10分 解答・解説 ▶ P399 check

71 文章の正誤判断１

次の文章が正しければ○を、誤っていれば×を解答用紙の所定欄に記入しなさい。

1. 売上という収益を認識する具体的な基準には出荷基準や検収基準があるが、後者によった場合の方が、収益に計上されるタイミングは一般に遅くなる。
2. 決算時に保有している売買目的有価証券は、時価で評価し、評価差額は当期の損益としなければならない。
3. いったん積立てられた利益準備金は、債権者を保護するためにいかなる場合でも減少させることは許されない。
4. 商品評価損は、原則として売上原価に算入され、その内訳項目として損益計算書に表示される。
5. 営業利益に営業外収益を加え、営業外費用を差引いた利益は、継続的な経営活動によってもたらされる利益なので、「経常利益」と呼ばれる。
6. 再振替仕訳は、期首に必ず行わなければならない。
7. 特定の研究開発目的にのみ使用され、他の目的に使用できない機械装置や特許権等を取得した場合の原価は、取得時の研究開発費として処理する。
8. 無形固定資産は、貸借対照表上、原則として減価償却累計額を直接控除した金額で表示しなければならないが、有形固定資産と同様に減価償却累計額を間接控除する形で表示することもできる。

解答用紙

1		2		3		4	
5		6		7		8	

その他

重要度 B

応用 目標 10分 解答・解説 ▶ P400 check

72 文章の正誤判断２

次の文章が正しければ○を、誤っていれば×を解答用紙の所定欄に記入しなさい。

1．無形固定資産は、具体的な存在形態を持たないが、企業の経済活動のための収益源泉として長期間にわたり一定の便益を提供する資産であり、のれん、特許権、ソフトウェアなどが挙げられる。
2．固定資産を購入により取得した場合において、値引または割戻を受けたときには、当該値引額または割戻額は営業外収益として処理する。
3．その他有価証券は決算時に時価で評価し、その評価差額であるその他有価証券評価差額金は損益計算書に計上しなければならない。
4．減価償却費は決算整理で１年分(または取得時から期末までの分)を計上するので、決算整理前残高試算表に減価償却費が集計されることはない。
5．子会社株式の期末の時価が取得原価を上回っていた場合、貸借対照表において子会社株式は時価で表示される。
6．剰余金の配当は利益剰余金のみから行われ、資本剰余金から配当が行われることはない。
7．決算整理が終わった後の繰越利益剰余金が次期に繰越される。
8．定期預金は、貸借対照表上「現金及び預金」に含めて表示しなければならない。

解答用紙

1		2		3		4	
5		6		7		8	

解答・解説編

解答・解説編には、問題編〈基本〉と問題編〈応用〉に掲載した問題の解答とその詳しい解説を掲載しました。間違えてしまった問題は解説をよく読んで理解していきましょう。また、各問題ごとに『日商簿記２級光速マスターNEO 商業簿記テキスト』のどこで学習した内容かを明示していますので、苦手な論点や理解の不足している分野があった場合は、『日商簿記２級光速マスターNEO 商業簿記テキスト』をもう一度開いて復習してください。

基本 テキスト 第１章

1 純資産会計（仕訳問題）

解答

	借方科目	金額	貸方科目	金額
1	別段預金	1,200,000	株式申込証拠金	1,200,000
2	株式交付費	10,000	現金	10,000
3	当座預金 株式申込証拠金	1,200,000 1,200,000	別段預金 資本金 資本準備金	1,200,000 600,000 600,000
4	別途積立金	215,600	繰越利益剰余金	215,600
5	研究開発費	14,850	現金 減価償却累計額	12,200 2,650
6	利益準備金	1,000	繰越利益剰余金	1,000
7	諸収益 損益	15,000 17,500	損益 諸費用	15,000 17,500
8	繰越利益剰余金	2,500	損益	2,500
9	その他資本剰余金 繰越利益剰余金	550,000 550,000	未払配当金 資本準備金 利益準備金	1,000,000 50,000 50,000

解説

本試験の第１問は仕訳問題が出題されます。「簿記は、仕訳に始まり仕訳に終わる」と言われるくらい仕訳は重要です。確実に正答できるように何度も繰り返し練習しましょう！

1．増資による新株の発行に関する問題です。株主を募集し、申込証拠金の払込みを受けています。これは払込期日になるまで株式申込証拠金としておきます。また、通常の現金預金とは区別して、別段預金としておきます。
2．新株を発行するときにかかったお金は「株式交付費」として費用処理します。「広告宣伝費」などにはしないので注意してください。
3．払込期日になると、株式申込証拠金を資本金に振替えます。すべて資本金とするのが原則ですが、払込金額の２分の１の金額までは資本金としないことが認められています。資本金としない金額は資本準備金とします。また、別段預金を当座預金に振替えます。
4．繰越利益剰余金勘定は、通常、貸方残高になっています。しかし、繰越利益剰余金勘定が借方残高となっている場合、別途積立金などを取崩して繰越利益剰余金に振替えることができます。
5．研究活動および開発活動にかかった費用はすべて「研究開発費」として処理します。そのため、研究員の給料1,200円、研究用機械の減価償却費2,650円は「研究開発費」に該当します。また、特定の研究開発目的にのみ使用され、他の目的に使用できない機械装置を取得した場合の原価は、取得時の「研究開発費」とするので、研究開発活動のみに用いられる特別仕様の機械の購入代金11,000円も「研究開発費」として処理します。
6．会社は、株主総会の決議により、株主資本の計数を変動させる（株主資本のうち資本金、準備金および剰余金の間で金額の内訳を変える）ことができます。本問は利益準備金から繰越利益剰余金への振替えを行っています。
7．決算整理が終わると、すべての収益の勘定の残高とすべての費用の勘定の残高を損益勘定に集計します（損益振替）。本問は、収益15,000円に対して費用が17,500円で、費用の方が多いので当期純損失が出ています。つまり、損益勘定は2,500円（費用合計17,500円－収益合計15,000円）の借方残高となります。
8．損益振替の後に、当期の損益を損益勘定から繰越利益剰余金勘定に振替えます（資本振替）。本問は当期純損失が出ているので、繰越利益剰余金を借方に仕訳し、減少させます。仮に、当期純利益の場合は繰越利益剰余金を貸方に仕訳し、増加させることになります。
9．配当財源がその他資本剰余金であれば資本準備金を積立て、配当財源が繰越利益剰余金であれば利益準備金を積立てます。また、使い道の確定した分だけ、その他資本剰余金や繰越利益剰余金を減少させます。

基本  テキスト 第１章

2 繰越利益剰余金

解答

損　　益

(3/31)	(諸　費　用)	(5,200,000)	(3/31)	(諸　収　益)	(6,400,000)
(〃)	(繰越利益剰余金)	(1,200,000)			
		(6,400,000)			(6,400,000)

繰越利益剰余金

(6/25)	(利益準備金)	(50,000)	4/ 1	前期繰越	1,500,000
(〃)	(未払配当金)	(700,000)	(3/31)	(損　　益)	(1,200,000)
(〃)	(別途積立金)	(500,000)			
3/31	次期繰越	(1,450,000)			
		(2,700,000)			(2,700,000)

解説

繰越利益剰余金に関する問題です。当期中に、繰越利益剰余金の前期繰越高のうち一部を配当するなどしています。その後、当期末決算によって当期純利益が計上されます。当期純利益は、配当等を行った後の繰越利益剰余金の残額とともに、繰越利益剰余金として次期に繰越されることになります。

6/25　繰越利益剰余金の前期繰越高のうち￥700,000を配当金として株主に支払い、￥500,000を別途積立金として積立てます。また、配当金の10分の１を、資本準備金と利益準備金の合計が資本金の４分の１に達するまで、利益準備金として積立てます。

(借) 繰越利益剰余金	1,250,000	(貸)	利益準備金	50,000
			未払配当金	700,000
			別途積立金	500,000

配当金の10分の１：¥700,000×$\frac{1}{10}$＝¥70,000

利益準備金要積立額：¥10,000,000×$\frac{1}{4}$

－(¥1,200,000＋¥1,250,000)＝¥50,000

利益準備金積立額：¥70,000＞¥50,000　∴ ¥50,000

ここに注意！

繰越利益剰余金を配当する場合、通常は配当金の10分の１を利益準備金として積立てます。本問では配当金が¥700,000なので、通常は利益準備金を¥70,000増やします。しかし、利益準備金の積立てには限度があります。
資本金が¥10,000,000なので、資本金の４分の１は¥2,500,000です。また、資本準備金¥1,200,000と利益準備金¥1,250,000の合計は¥2,450,000です。よって、利益準備金があと¥50,000増えると、資本準備金と利益準備金の合計が¥2,500,000となり、資本金の４分の１と同額になります。したがって、利益準備金はあと¥50,000しか積立てられないのです。そのため、本問の利益準備金積立額は¥50,000になります。

3/31　決算整理後の費用の勘定の残高と収益の勘定の残高は、すべて損益勘定に振替えます。損益勘定の貸方残高¥1,200,000は当期純利益を意味します。これを損益勘定から繰越利益剰余金勘定に振替えます。

(借)	損　　　益	5,200,000	(貸)	諸　費　用	5,200,000
(借)	諸　収　益	6,400,000	(貸)	損　　　益	6,400,000
(借)	損　　　益	1,200,000	(貸)	繰越利益剰余金	1,200,000

決算整理後の収益総額が、
決算整理後の費用総額を上
回る額が当期純利益です。

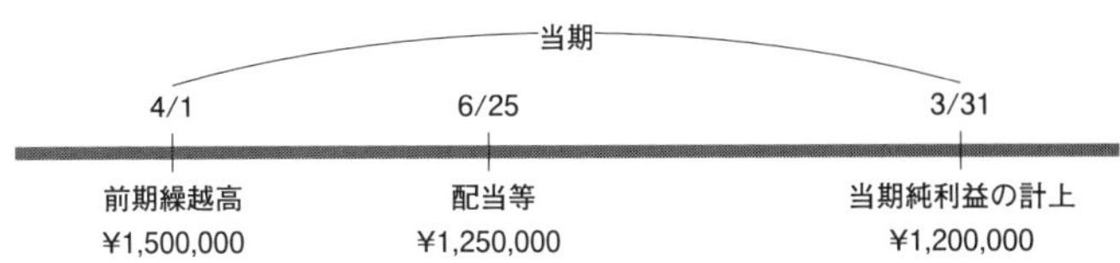

繰越利益剰余金の前期繰越高は¥1,500,000です。

このうち、6/25に配当等が実施された金額が合計¥1,250,000であるため、繰越利益剰余金勘定の残高は、¥1,500,000－¥1,250,000より貸方残高¥250,000になります。これが決算整理前の繰越利益剰余金勘定の残高です。

決算によって当期純利益が¥1,200,000計上されます。当期純利益が損益勘定から繰越利益剰余金勘定に振替られるため、繰越利益剰余金勘定の残高は、¥250,000＋¥1,200,000より貸方残高¥1,450,000になります。

解答用紙の繰越利益剰余金勘定に転記しながら、繰越利益剰余金勘定の残高の変化を順を追って理解しましょう。

繰越利益剰余金の次期繰越高は¥1,450,000です。

繰越利益剰余金勘定の1年間の流れを確認しましょう。

繰越利益剰余金勘定は、前期繰越額でスタートしたあと、株主総会の決議などに基づき残高が増減します。そして、決算を迎えます。決算整理仕訳において繰越利益剰余金勘定は増減しないため、決算整理後残高は、決算整理前残高と同じです。その後、資本振替仕訳により、当期純利益が損益勘定から繰越利益剰余金勘定に振替えられます。これにより、期末残高が確定し、貸借対照表に記載する金額が確定します。

基本 テキスト 第1章

3 株主資本等変動計算書

解答

	株主資本							
	資本金	資本剰余金		利益剰余金				
		資本準備金	資本剰余金合計	利益準備金	その他利益剰余金			利益剰余金合計
					新築積立金	別途積立金	繰越利益剰余金	
当期首残高	6,000	1,200	1,200	200	350	600	5,100	6,250
当期変動額								
新株の発行	5,200							
剰余金の配当等				100	500		△3,600	△3,000
当期純利益							4,200	4,200
株主資本以外の項目の当期変動額(純額)								
当期変動額合計	5,200	0	0	100	500	0	600	1,200
当期末残高	11,200	1,200	1,200	300	850	600	5,700	7,450

解説

株主資本等変動計算書は純資産項目の内訳明細書です。まず、仕訳をして純資産に関連する勘定の増減を確認します。次に、純資産の増減内容を株主資本等変動計算書に集計するだけです。
慣れてきたら仕訳をせずに直接解答を埋めていくと効率的に解くことができますが、間違えないように細心の注意を払ってください。

1. ×8年6月に開催された株主総会での仕訳

繰越利益剰余金の前期末残高のうち3,000円を配当金として株主に支払い、500円を新築積立金として積立てます。また、配当金の10分の1を、資本準備金と利益準備金の合計が資本金の4分の1に達するまで、利益準備金として積立てます。

（借）繰越利益剰余金	3,600	（貸）未払配当金	3,000
		新築積立金	500
		利益準備金	100

配当金の10分の１：$3{,}000円\times\frac{1}{10}=300$

利益準備金要積立額：$6{,}000円\times\frac{1}{4}-(1{,}200円+200円)=100円$

利益準備金積立額：300円＞100円　∴100円

2．×９年２月１日の新株発行の仕訳

5,200円の新株の発行を行い、資本金増加額を会社法規定の原則額としたので、5,200円を全額資本金とします。

（借）現　金	5,200	（貸）資　本　金	5,200

3．×９年３月31日の資本振替の仕訳

4,200円の当期純利益を計上したので、それを繰越利益剰余金勘定に振替えます。

（借）損　益	4,200	（貸）繰越利益剰余金	4,200

基本  テキスト 第2章

4 銀行勘定調整表

解 答

銀行勘定調整表						
当座預金勘定残高		(819,000)	銀行残高証明書残高		(755,000)
加算			加算		
(未渡小切手)	(20,000)		(時間外預入)	(70,000)	
(掛代金回収未記帳)	(55,000)	(75,000)	(未取立小切手)	(100,000)	(170,000)
計		(894,000)	計		(925,000)
減算			減算		
(誤 記 入)		(9,000)	(未取付小切手)		(40,000)
		(885,000)			(885,000)

当 座 預 金

	○ ○ ○	819,000	6 通 信 費	9,000
1	未 払 金	20,000		
4	売 掛 金	55,000		

解 説

銀行勘定調整表の作成と勘定記入に関する問題です。まず資料の1～6を、企業側の修正項目と銀行側の修正項目とに分類します。そして、解答用紙の銀行勘定調整表の「当座預金勘定残高」に企業側の修正項目を加減算し、「銀行残高証明書残高」に銀行側の修正項目を加減算します。勘定記入については、企業側の修正項目を仕訳し、解答用紙の当座預金勘定に転記していきます。

〈企業側の修正項目〉

1．企業側では、小切手を振出した際に当座預金を減少させる処理を行っています。しかし、実際には小切手を振出していなかったこととなるため、企業側で当座預金を振戻す処理を行います。また、広告宣伝費が未払いとなるため、未払金として処理します。

借方に当座預金と仕訳し、銀行勘定調整表の「当座預金勘定残高」に加算します。

4．企業側では、当座預金による売掛金の回収について未記帳であるため、この記帳を行います。

借方に当座預金と仕訳し、銀行勘定調整表の「当座預金勘定残高」に加算します。

6．企業側では、当座預金による通信費の支払いについて誤った記帳をしているため、この訂正を行います。

貸方に当座預金と仕訳し、銀行勘定調整表の「当座預金勘定残高」から減算します。

〈銀行側の修正項目〉

2．銀行側では、当座預金を減少させる処理を行っていません。しかし、小切手は近日中に呈示され、当座預金口座から支払われることとなるため、企業側での修正は必要ありません。

銀行勘定調整表の「銀行残高証明書残高」から減算します。

3．銀行側では、当座預金を増加させる処理を行っていません。しかし、翌日に入金の処理がなされることとなるため、企業側での修正は必要ありません。

銀行勘定調整表の「銀行残高証明書残高」に加算します。

5．銀行側では、当座預金を増加させる処理を行っていません。しかし、小切手は近日中に取立てられ、当座預金口座に入金されることとなるため、企業側での修正は必要ありません。

銀行勘定調整表の「銀行残高証明書残高」に加算します。

以上の６つの修正項目を解答用紙の空欄部分に記入し、銀行勘定調整表を完成させましょう。

解答用紙の銀行勘定調整表の「当座預金勘定残高」と「銀行残高証明書残高」は、上述の加減算により ¥885,000で一致します。これが適正な当座預金勘定残高であり、貸借対照表に記載すべき金額になります。

資料の１～６を仕訳すると、次のようになります。

1．	(借) 当座預金	20,000	(貸) 未払金	20,000

2．銀行側の修正項目であるため、仕訳は必要ありません。
3．銀行側の修正項目であるため、仕訳は必要ありません。

4．	(借) 当座預金	55,000	(貸) 売掛金	55,000

5．銀行側の修正項目であるため、仕訳は必要ありません。

6．	(借) 通信費	9,000	(貸) 当座預金	9,000

上記１、４、６の仕訳を当座預金勘定に転記すると、当座預金勘定の残高は¥885,000となります。

仕訳が必要なのは企業側の修正項目のみです。仕訳の後、総勘定元帳の当座預金勘定に転記します。

ここに注意！

問題文の指示に注意しましょう。転記は本来、勘定に日付・相手科目・金額の３つを記入しますが、本問では日付の代わりに資料の番号を記入することが求められています。本試験でも、問題文中にこのような特別な指示があればそれに従わなければなりません。問題文をよく読み、指示どおりに解答しましょう。

基本  テキスト 第３章

5 手形の裏書と割引

解答

日付	借方科目	金額	貸方科目	金額
4/ 1	仕入	150,000	支払手形	150,000
4/30	支払手形	150,000	当座預金	150,000
5/ 3	受取手形	200,000	売上	200,000
6/ 3	当座預金	200,000	受取手形	200,000
6/15	仕入	140,000	受取手形	140,000
7/20	受取手形 支払手形	120,000 100,000	売上	220,000
8/ 1	当座預金 手形売却損	119,520 480	受取手形	120,000

当座預金

4/ 1	前期繰越	500,000	4/30	支払手形	150,000
6/ 3	受取手形	200,000			
8/ 1	受取手形	119,520			

受取手形

4/ 1	前期繰越	300,000	6/ 3	当座預金	200,000
5/ 3	売上	200,000	15	仕入	140,000
7/20	売上	120,000	8/ 1	諸口	120,000

支払手形

4/30	当座預金	150,000	4/ 1	前期繰越	270,000
7/20	売上	100,000	〃	仕入	150,000

売上

			5/ 3	受取手形	200,000
			7/20	諸口	220,000

仕入

4/ 1	支払手形	150,000			
6/15	受取手形	140,000			

手形売却損

8/ 1	受取手形	480			

解　説

ここが
ポイント！

手形に書いてある金額を支払う義務は支払手形(負債)で表します。支払手形が増加したときは貸方、減少したときは借方に記入します。

手形に書いてある金額を受取る権利は受取手形(資産)で表します。受取手形が増加したときは借方、減少したときは貸方に記入します。約束手形の場合は、振出人が手形に書いてある金額を支払う人、名宛人(約束手形を受取った人)が手形に書いてある金額を受取る人です。

4/ 1　　約束手形を振出し、手形に書いてある金額を支払う義務を負ったため、支払手形(負債)の増加として処理します。

4/30　　4/1に負った義務を果たしたため、支払手形(負債)の減少として処理します。

5/3　　他人振出約束手形を受取り、手形に書いてある金額を受取る権利を得たため、受取手形(資産)の増加として処理します。

6/ 3　5/3に得た権利を行使して当座預金に入金がされたため、受取手形(資産)の減少として処理します。

6/15　持っていた約束手形を裏書譲渡し、手形に書いてある金額を受取る権利を失ったため、受取手形(資産)の減少として処理します。

7/20　他人振出約束手形を受取り、手形に書いてある金額を受取る権利を得たため、受取手形(資産)の増加として処理します。同時に、自己振出約束手形を受取り、手形に書いてある金額を支払う義務が消滅したため、支払手形(負債)の減少として処理します。

ここに注意！

約束手形を振出したときは、手形に書いてある金額を支払う義務を負うため、支払手形(負債)の増加として処理しています。よって、自己振出約束手形が戻ってきたときは、この支払手形(負債)を取消します。

8/ 1　持っていた約束手形を割引き、手形に書いてある金額を受取る権利を失ったため、受取手形(資産)の減少として処理します。このとき、失った受取手形は¥120,000ですが、銀行から受取ったのは、割引料(¥120,000 $\times 0.073 \times \frac{20日}{365日}$ ＝¥480)が差引かれた¥119,520です。割引料は、手形売却損(費用)の増加として処理します。

なお、手形の割引は、手形を担保とした金銭の貸し借りと考えるので、利息に相当する金額を割引料として支払います。

手形を裏書譲渡したり、割引いたりすると、それまで当社が持っていた「手形に書いてある金額を受取る権利」を失ってしまいます。

基本  テキスト 第3章

6 手形と電子記録債権・債務

解答

受取手形

○○○	×××	7/26 受取手形	100,000
7/20 売掛金	300,000	8/2 諸口	200,000
26 諸口	102,000	14 電子記録債権	300,000
		19 仕入	150,000

電子記録債権

○○○	×××	8/31 普通預金	300,000
8/14 受取手形	300,000		

解説

手形と電子記録債権に関する問題です。「振出」、「更改」、「割引」、「裏書」、「発生記録の請求」など様々なパターンがありますが、一つ一つの取引はシンプルです。見た目の分量に惑わされることなく、落ち着いて解答しましょう。

7/20　約束手形の受取りにより手形債権が増加しているため、借方に受取手形と仕訳します。

(借) 受取手形	300,000	(貸) 売掛金	300,000

7/26　手形を更改しています。これまで持っていた手形債権を取消すとともに、新たに得た手形債権を計上します。仕訳が問われた際は、借方と貸方の受取手形を相殺せずに解答します。

(借) 受取手形	102,000	(貸) 受取手形	100,000
		受取利息	2,000

復習しよう！

手形の更改では、本問のように更改に伴う利息を「新しい手形に含める場合」もあれば、「現金や預金で受渡しする場合」もあります。「現金で受渡しする場合」の仕訳は以下のようになります。

(借)		(貸)	
受取手形	100,000	受取手形	100,000
現金	2,000	受取利息	2,000

8/ 2　手形を割引いています。手形を割引くと割引いた期間に相当する利息の分だけもらえる金額が少なくなります。これを「手形売却損」で表します。

(借)		(貸)	
当座預金	192,000	受取手形	200,000
手形売却損	8,000		

8/14　電子記録債権の発生記録の請求をしています。盛岡商会(株)から受取った「受取手形」を取崩して、「電子記録債権」を計上します。

(借)		(貸)	
電子記録債権	300,000	受取手形	300,000

8/19　手形を裏書しています。手形を裏書譲渡したときは「受取手形」の減少として仕訳します。

(借)		(貸)	
仕入	150,000	受取手形	150,000

8/31　電子記録債権の支払期日が到来しました。8月14日に計上した「電子記録債権」を取崩すとともに、普通預金口座に振込まれているので「普通預金」の増加を仕訳します。

(借)		(貸)	
普通預金	300,000	電子記録債権	300,000

基本  テキスト 第3章

7 債権・債務(仕訳問題)

解答

	借方科目	金額	貸方科目	金額
1	当座預金	18,000	買掛金	10,000
			未払金	8,000
2	備品	80,000	未払金	30,000
			営業外支払手形	50,000
3	不渡手形	6,100	受取手形	6,000
			現金	100
4	現金	1,000	不渡手形	6,100
	貸倒損失	5,100		
5	クレジット売掛金	49,000	売上	50,000
	支払手数料	1,000		
6	買掛金	80,000	電子記録債務	80,000
7	電子記録債務	80,000	当座預金	80,000
8	当座預金	29,000	電子記録債権	30,000
	電子記録債権売却損	1,000		

解　説

電子記録債権は、どのような流れで取引が行われているかがポイントです。取引の概要がつかめていない場合は、テキスト等に戻って確認してください。

1．未渡小切手の仕訳が問われています。未渡小切手は以前小切手を渡したとしていったん当座預金の減少を仕訳しており（貸方に当座預金）、その小切手が未だ渡されていなかったので当座預金の減少を取消します（借方に当座預金）。相手勘定科目は、そもそも何のために小切手を振出したのかで異なります。買掛金決済のために小切手を振出したのであれば、その買掛金は未だ決済されていないので買掛金の減少を取消します。一方、営業費の支払いや固定資産の購入などのために小切手を振出したのであれば、その代金は未だ決済されていないので「未払金」でその債務を表します。

2．本問のパソコンは販売するために購入したわけではなく、会社の事業活動に使うために購入しています。そのため、代金支払義務について商品売買の掛取引で使用する「買掛金」ではなく、「未払金」を使います。また、手形分についても「支払手形」ではなく、「営業外支払手形」を使います。

3．受取手形が不渡りになっています。この場合、「受取手形」を減らして「不渡手形」に振替えます。このとき、不渡りになったためにかかった費用である支払拒絶証書作成費用などは不渡手形の金額に含めます。

4．不渡手形が一部貸倒れました。本問では不渡手形に貸倒引当金を設定してないので、回収できた1,000円を除き「貸倒損失」とします。仮に、貸倒引当金を設定していたら「貸倒引当金」を充当します。

5．クレジット払いの条件で商品を販売した場合、「クレジット売掛金」を使いますが信販会社に対して手数料を支払わなければならないので、その手数料を差引いた残額を「クレジット売掛金」の金額とします。なお、信販会社に対する手数料は「支払手数料」で表します。

6．電子記録債務の発生記録の請求を行ったので、「買掛金」が「電子記録債務」に替わります。「買掛金」を減少させ、「電子記録債務」を計上します。

7．電子記録債務の支払期日が到来したので、決済により「電子記録債務」は消滅します。

8．本問のように電子記録債権は割引くこともできます。通常の手形の割引と同じように割引料を差引きますが、割引くのは手形ではなく電子記録債権なので、「手形売却損」ではなく「電子記録債権売却損」を使います。

復習しよう！

本問の８でみたように電子記録債権も割引くことができます。通常の手形の割引であれば割引料は「手形売却損」で表します。

(借)	当座預金	×××	(貸) 受取手形	×××
	手形売却損	×××		

一方、電子記録債権を割引いた場合の割引料は「電子記録債権売却損」で表します。

(借)	当座預金	×××	(貸) 電子記録債権	×××
	電子記録債権売却損	×××		

基　本　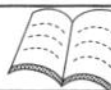　テキスト 第４章

8 有価証券の売買の基礎

解　答

日付	借方科目	金　額	貸方科目	金　額
1/19	有価証券	38,400	現金	38,400
1/24	現金	14,000	有価証券 有価証券売却益	12,800 1,200
1/31	現金 有価証券売却損	24,000 1,600	有価証券	25,600
2/ 1	有価証券	145,500	現金	145,500
2/12	現金	49,000	有価証券 有価証券売却益	48,500 500
2/26	現金 有価証券売却損	96,000 1,000	有価証券	97,000

現　金

日付	摘要	金額	日付	摘要	金額
1/ 1	前期繰越	200,000	1/19	有価証券	38,400
24	諸口	14,000	2/ 1	有価証券	145,500
31	有価証券	24,000			
2/12	諸口	49,000			
26	有価証券	96,000			

有価証券

日付	摘要	金額	日付	摘要	金額
1/19	現金	38,400	1/24	現金	12,800
2/ 1	現金	145,500	31	諸口	25,600
			2/12	現金	48,500
			26	諸口	97,000

有価証券売却益

日付	摘要	金額	日付	摘要	金額
			1/24	現金	1,200
			2/12	現金	500

有価証券売却損

日付	摘要	金額	日付	摘要	金額
1/31	有価証券	1,600			
2/26	有価証券	1,000			

解　説

売買目的で株式や社債を購入したときは、売買目的有価証券または有価証券で処理します。その際、株式や社債そのものの代金に手数料などを加算した金額で記入します。また、売却したときは、売価と帳簿価額の差額を、有価証券売却益または有価証券売却損で処理します。

1/19　　株式そのものの代金は@￥300×120株より￥36,000ですが、手数料￥2,400を加算し、￥38,400で記入します。120株分の帳簿価額が￥38,400、1株分の帳簿価額は￥38,400÷120株より￥320となります。
なお、本問では有価証券勘定があるため、有価証券を用いて解答します。

120株を￥38,400で購入したと考えます。ですから、1株分の帳簿価額は￥300ではなく￥320です。

1/24　　1/19に購入した株式のうち40株を売却しているため、40株分の売価と帳簿価額を比較します。

	売　　価	@￥350×40株＝￥14,000
△	帳簿価額	@￥320×40株＝￥12,800
	有価証券売却益	￥　1,200

有価証券￥38,400のうち、￥12,800を失うので、有価証券￥12,800の減少として処理します。また、売価は現金で受取っているので、現金￥14,000の増加として処理します。

￥12,800で購入した株式を￥14,000で売却しています。

差額￥1,200が有価証券売却益です。

1/31　1/19に購入した株式のうち80株を売却しているため、80株分の売価と帳簿価額を比較します。

	売　　価	@¥300×80株＝¥24,000
△	帳簿価額	@¥320×80株＝¥25,600
	有価証券売却損	△¥　1,600

2/1　額面総額¥150,000の社債の口数は、¥150,000÷¥100より1,500口です。社債そのものの代金は@¥95×1,500口より¥142,500ですが、手数料¥3,000を加算し、¥145,500で記入します。1,500口分の帳簿価額が¥145,500、1口分の帳簿価額は¥145,500÷1,500口より¥97となります。

2/12　額面総額¥50,000の社債の口数は、¥50,000÷¥100より500口です。2/1に購入した社債のうち500口を売却しているため、500口分の売価と帳簿価額を比較します。

	売　　価	@¥98×500口＝¥49,000
△	帳簿価額	@¥97×500口＝¥48,500
	有価証券売却益	¥　500

2/26　額面総額¥100,000の社債の口数は、¥100,000÷¥100より1,000口です。2/1に購入した社債のうち1,000口を売却しているため、1,000口分の売価と帳簿価額を比較します。

	売　　価	@¥96×1,000口＝¥96,000
△	帳簿価額	@¥97×1,000口＝¥97,000
	有価証券売却損	△¥　1,000

復習しよう!

有価証券を売却したときは、売却した分の売価と帳簿価額を比較します。これは固定資産を売却したときも同様です。土地を売却したときは、売価と帳簿価額の差額を、固定資産売却益(土地売却益)または固定資産売却損(土地売却損)で処理します。

基 本  テキスト 第4章

9 有価証券（仕訳問題）1

解 答

	借方科目	金 額	貸方科目	金 額
1	売買目的有価証券	415,000	当座預金	415,000
2	現金	25,000	受取配当金	25,000
3	未収入金	450,000	売買目的有価証券 有価証券売却益	415,000 35,000
4	売買目的有価証券 有価証券利息	1,920,000 25,200	当座預金	1,945,200
5	現金	73,000	有価証券利息	73,000
6	現金 有価証券売却損	476,200 5,000	売買目的有価証券 有価証券利息	480,000 1,200

解 説

有価証券の売買に関する問題です。売買した有価証券が社債や国債で、かつ、売買日と利払日が異なっている場合、端数利息の受渡しが必要になります。

1．株式を取得しています。有価証券の取得原価は、購入代価に付随費用を加算した金額となります。

取得原価：@¥400×1,000株＋ ¥15,000＝ ¥415,000

2．配当金領収証は通貨代用証券であるため、現金として処理します。

3．株式を売却しています。帳簿価額と売却価額との差額を有価証券売却損益とします。

売却価額：@¥450×1,000株＝¥450,000

帳簿価額：¥415,000

有価証券売却益：売却価額¥450,000－帳簿価額¥415,000＝¥35,000

4．社債を取得しています。取得原価とは別に、端数利息を支払います。

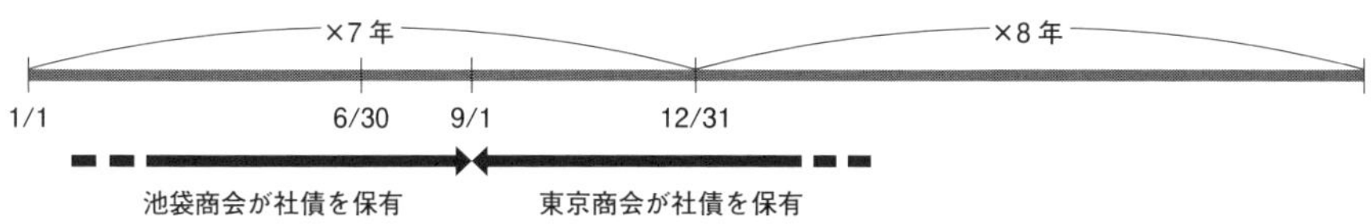

×７年９/１に社債を取得した東京商会は、新宿商事株式会社から×７年12/31の利払日に、×７年７/１～×７年12/31の６ヶ月分の利息を受取ることになります。しかし、×７年７/１～×７年９/１の63日分の利息は、東京商会ではなく、東京商会に社債を売却した池袋商会が受取るべきであるため、取得時にこの端数利息を支払います。

取得口数：¥2,000,000÷¥100＝20,000口

取得原価：@¥96×20,000口＝¥1,920,000

端数利息：$¥2,000,000 \times 7.3\% \times \frac{63日}{365日} = ¥25,200$

ここに注意！

社債を発行している会社は利払日に、その日に社債を持っている者に利息を支払います。12/31の利払日に社債を持っているのは東京商会であるため、東京商会は新宿商事株式会社から６ヶ月分の利息¥73,000をもらえます。しかし、東京商会が社債を持っていなかった７/１～９/１の利息は、９/１に池袋商会に支払っています。

5．期限の到来した社債の利札は通貨代用証券であるため、現金として処理します。

$$6ヶ月分の有価証券利息：¥2,000,000×7.3\%×\frac{6ヶ月}{12ヶ月}＝¥73,000$$

6．社債を売却しています。帳簿価額と売却価額との差額を有価証券売却損益とします。また、売却価額とは別に、端数利息を受取ります。

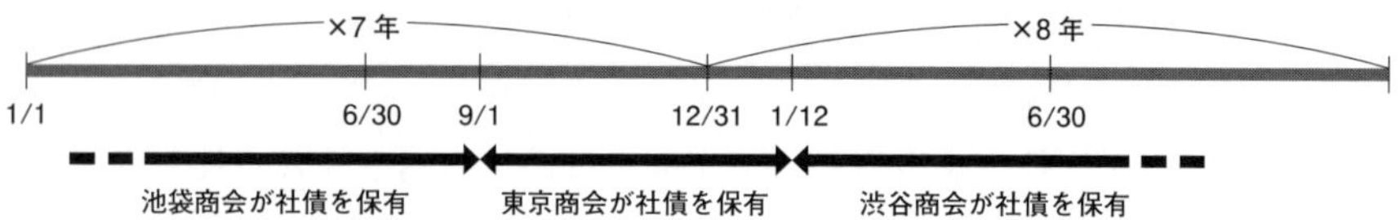

×８年１/12に社債を売却した東京商会は、新宿商事株式会社から×８年６/30の利払日に利息を受取ることはできません。しかし、×８年１/１～×８年１/12の12日分の利息は、東京商会が受取るべきであるため、売却時にこの端数利息を受取ります。

売却口数：¥500,000÷¥100＝5,000口
売却価額：@¥95×5,000口＝¥475,000
帳簿価額：@¥96×5,000口＝¥480,000
有価証券売却損：帳簿価額¥480,000－売却価額¥475,000＝¥5,000

$$端数利息：¥500,000×7.3\%×\frac{12日}{365日}＝¥1,200$$

費用の前払い・未払い、収益の前受け・未収や減価償却などとは異なり、端数利息は日割計算するのが一般的です。

ここに注意！

６/30の利払日には東京商会は社債を持っていないため、新宿商事株式会社から利息をもらうことはできません。しかし、東京商会が社債を持っていた１/１～１/12の利息は、１/12に渋谷商会から受取っています。

基本  テキスト 第4章

10 有価証券（仕訳問題）2

解答

	借方科目	金額	貸方科目	金額
1	子会社株式	352,000	当座預金	352,000
2	関連会社株式	2,431,000	当座預金	2,431,000
3	その他有価証券	3,002,000	未払金	3,002,000
4	その他有価証券	58,000	その他有価証券評価差額金	58,000
5	その他有価証券評価差額金	58,000	その他有価証券	58,000
6	満期保有目的債券	97,000	当座預金	97,000
7	未収有価証券利息 満期保有目的債券	1,000 200	有価証券利息 有価証券利息	1,000 200

解説

子会社株式や関連会社株式に該当するか否かは、自分で株式の保有割合を算定して判定する場合があります。その場合には、発行済株式総数のうちどれくらいの割合の株式を保有しているかを算定し、50%超であれば「子会社株式」に、20%～50%であれば「関連会社株式」に、それ以外は「その他有価証券」に区分します。

1．茨城商事株式会社は、水戸商事株式会社が発行する株式の過半数を取得しているので、水戸商事株式会社は茨城商事株式会社の子会社に該当します。そのため、水戸商事株式会社の株式は「子会社株式」として取得原価352,000円（400株× @880円）で仕訳します。

2．愛媛商事株式会社は、松山商事株式会社が発行する株式の8,000株のうち、2,200株を取得しました。これにより株式保有割合は27.5％（2,200株÷8,000株＝27.5％）になるので、松山商事株式会社は愛媛商事株式会社の関連会社に該当します。そのため、松山商事株式会社の株式は「関連会社株式」として取得原価2,431,000円（2,200株×＠1,100円＋手数料等11,000円）で仕訳します。

3．広島産業株式会社は、長期利殖目的で福山産業株式会社の株式を取得しているので、福山産業株式会社の株式を「その他有価証券」に分類します。そのため、取得原価3,002,000円（4,500株×＠660円＋買入手数料32,000円）で仕訳します。また、その支払いは５営業日以内に支払うことになっているので、「未払金」で表します。

4．その他有価証券は決算で時価評価するので、福山産業株式会社の株式は3,060,000円（4,500株×＠680円）で評価します。そのため、評価差額である「その他有価証券評価差額金」は58,000円（時価3,060,000円－取得原価3,002,000円）となります。

5．その他有価証券の時価評価差額は、翌期首に再振替仕訳を行います。

6．鹿児島商事は、熊本商事の社債を満期まで保有する目的で取得しているので「満期保有目的債券」に分類します。そのため、取得原価97,000円で仕訳します。

7．決算時に①利息の未収計上と②償却原価の計算を行います。

①　×３年12月１日～×４年３月31日までの４ヶ月分の利息を未収計上します。

$$100{,}000\text{円}\times 3\,\%\times\frac{4\text{ヶ月}}{12\text{ヶ月}}=1{,}000\text{円}$$

②　×３年12月１日～×４年３月31日までの４ヶ月分の償却額を定額法で計算します。

$$(\text{額面総額}100{,}000\text{円}-\text{取得価額}97{,}000\text{円})\div 5\text{年}\times\frac{4\text{ヶ月}}{12\text{ヶ月}}=200\text{円}$$

基本  テキスト 第4章

11 有価証券の評価1

解答

決算整理後残高試算表
×9年3月31日

借　　方	勘定科目	貸　　方
	：	
300,000	売買目的有価証券	
486,500	満期保有目的債券	
	：	
	有価証券利息	11,500
20,000	有価証券(**評価損**)	
	：	
×××		×××

解説

有価証券に関する問題です。資料Ⅱに基づいて決算整理仕訳を行い、その結果を資料Ⅰの決算整理前残高に加減算します。なお、売買目的有価証券と満期保有目的債券がいずれも有価証券勘定で処理されているため、まずこれを適切な勘定に振替える必要があります。

1．資料Ⅰの有価証券のうち売買目的有価証券は¥320,000であるため、これを売買目的有価証券勘定に振替えます。

(借) 売買目的有価証券　320,000　(貸) 有価証券　320,000

決算にあたり、売買目的有価証券を時価に評価替えします。

(借) 有価証券評価損　20,000　(貸) 売買目的有価証券　20,000

時価：@¥1,500×200株＝¥300,000
有価証券評価損：帳簿価額¥320,000－時価¥300,000＝¥20,000

2．資料Ⅰの有価証券のうち満期保有目的債券は¥485,000であるため、これを満期保有目的債券勘定に振替えます。

（借）満期保有目的債券　485,000　（貸）有　価　証　券　485,000

決算にあたり、満期保有目的債券の評価を行います。償却原価法(定額法)により、額面金額と取得原価の差額を、取得日から満期日までの期間で月割償却していきます。

（借）満期保有目的債券　1,500　（貸）有価証券利息　1,500

額面金額と取得原価の差額：¥500,000－¥485,000＝¥15,000
取得日から満期日までの期間：60ヶ月
取得日から決算日までの期間：6ヶ月

当期の償却額：$¥15{,}000 \times \dfrac{6ヶ月}{60ヶ月} = ¥1{,}500$

ここに注意！

本問の満期保有目的債券は、発行と同時に取得しているため、取得日から満期日までの期間は、償還期間と同じ5年間です。この5年間(60ヶ月間)で、額面金額と取得原価の差額を償却していきます。仮に発行後に取得していた場合は、取得日から満期日までの期間は、償還期間と同じではなくなるため、注意が必要です。

復習しよう！

社債を持っていると利払日に利息を受取ることができます。この利息は有価証券利息勘定で処理します。本問では、×８年10/１に社債を取得した後、×９年３/31に×８年10/１～×９年３/31の６ヶ月分の利息(¥500,000×４％×６ヶ月/12ヶ月＝¥10,000)を受取り、記帳しています。これが決算整理前残高試算表の有価証券利息¥10,000です。

〈×９年３/31　利息受取時の仕訳〉

(借) 現　金	10,000	(貸) 有価証券利息	10,000

なお、この社債は償却原価法(定額法)により評価しているため、決算整理後残高試算表の有価証券利息は、¥10,000に当期の償却額¥1,500を加算した¥11,500となります。

また、決算整理後残高試算表の満期保有目的債券は、取得原価¥485,000に当期の償却額¥1,500を加算した¥486,500となります。満期保有目的債券を償却原価法(定額法)により評価した場合、このように決算日に償却が行われるごとに、満期保有目的債券の帳簿価額が取得原価から額面金額に近づいていきます。

なお、償却原価法には利息法と定額法があり、利息法が原則ですが、日商簿記検定２級では定額法のみを学習します。

基本  テキスト 第４章

12 有価証券の評価２

解答

決算整理後残高試算表
×９年３月31日

借　方	勘定科目	貸　方
	:	
618,000	子会社株式	
792,000	関連会社株式	
166,000	その他有価証券	
	:	
4,000	(その他有価証券評価差額金)	
	:	
×××		×××

解説

有価証券のポイントは、決算において、取得原価で評価するのか、時価で評価するのか、または償却原価で評価するのかを明確におさえることです。保有目的に応じて、どのような処理をするのかを整理しておさえましょう。

1．瀬戸工業株式会社の株式は、長期的に保有する目的で取得しているので「その他有価証券」に該当します。〔資料Ⅰ〕の有価証券のうち170,000円（2,000株×@85円）はその他有価証券であるため、その他有価証券勘定に振替えます。

（借）その他有価証券　170,000　（貸）有価証券　170,000

決算にあたり、その他有価証券を時価に評価替えします。

（借）その他有価証券評価差額金　4,000　（貸）その他有価証券　4,000

時価：2,000株× @83円＝166,000円
その他有価証券評価差額金：帳簿価額170,000円－時価166,000円
＝4,000円（借方）

2．金沢株式会社の発行済株式総数は30,000株であり、当社はそのうち12,000株を取得しています。当社の株式保有割合は40％（12,000株÷30,000株＝40％）になるので、金沢株式会社は関連会社に該当します。よって、「関連会社株式」として処理します。〔資料Ⅰ〕の有価証券のうち792,000円（12,000株× @66円）は関連会社株式であるため、これを関連会社株式勘定に振替えます。

(借) 関連会社株式	792,000	(貸) 有価証券	792,000

関連会社株式は取得原価で評価するので、決算では特に処理をしません。

3．旭川株式会社の発行済株式総数は10,000株であり、当社はそのうち6,000株を取得しています。当社の株式保有割合は60％（6,000株÷10,000株＝60％）になるので、旭川株式会社は子会社に該当します。よって「子会社株式」として処理します。〔資料Ⅰ〕の有価証券のうち618,000円（6,000株× @103円）は子会社株式であるため、これを子会社株式勘定に振替えます。

(借) 子会社株式	618,000	(貸) 有価証券	618,000

子会社株式は取得原価で評価するので、決算では特に処理をしません。

基本 テキスト 第５章

13 商品売買・サービス業

解答

	借方科目	金額	貸方科目	金額
1	買掛金	10,000	仕入	10,000
2	商品	80,000	買掛金	80,000
3	売掛金 売上原価	72,000 57,600	売上 商品	72,000 57,600
4	現金	300,000	前受金	300,000
5	前受金	200,000	役務収益	200,000
6	現金	2,400,000	前受金	2,400,000
7	前受金 役務原価	2,400,000 1,900,000	役務収益 当座預金	2,400,000 1,900,000
8	給料 旅費交通費	400,000 150,000	現金	550,000
9	仕掛品	225,000	給料 旅費交通費	180,000 45,000
10	当座預金 役務原価	340,000 225,000	役務収益 仕掛品	340,000 225,000

解　説

商品売買とサービス業に関する基本的な仕訳のパターンを確認しておきましょう。サービス業の仕訳では、役務原価を役務収益の計上のタイミングに合わせて計上することを意識しましょう。

1．仕入割戻は、たくさん取引をしたときに代金を安くしてもらうことです。この場合、仕入の金額が減少することに着目して処理します。また、割戻額について買掛金と相殺するので、買掛金を減少させます。

2．「販売の都度、売上原価を商品勘定から売上原価勘定へ振替える方法」というのは、売上原価対立法のことです。そのため、仕入原価80,000円を商品の増加として処理します。

3．売上原価対立法では、売上を計上するときに、売上原価を費用計上します。本問では、72,000円(売価@400円×180個)の売上を計上するとともに、売上原価57,600円(原価@320円×180個)を商品勘定から売上原価勘定へ振替えることで費用計上します。

4．講座の受講料を受取っていますが、まだ、講座が行われていないため、役務の提供がなされていません。つまり、収益を計上することはできません。そこで、前受金で処理します。

5．決算時点において講座の3分の2が完了しているので、役務の提供が3分の2完了していると考えます。そこで、受取った受講料のうち3分の2だけ前受金から役務収益へ振替えて収益計上します。

6．旅行業を営んでいる会社が旅行前に代金を受取っています。上記５と同じように考えて、役務の提供が完了する(旅行に行く)まで、収益の計上はできません。そこで、前受金で処理します。

7．ツアーが催行されて役務の提供が完了したので、前受金から役務収益に振替えます。また、ツアー催行にかかった費用は、役務収益獲得のために直接必要であった費用と考え、役務原価として費用計上します。

ここに注意！

役務原価が発生したときの仕訳は、ツアー催行のように役務収益の発生とほぼ同時である場合には、「仕掛品」を経由させる必要性は乏しく、直接、「役務原価」として費用計上します。しかし、役務収益が発生する時点と比較的タイムラグがある場合には、役務提供の完了時に「役務原価」として費用計上するために、いったん、「仕掛品」として資産計上しておきます。

8．給料と出張旅費を支払っているので、給料や旅費交通費で処理します。

9．給料や旅費交通費として費用計上した中に、顧客から依頼された設計の案件のために直接的にかかったものがある場合には、役務の提供に関して直接費やされた費用なので、役務収益の計上に合わせて役務原価として費用計上します。本問では、役務の提供が完了するのが翌期となるため、いったん、仕掛品として資産に計上します。

10．上記９の案件について、設計図が完成し、顧客に提出しています。これにより、役務の提供が完了したので、役務収益を計上します。また、上記９で、いったん仕掛品として資産計上した分を、役務原価に振替えて費用計上します。

役務提供が完了したタイミングで、役務原価も計上します。

先に費用が発生したら、とりあえず、仕掛品としておきます。

基本 テキスト 第5章

14 商品売買の記帳方法の比較

解答

問1(1)

決算整理前残高試算表

借方科目	金額	貸方科目	金額
繰越商品	(110,000)	売上	(1,200,000)
仕入	(1,000,000)		

(2)

決算整理後残高試算表

借方科目	金額	貸方科目	金額
繰越商品	(210,000)	売上	(1,200,000)
仕入	(900,000)		

問2(1)

決算整理前残高試算表

借方科目	金額	貸方科目	金額
商品	(210,000)	売上	(1,200,000)
売上原価	(900,000)		

(2)

決算整理後残高試算表

借方科目	金額	貸方科目	金額
商品	(210,000)	売上	(1,200,000)
売上原価	(900,000)		

解説

簿記の問題では、決算整理前残高試算表が資料として与えられ、損益計算書・貸借対照表や決算整理後残高試算表を作成する問題を早くかつ正確に解答することが求められます。このとき重要になるのが決算整理前残高試算表および決算整理後残高試算表の各勘定の金額の意味です。本問を通じて、各勘定が何を意味しているか、理解を深めてください。

問１．三分法は、売上時と仕入時の仕訳だけでは、正しい売上原価の金額や期末商品の金額を算定することはできません。そのため、決算整理で正しい売上原価の金額や期末商品の金額を算定します。また、決算整理前残高試算表の「繰越商品」は期首商品棚卸高を意味し、「仕入」は当期商品仕入高を意味するのに対し、決算整理後残高試算表の「繰越商品」は期末商品棚卸高を意味し、「仕入」は売上原価を意味します。

〈仕入時〉

(借)	仕　　入	1,000,000	(貸)	買　掛　金	1,000,000

〈売上時〉

(借)	売　掛　金	1,200,000	(貸)	売　　上	1,200,000

〈決算時〉

(借)	仕　　入	110,000	(貸)	繰 越 商 品	110,000
(借)	繰 越 商 品	210,000	(貸)	仕　　入	210,000

仕　入

当期に仕入れた商品の原価 1,000,000円	繰越商品（期末） 210,000円
繰越商品（期首） 110,000円	売上原価 900,000円

繰越商品

繰越商品（期首） 110,000円	繰越商品（期首） 110,000円
繰越商品（期末） 210,000円	期末商品 210,000円

復習しよう!

三分法の場合は、以下の勘定における決算整理前残高試算表と決算整理後残高試算表の金額の意味が異なります。

勘定科目	決算整理前残高試算表	決算整理後残高試算表
仕入	当期商品仕入高	売上原価
繰越商品	期首商品棚卸高	期末商品棚卸高

問２．売上原価対立法は、売上時と仕入時の仕訳によって、正しい売上原価の金額や期末の商品の金額が算定されます。そのため、決算整理仕訳を行う必要はありません。また、決算整理仕訳を行わないので、決算整理前残高試算表と決算整理後残高試算表の金額は各勘定で同じ金額になります。

〈仕入時〉

(借) 商品	1,000,000	(貸) 買掛金	1,000,000

〈売上時〉

(借) 売掛金	1,200,000	(貸) 売上	1,200,000
(借) 売上原価	900,000	(貸) 商品	900,000

〈決算時〉

仕訳なし

商品

期首商品 110,000円	売上原価 900,000円
当期に仕入れた商品の原価 1,000,000円	期末商品 210,000円

あるべき正しい期末商品

売上原価

売上原価 900,000円	売上原価 900,000円

あるべき正しい売上原価

基本 テキスト 第５章

15 商品の決算整理

解答

問１

損益計算書　(単位：円)

売上高		651,000
売上原価		
期首商品棚卸高	(81,250)	
当期商品仕入高	455,500	
合計	(536,750)	
期末商品棚卸高	(77,040)	
差引	(459,710)	
（商品評価損）	(1,860)	(461,570)
売上総利益		(189,430)
：		
販売費及び一般管理費		
（棚卸減耗損）		(5,580)
：		

問２

69,600	円

解説

商品評価損と棚卸減耗損を算定する問題です。本問は商品が２種類ある場合ですが、どのような形で問われても対応できるように、この問題で基本部分を練習してください。

1．A商品

期末帳簿棚卸数量430個に対し、実地棚卸数量400個であり、棚卸減耗が生じています。減耗した商品は430個－400個より30個であり、この商品の原価は＠81円です。減耗した商品の原価を棚卸減耗損として計上します。

〈決算時〉

(借) 仕　　　入	27,000	(貸) 繰越A商品	27,000
(借) 繰越A商品	34,830	(貸) 仕　　　入	34,830
(借) 棚卸減耗損	2,430	(貸) 繰越A商品	2,430

棚卸減耗損：＠81円×(430個－400個)＝2,430円

また、原価＠81円に対し、時価は＠83円であり、時価が上がっています。そのため、商品評価損は計上しません。

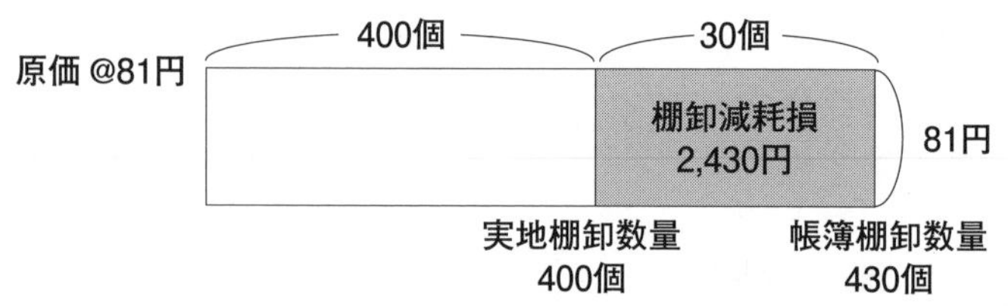

上記の分析図を見ると、棚卸減耗損の長方形は、縦の長さが81円、横の長さが30個であるため、面積は＠81円×30個より2,430円となります。これが棚卸減耗損です。

また、決算整理後の繰越商品勘定の残高32,400円は、期末商品実地棚卸高を示します。

期末商品実地棚卸高：＠81円×400個＝32,400円

2．B商品

期末帳簿棚卸数量670個に対し、実地棚卸数量620個であり、棚卸減耗が生じています。減耗した商品は670個－620個より50個であり、この商品の原価は＠63円です。減耗した商品の原価を棚卸減耗損として計上します。また、原価＠63円に対し、時価＠60円であり、時価が下がっています。商品１個あたりの時価の値下がり額は＠63円－＠60円より３円です。減耗しなかった商品620個につき、時価の値下がり額を商品評価損として計上します。その後、商品評価損勘定の残高を仕入勘定に振替えます。

解答解説
基本

〈決算時〉

借方	金額	貸方	金額
(借) 仕　　　入	54,250	(貸) 繰越B商品	54,250
(借) 繰越B商品	42,210	(貸) 仕　　　入	42,210
(借) 棚卸減耗損	3,150	(貸) 繰越B商品	3,150
(借) 商品評価損	1,860	(貸) 繰越B商品	1,860
(借) 仕　　　入	1,860	(貸) 商品評価損	1,860

棚卸減耗損：@63円×(670個－620個)＝3,150円
商品評価損：(@63円－@60円)×620個＝1,860円

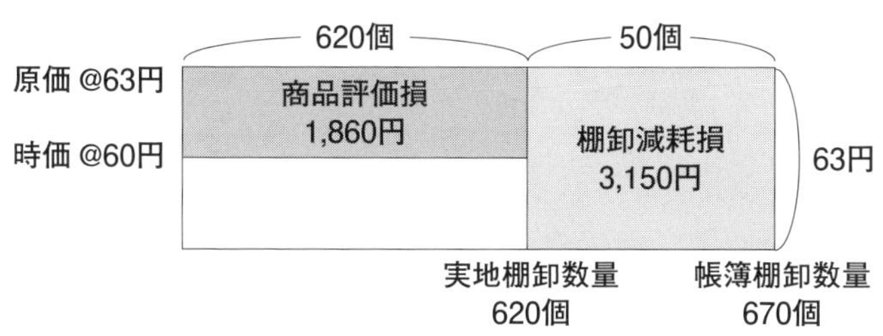

上記の分析図を見ると、棚卸減耗損の長方形は、縦の長さが63円、横の長さが50個であるため、面積は63円×50個より3,150円となります。これが棚卸減耗損です。また、商品評価損の長方形は、縦の長さが3円、横の長さが620個であるため、面積は3円×620個より1,860円となります。これが、商品評価損です。

また、決算整理後の繰越商品勘定の残高37,200円は、期末商品実地棚卸高を示します。

期末商品実地棚卸高：@60円×620個＝37,200円

3．損益計算書の各数値（問１）

期首商品棚卸高：A 商品27,000円＋ B 商品54,250円＝81,250円
期末商品棚卸高：A 商品34,830円＋ B 商品42,210円＝77,040円
商品評価損：B 商品1,860円
棚卸減耗損：A 商品2,430円＋ B 商品3,150円＝5,580円

4．貸借対照表の「商品」の金額（問２）

A 商品32,400円＋ B 商品37,200円＝69,600円

基本　テキスト 第５章

16 収益の認識基準

解答

	借方科目	金額	貸方科目	金額
1	仕訳なし			
2	売掛金	70,000	売上	70,000
3	契約資産	150,000	売上	150,000
4	売掛金	350,000	売上 契約資産	200,000 150,000
5	契約負債 売掛金	100,000 200,000	売上	300,000
6	現金	354,000	売上 契約負債	300,000 54,000
7	契約負債	6,000	売上	6,000
8	売掛金	240,000	売上 返金負債	228,000 12,000
9	売掛金 返金負債	300,000 27,000	売上 返金負債 未払金	285,000 15,000 27,000

解　説

商品売買では、売り手側が商品を引渡す約束を果たす(義務の履行)ことができたら、売上の仕訳をします。このとき、商品を引渡したと考える具体的な基準に、出荷基準・納品基準・検収基準があります。義務の履行という観点から考えるときは、ある一定時点で約束を果たしたと考えるのか、ある一定の期間にわたり、段々と約束を果たしたと考えるのかによって、収益の計上の仕方が異なります。

1．売上の計上を検収基準によるときは、商品を発送しただけでは、商品を引渡した(商品を引渡す義務を果たした)ことにはならないので、まだ、売上を認識しません。したがって、「仕訳なし」となります。なお、出荷基準を採用している場合には、発送のタイミングで売上を認識します。
2．検収完了の連絡が入ったので、商品を引渡した(商品を引渡す義務を果たした)ことになったので、売上を認識します。
3．１つの契約の中に２つの履行義務があり、そのうちの１つである商品Ａを引渡すという履行義務を果たしているので、この分について売上を認識しなければいけません。しかし、代金の請求は、商品Ｂを引渡した後でなければいけない契約です。このような場合、商品Ｂを引渡すまでの間、商品Ａの代金を受取る権利は、債権とは考えません。そこで、契約資産という資産の勘定科目で処理します。
4．商品Ｂの引渡しを行ったので、商品Ｂの分の売上を認識します。また、商品Ａの代金も含め、代金の請求ができるようになったので、商品Ａ及び商品Ｂの代金合計を債権である売掛金で処理します。つまり、商品Ａについてのお金を受取る権利は、契約資産という資産から売掛金に変わったと考えて仕訳をします。

⚠ここに注意!

契約資産と売掛金の使い分けに気をつけましょう。契約資産は、支払期日の到来以外の条件があるときに使う勘定科目です。

売 掛 金　→　対価の受取りに、支払期日の到来のみが条件である
契約資産　→　対価の受取りに、支払期日の到来とは別の条件もある

5．手付金受取時に、契約負債で処理しています。商品Ｃを引渡したことで、履行義務を果たしたので、売上を計上します。販売代金のうち手付金分は契約負債を充当し、残額を売掛金で処理します。

6．商品Ｄ部分は、商品を引渡しており、履行義務を果たしているので売上を計上します。一方、保守サービス部分は、まだ、サービスの提供をしていないため、履行義務を果たしているとは考えません。そこで、保守サービス部分は、契約負債で処理します。

7．保守サービス部分については、時の経過により履行義務が果たされていくと考えているので、月割計算により、保守サービス部分の一部を収益計上します。なお、売上を用いず、役務収益や営業収益で処理することもあります。

$$売上：54,000円\times\frac{4ヶ月}{36ヶ月}=6,000円$$

ここに注意！

保守サービスに関する義務の履行は、商品販売時点では行われていません。そのため、受取った代金は手付金と同様の性格があるので、契約負債で処理します。そして、時の経過に応じて、義務の履行が果たされた分だけ、収益計上します。

8．商品の販売時において売上割戻が見込まれる場合、予想される割戻額は、将来リベートとして支払う予定があると考え、返金負債で処理します。そして、予想される割戻額を差引いた金額を売上として収益計上します。

　返金負債：@50円×240個＝12,000円
　売上：（@1,000円－@50円）×240個＝228,000円

9．300個の商品販売の処理は、上記８と同様に行います。その上で、割戻が確定した分だけ、返金負債を減らします。また、本問では、リベートを後日支払うことになるので、未払金で処理します。

　返金負債：@50円×300個＝15,000円
　売上：（@1,000円－@50円）×300個＝285,000円
　未払金：12,000円＋15,000円＝27,000円

基 本  テキスト 第6章

17 減価償却の記帳方法の比較

解 答

(1) 間接法

日付	借方科目	金　額	貸方科目	金　額
7/ 1	備品	60,000	現金	60,000
12/31	現金 減価償却累計額 減価償却費	12,000 6,000 2,250	備品 固定資産売却益	20,000 250
2/ 1	備品	45,000	現金	45,000
3/31	減価償却費	4,725	減価償却累計額	4,725
3/31	損益 固定資産売却益	6,975 250	減価償却費 損益	6,975 250

備　品

日付	摘要	金額	日付	摘要	金額
4/ 1	前期繰越	20,000	12/31	諸口	20,000
7/ 1	現金	60,000	3/31	次期繰越	105,000
2/ 1	現金	45,000			
		125,000			125,000
4/ 1	前期繰越	105,000			

減価償却費

日付	摘要	金額	日付	摘要	金額
12/31	諸口	2,250	3/31	損益	6,975
3/31	減価償却累計額	4,725			
		6,975			6,975

減価償却累計額

日付	摘要	金額	日付	摘要	金額
12/31	諸口	6,000	4/ 1	前期繰越	6,000
3/31	次期繰越	4,725	3/31	減価償却費	4,725
		10,725			10,725
			4/ 1	前期繰越	4,725

固定資産売却益

日付	摘要	金額	日付	摘要	金額
3/31	損益	250	12/31	諸口	250

(2)　直接法

日付	借方科目	金　額	貸方科目	金　額
7/ 1	備品	60,000	現金	60,000
12/31	現金 減価償却費	12,000 2,250	備品 固定資産売却益	14,000 250
2/ 1	備品	45,000	現金	45,000
3/31	減価償却費	4,725	備品	4,725
3/31	損益 固定資産売却益	6,975 250	減価償却費 損益	6,975 250

備　品

4/ 1	前期繰越	14,000	12/31	諸口	14,000
7/ 1	現金	60,000	3/31	減価償却費	4,725
2/ 1	現金	45,000	〃	次期繰越	100,275
		119,000			119,000
4/ 1	前期繰越	100,275			

減価償却費

12/31	諸口	2,250	3/31	損益	6,975
3/31	備品	4,725			
		6,975			6,975

固定資産売却益

3/31	損益	250	12/31	諸口	250

解説

ここがポイント!

間接法の場合、価値の減少額を減価償却費勘定と減価償却累計額勘定に記入します。一方直接法の場合は、価値の減少額を減価償却費勘定と備品勘定に記入します。決算整理後の減価償却費勘定、固定資産売却益勘定の残高は損益勘定に振替えます。また、決算整理後の備品勘定、減価償却累計額勘定の残高は、次期に繰越します。

〈備品Ａ〉

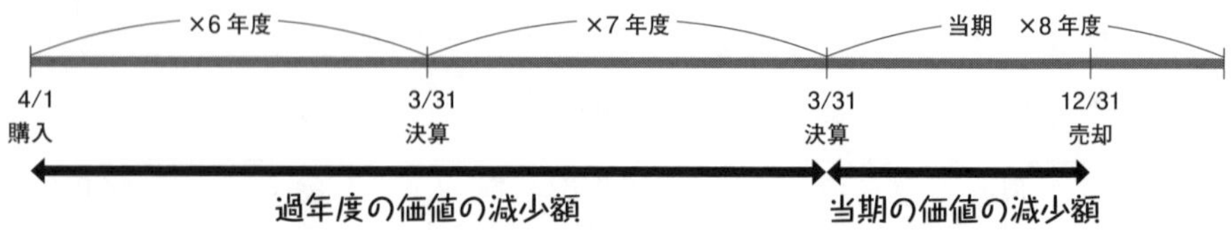

過年度の価値の減少額：(￥20,000－￥20,000×0.1)÷６年×２年＝￥6,000
当期首の帳簿価額：￥20,000－￥6,000＝￥14,000

当期の価値の減少額：(￥20,000－￥20,000×0.1)÷６年×$\frac{9ヶ月}{12ヶ月}$＝￥2,250

売却時の帳簿価額：￥20,000－￥6,000－￥2,250＝￥11,750
固定資産売却益：￥12,000－￥11,750＝￥250

〈備品Ｂ〉

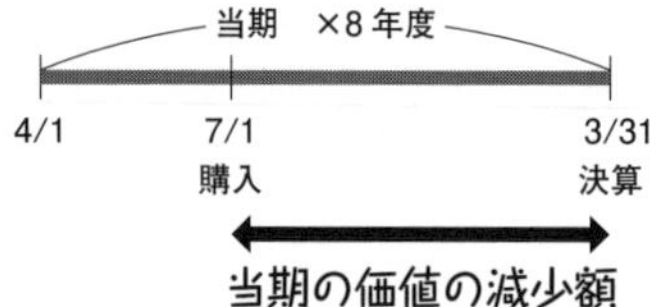

当期の価値の減少額：(￥60,000－￥60,000×0.1)÷10年×$\frac{9ヶ月}{12ヶ月}$＝￥4,050

〈備品Ｃ〉

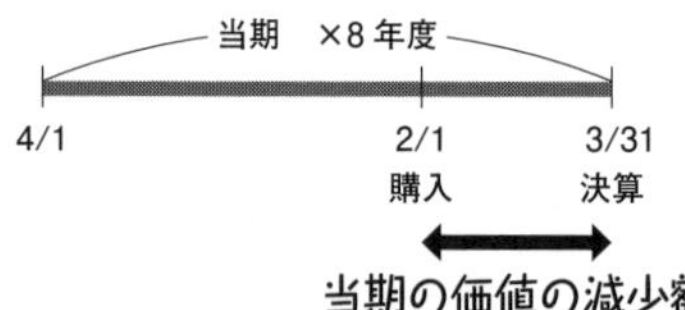

当期の価値の減少額：(￥45,000－￥45,000×0.1)÷10年×$\frac{2ヶ月}{12ヶ月}$＝￥675

基本　テキスト　第６章

解解
説答
基本

18 有形固定資産１

解答

決算整理後残高試算表
×７年３月31日

借　　方	勘定科目	貸　　方
	：	
16,000,000	建　　　物	
800,000	備　　　品	
1,500,000	車　　　両	
	：	
	建物減価償却累計額	4,092,500
	備品減価償却累計額	496,250
	車両減価償却累計額	56,250
	：	
683,600	減　価　償　却　費	
73,600	車　　両(売 却 損)	
	：	
×××		×××

解説

有形固定資産に関する問題です。資料Ⅱに基づいて期中取引の仕訳を行い、資料Ⅲに基づいて決算整理仕訳を行います。その結果を資料Ⅰの期首貸借対照表上の金額に加減算します。

1．建物が完成し、引渡しを受けたときは建設仮勘定から建物に振替えます。

（借）建　　　　物	11,000,000	（貸）建設仮勘定	2,500,000
		当　座　預　金	8,500,000

2．車両を買換えています。旧車両の売却と新車両の購入の処理を行います。

(1)　旧車両の売却

下取価額と買換え時の帳簿価額との差額を車両売却損益とします。

（借）未　収　金	500,000	（貸）車　　　両	1,200,000
車両減価償却累計額	442,800		
減価償却費	183,600		
車両売却損	73,600		

当期の減価償却費：$¥1,200,000 \times 0.9 \times \frac{17,000\text{km}}{100,000\text{km}} = ¥183,600$

帳簿価額：¥1,200,000－¥442,800－¥183,600＝¥573,600

車両売却損益：下取価額¥500,000－帳簿価額¥573,600

＝△¥73,600（売却損）

(2)　新車両の購入

（借）車　　　両	1,500,000	（貸）未　収　金	500,000
		未　払　金	1,000,000

未収金を相殺し、買換えの仕訳とします。

（借）車　　　両	1,500,000	（貸）車　　　両	1,200,000
車両減価償却累計額	442,800	未　払　金	1,000,000
減価償却費	183,600		
車両売却損	73,600		

〈決算整理仕訳〉

従来から所有している建物、当期中に完成した建物、備品、当期中に購入した車両の減価償却を行います。

(借)	金額	(貸)	金額
減価償却費	500,000	建物減価償却累計額	342,500
		備品減価償却累計額	101,250
		車両減価償却累計額	56,250

従来から所有している建物：¥5,000,000×0.9÷30年＝¥150,000

当期中に完成した建物：¥11,000,000×0.9÷30年×$\frac{7ヶ月}{12ヶ月}$＝¥192,500

備品：(¥800,000－¥395,000)×25％＝¥101,250

車両：¥1,500,000×0.9×$\frac{5,000km}{120,000km}$＝¥56,250

基本  テキスト 第6章

19 200%定率法

解答

① 償却率	0.4
② 償却保証額	86,400 円
③ 改定取得価額	172,800 円
④ 減価償却費(×2年度)	192,000 円
⑤ 減価償却費(×4年度)	86,400 円

解説

200%定率法の全体像を把握するための問題です。200%定率法は、資産取得当初においては定率法の減価償却費を計上する方法ですが、ある年度からは定額の減価償却費を計上するようになります。この問題を通して全体像をおさえましょう。

1．200%定率法の償却率は「**1÷耐用年数×200%**」で算定します。本問では、「1÷耐用年数5年×200%＝0.4」となります。

2．償却保証額は「**取得価額×保証率**」で算定します。本問では、「取得価額800,000円×保証率0.10800＝86,400円」となります。

3．問題の〔備考〕より、改定取得価額は調整前償却額が償却保証額よりも少額となる最初の年度における期首帳簿価額ということが分かります。そこで、本問では×4年度に調整前償却額69,120円＜償却保証額86,400円となるので(下記4参照)、×4年度の期首帳簿価額172,800円が改定取得価額となります。

4．各年度の機械の帳簿価額および減価償却費の算定表

各年度の減価償却費は次の表のようになります。

(単位：円)	×1年度	×2年度	×3年度	×4年度	×5年度
期首帳簿価額	800,000	480,000	288,000	172,800	86,400
調整前償却額	320,000	192,000	115,200	69,120	−
償却保証額	86,400	86,400	86,400	86,400	−
改定取得価額 ×改定償却率	−	−	−	86,400	86,400
減価償却費	320,000	192,000	115,200	86,400	86,399
期末帳簿価額	480,000	288,000	172,800	86,400	1

×3年度までは定率法の償却率0.4（上記1）を用いて算定した調整前償却額がそのままその期の減価償却費となります。×4年度に調整前償却額が償却保証額よりも少額となるので、×4年度以降は定額の減価償却費となります。具体的には、「**改定取得価額×改定償却率**」で減価償却費を求めます。

ただし、最終年度は機械の帳簿価額1円を残した残額を減価償却費とします。なお、この残しておく1円のことを備忘価額といいます。

実際は、耐用年数が到来しても資産を使っていく場合があるから、忘れないように1円を残しておきます。

基本  テキスト 第7章

20 有形固定資産2（仕訳問題）

解答

	借方科目	金額	貸方科目	金額
1	減価償却累計額 貯蔵品 固定資産除却損	313,600 30,000 56,400	備品	400,000
2	固定資産廃棄損	70,000	備品	70,000
3	減価償却累計額 火災未決算	1,000,000 2,200,000	建物 仕入	3,000,000 200,000
4	未収入金	2,500,000	火災未決算 保険差益	2,200,000 300,000
5	車両 前払費用	2,600,000 150,000	営業外支払手形	2,750,000
6	営業外支払手形 支払利息	550,000 30,000	当座預金 前払費用	550,000 30,000
7	当座預金	800,000	国庫補助金受贈益	800,000
8	固定資産圧縮損	800,000	機械	800,000
9	減価償却費	187,500	機械	187,500

解　説

固定資産の割賦購入では、固定資産本体部分と利息部分の金額を分解することがポイントです。また、手形振出時に、利息部分を前払費用で処理するのか、支払利息で処理するのかで、その後の処理が異なります。固定資産の圧縮記帳では、圧縮記帳を行った場合と行わなかった場合で、減価償却費の金額が異なることを理解しておきましょう。

1．固定資産を除却した場合において処分価値があるときは、除却時の帳簿価額と処分価値との差額を固定資産除却損とします。

除却時の帳簿価額：400,000円－313,600円＝86,400円

固定資産除却損：86,400円－30,000円＝56,400円

2．固定資産を廃棄したときは、廃棄時の帳簿価額を固定資産廃棄損とします。

固定資産除却損：700,000円－630,000円＝70,000円

3．火災により焼失した資産の焼失時点における帳簿価額を、保険金額が確定するまで、火災未決算で処理します。なお、焼失した商品については、仕入ではなく、繰越商品で処理することもあります。

4．保険金額が確定したときは、確定した保険金額と火災未決算との差額を保険差益または火災損失で処理します。

保険差益：2,500,000円－2,200,000円＝300,000円

ここに注意!

除却・廃棄や火災があったときの処理では、除却などがあった時点における帳簿価額を考える必要があります。つまり、期首ではなく、期中に除却などがあったときは、期首から除却などがあったときまでの減価償却費を、売却のときと同様に考慮する必要があります。

5．固定資産の割賦購入を手形で行っています。現金購入価額2,600,000円に対して、550,000円の約束手形を５枚、合計2,750,000円分を振出しています。この差額は利息と考えます。利息部分については、様々な処理方法が想定できますが、問題文の指示により、前払費用（前払利息に相当）で処理します。

利息部分合計（５ヶ月分）：2,750,000円－2,600,000円＝150,000円

6．購入時から1ヶ月が経過し、最初の支払期日が到来し、支払いを行っています。
また、1ヶ月分の利息相当額について、前払費用から支払利息へ振替えます。
1ヶ月分の利息：150,000÷5ヶ月＝30,000円

解答の仕訳のほか、手形振出時に利息分をすべて「支払利息」で仕訳し、決算時に未経過分を「前払費用」に振替える方法もあります。

〈手形振出時〉

(借)	固定資産	×××	(貸) 営業外支払手形	×××
	支払利息	×××		

〈決算時〉

(借)	前払費用	×××	(貸) 支払利息	×××

未経過分

7．国庫補助金を受取ったときは、国庫補助金受贈益で処理します。
8．国庫補助金を利用して機械を取得したときに、機械を取得価額で計上してあります。直接減額方式で圧縮記帳を行うときは、固定資産圧縮損を計上するとともに、機械の帳簿価額を直接減額させるために、貸方に機械と仕訳します。
9．圧縮記帳を行った固定資産について減価償却をするときは、本来の取得価額ではなく、本来の取得価額から固定資産圧縮損を控除した圧縮後の金額に基づいて減価償却費を計算します。

圧縮後の金額：1,800,000円−800,000円＝1,000,000円
200％定率法の償却率：1÷8年×200％＝0.25

$$減価償却費：1,000,000円\times0.25\times\frac{9ヶ月}{12ヶ月}=187,500円$$

基本　テキスト　第８章

21 無形固定資産（仕訳問題）

解答

	借方科目	金額	貸方科目	金額
1	特許権	700,000	普通預金	700,000
2	特許権償却	87,500	特許権	87,500
3	ソフトウェア償却	50,000	ソフトウェア	50,000
4	ソフトウェア仮勘定	3,000,000	当座預金	3,000,000
5	ソフトウェア	5,400,000	ソフトウェア仮勘定	3,000,000
			当座預金	2,400,000
6	ソフトウェア償却	360,000	ソフトウェア	360,000
7	諸資産	9,700,000	諸負債	4,200,000
	のれん	500,000	資本金	5,000,000
			資本準備金	1,000,000
8	のれん償却	25,000	のれん	25,000
9	現金	400,000	買掛金	1,800,000
	売掛金	3,000,000	資本金	5,000,000
	土地	5,000,000	資本準備金	2,000,000
	のれん	900,000	その他資本剰余金	500,000

解　説

無形固定資産の償却は、直接法で記帳します。残存価額はゼロで、定額法で計算します。償却期間は、法律上の権利である特許権などは有効期間、ソフトウェアは利用可能期間(原則、5年以内)、のれんは20年以内の期間です。なお、のれんは、定額法以外の償却方法も可能ですが、学習上は、定額法で押さえておけば十分です。

1．特許権を取得するための支出額を取得原価として計上します。

2．特許権を定額法により償却します。償却にあたって、残存価額はゼロ、記帳方法は直接法により行います。

償却額：(700,000円－0円)÷8年＝87,500円

無形固定資産の償却は直接法で行うので、○○○という無形固定資産であれば、償却の仕訳は次のようになります。

(借) ○○○償却　×××　(貸) ○　○　○　×××

3．ソフトウェアをその利用可能期間にもとづいて定額法により償却します。償却にあたって、残存価額はゼロ、記帳方法は直接法により行います。

償却額：(600,000円－0円)÷5年×$\frac{5ヶ月}{12ヶ月}$＝50,000円

4．システムの完成前に支払った代金は、ソフトウェア仮勘定で処理します。

5．システムが完成したので、取得原価(本問では契約総額)でソフトウェアを計上します。システム完成前に支払った代金は、ソフトウェア仮勘定からソフトウェアへ振替えます。

6．ソフトウェアを使用開始月から決算日までの月数に応じて、償却します。

償却額：(5,400,000円－0円)÷5年×$\frac{4ヶ月}{12ヶ月}$＝360,000円

ここに注意！

システム導入にあたり、利用開始後に必要となる保守費用を支払うときは、その支払いのタイミングに関係なく、ソフトウェアの取得原価には含めません。保守費という費用で処理します。なお、保守費用の支払時に前払費用で処理しておき、経過した期間分を保守費に振替えることもあります。

7．吸収合併を行っています。問題文の指示に従って、諸資産を9,700,000円で、諸負債を4,200,000円で引継ぎます。交付した株式の時価が、引継いだ純資産相当額より上回っているときは、目に見えない経済的価値（ブランド力など）を意味するのれんで処理します。

引継いだ純資産：9,700,000円－4,200,000円＝5,500,000円
交付した株式の時価：@7,500円×800株＝6,000,000円
のれん：6,000,000円－5,500,000円＝500,000円

8．のれんを、定額法により償却します。償却期間は、20年です。

償却額：（500,000円－０円）÷20年＝25,000円

9．合併時には、引継ぐ資産・負債を時価で受入れます。次に交付した株式の時価を増加する株主資本とし、これと受入れた純資産（引継いだ資産と負債の差額）との差額をのれんとします。

引継いだ純資産：（400,000円＋3,000,000円＋5,000,000円）－1,800,000円
＝6,600,000円
増加する株主資本：@15,000円×500株＝7,500,000円
のれん：7,500,000円－6,600,000円＝900,000円

復習しよう！

合併の問題において、交付した株式の時価が引継いだ純資産よりも上回るときはのれんを計上しますが、もし、交付した株式の時価が引継いだ純資産よりも下回るときは、負ののれん発生益（特別利益）を計上します。

基本  テキスト 第8章

22 固定資産のまとめ

解答

決算整理後残高試算表　　(単位：円)

借方	勘定科目	貸方
	：	
5,906,000	建物	
1,800,000	機械	
1,450,000	備品	
715,000	のれん	
	：	
	建物減価償却累計額	1,373,430
	機械減価償却累計額	1,134,000
	備品減価償却累計額	928,000
	：	
713,430	減価償却費	
55,000	のれん償却	
174,000	修繕費	
330,000	車両(**廃棄損**)	
62,500	(**火災損失**)	
	：	
×××		×××

解説

本問のように複数の固定資産が問われても、一つ一つの固定資産を、または一つの固定資産をいくつかの要素に分解して考え、それを積上げていくことで解答を導き出すことができます。そのため、面倒ではありますが、内容はそれほど難しくありません。また、集計漏れには注意しましょう。

１．機械

機械の一部が火災で焼失していますが、これについて未処理なので処理を行います。火災が発生したのは当期の１月31日なので、火災時に当期首から火災発生時までの減価償却費を計上し、火災時における機械の帳簿価額を火災未決算勘定とします。

減価償却費：900,000円×0.9÷10年×$\frac{10ヶ月}{12ヶ月}$＝67,500円

火災未決算：900,000円－（減価償却累計額270,000円＋減価償却費67,500円）＝562,500円

〈火災時（未処理分）〉

（借）	機械減価償却累計額	270,000	（貸）	機　　械	900,000
	減価償却費	67,500			
	火災未決算	562,500			

その後、当期の２月25日に保険金を受取っていますが、火災未決算562,500円に対して、保険金の額は500,000円です。受取った保険金の額の方が少ないので、差額を火災損失とします。

火災損失：保険金の額500,000円－火災未決算562,500円＝△62,500円

〈保険金受取時（未処理分）〉

（借）	現　　金	500,000	（貸）	火災未決算	562,500
	火災損失	62,500			

また、決算において焼失した機械以外の機械の減価償却費を計上します。

減価償却費：（2,700,000円－900,000円）×0.9÷10年＝162,000円

〈決算時〉

（借）	減価償却費	162,000	（貸）	機械減価償却累計額	162,000

2．車両

期首にすべての車両を廃棄していますが、これについて未処理なので処理を行います。廃棄時の車両の帳簿価額が車両廃棄損となります。なお、期首に廃棄しているので、当期分の減価償却計算は行いません。

車両廃棄損：車両1,100,000円－減価償却累計額770,000円＝330,000円

〈廃棄時(未処理分)〉

(借)	車両減価償却累計額	770,000	(貸) 車　　　　両	1,100,000
	車 両 廃 棄 損	330,000		

3．建物

期首に行った修繕に関する費用580,000円が全額修繕費として処理されています。しかし、580,000円の７割である406,000円は資本的支出なので、修繕費を取崩して建物に加算する処理をします。

〈修正仕訳〉

(借)	建　　　　物	406,000	(貸) 修　繕　費	406,000

決算時には、もともとの建物と資本的支出部分の減価償却計算を行います。

減価償却費(もともとの建物)：5,500,000円×0.9÷40年＝123,750円

減価償却費(資本的支出部分)：406,000円×0.9÷30年＝12,180円

減価償却費(合計)：123,750円＋12,180円＝135,930円

〈決算時〉

(借)	減 価 償 却 費	135,930	(貸) 建物減価償却累計額	135,930

4．備品

備品は200％定率法(耐用年数５年)で決算時に減価償却計算を行います。

償却率：１÷５年×200％＝0.4

減価償却費：(1,450,000円－580,000円)×償却率0.4＝348,000円

〈決算時〉

(借)	減 価 償 却 費	348,000	(貸) 備品減価償却累計額	348,000

５．のれん

のれんの記帳方法は直接法のみが認められているので、決算整理前残高試算ののれん770,000円は帳簿価額になります。

また、残存価額は「？」となっていますが、のれんを含めた無形固定資産は換金価値がなく残存価額はゼロなので、残存価額ゼロで償却を行います。さらに、問題文より、「最長償却期間により償却する」となっているので、最長償却期間の20年で償却をします。

のれんは×２年４月１日に取得しており、６年経過しているので、残存償却期間は20年－６年で14年です。そこで、770,000円を残りの14年で償却します。

のれん償却：770,000円÷14年＝55,000円

〈決算時〉

(借) のれん償却	55,000	(貸) の　れ　ん	55,000

もともと1,100,000円(770,000円÷14年×20年)でのれんを取得したんだね。

６．減価償却費

機械(焼失分) 67,500円＋機械(期末保有分) 162,000円＋建物(資本的支出部分含む) 135,930円＋備品348,000円＝713,430円

基本  テキスト 第9章

23 リース会計

解答

(単位：千円)

	(問１) 利子込法	(問２) 利子抜法
① リース資産	140,000	126,000
② 減価償却費	20,000	18,000
③ リース債務	140,000	126,000
④ 支払利息	−	2,000
⑤ 支払リース料	3,000	3,000

解説

ファイナンス・リース取引とオペレーティング・リース取引の会計処理を、利子込法と利子抜法の両方について問いました。利子込法・利子抜法はファイナンス・リース取引についての方法です。オペレーティング・リース取引は、どちらの方法でも同じ結果になります。なお、本問のようにリース料支払日と決算日が異なる場合は、オペレーティング・リース取引において支払リース料の見越計上をすることに注意が必要です。

(問１)利子込法

１．機械

⑴　リース取引開始日

利子込法においてはリース取引開始日に、リース料総額をリース資産およびリース債務の計上価額とします。

(借) リース資産	160,000	(貸) リース債務	160,000

リース資産およびリース債務：リース料(年額) 20,000千円×８年
＝160,000千円

⑵　リース料支払日

利子込法においてはリース料の支払日に支払リース料の全額をリース債務の返済と考えます。

(借) リース債務	20,000	(貸) 現金預金	20,000

⑶　決算日(減価償却費)

残存価額はゼロ、耐用年数はリース期間としてリース資産の減価償却計算を行います。

(借) 減価償却費	20,000	(貸) リース資産	20,000

減価償却費：リース資産160,000千円÷耐用年数８年＝20,000千円

２．備品

⑴　決算日(支払リース料の見越計上)

リース料支払日と決算日が異なるので、支払リース料の見越計上します。

(借) 支払リース料	3,000	(貸) 未払リース料	3,000

支払リース料：リース料9,000千円×$\frac{4ヶ月}{12ヶ月}$＝3,000千円

(問２)利子抜法

１．機械

(1) リース取引開始日

利子抜法においてはリース取引開始日に、見積現金購入価額をリース資産およびリース債務の計上価額とします。

(借)	リース資産	144,000	(貸) リース債務	144,000

(2) リース料支払日

利子抜法においては、リース料に含まれるリース債務の返済部分と支払利息を分けて考えるので、１年あたりのリース料からリース債務の返済部分を差引いた額が支払利息になります。

(借)	リース債務	18,000	(貸) 現金預金	20,000
	支払利息	2,000		

リース債務：144,000千円÷８年＝18,000千円

支払利息：リース料20,000千円－リース債務18,000千円＝2,000千円

(3) 減価償却費

残存価額はゼロ、耐用年数はリース期間としてリース資産の減価償却計算を行います。

(借)	減価償却費	18,000	(貸) リース資産	18,000

減価償却費：144,000千円÷８年＝18,000千円

２．備品

(1) 決算日(支払リース料の見越計上)

リース料支払日と決算日が異なるので、支払リース料の見越計上します。

(借)	支払リース料	3,000	(貸) 未払リース料	3,000

支払リース料：リース料9,000千円×$\frac{4ヶ月}{12ヶ月}$＝3,000千円

基本  テキスト 第10章

24 税金 1（仕訳問題）

	借方科目	金額	貸方科目	金額
1	租税公課	320,000	現金 未払金	80,000 240,000
2	仕入 仮払消費税	130,000 13,000	現金	143,000
3	現金	132,000	売上 仮受消費税	120,000 12,000
4	仮受消費税	220,000	仮払消費税 未払消費税	160,000 60,000
5	普通預金 仮払法人税等	5,012,750 2,250	定期預金 受取利息	5,000,000 15,000
6	普通預金 仮払法人税等	200,000 50,000	受取配当金	250,000
7	法人税等	1,200,000	仮払法人税等 未払法人税等	700,000 500,000
8	追徴法人税等	200,000	未払法人税等	200,000

解　説

固定資産税について租税公課を計上する時期が、納税通知書を受取ったときなのか、納税したときなのかを問題文から判断しなければいけません。法人税等では、仮払法人税等で処理するものが中間納付額と利子や配当金から控除される源泉所得税の2種類があることを押さえましょう。

1．固定資産税は1年分の税額を4回に分けて納付しますが、納税通知書を受取った段階で、4回分全額を費用に計上します。本問では、第1期分は納付済みなので、第2期から第4期までの¥240,000を未払金で処理します。

納税通知書を受取ったときではなく、納税したときに租税公課で処理するときもあります。

2．税抜方式による場合、仕入高と消費税額を区別して、消費税額は仮払消費税で処理します。

仕入高：$143{,}000\text{円}\times\frac{100}{110}=130{,}000\text{円}$

消費税額：$130{,}000\text{円}\times10\%=13{,}000\text{円}$　または

$143{,}000\text{円}\times\frac{10}{110}=13{,}000\text{円}$

3．税抜方式による場合、売上高と消費税額を区別して、消費税額は仮受消費税で処理します。

売上高：$132{,}000\text{円}\times\frac{100}{110}=120{,}000\text{円}$

消費税額：$120{,}000\text{円}\times10\%=12{,}000\text{円}$　または

$132{,}000\text{円}\times\frac{10}{110}=12{,}000\text{円}$

4．税抜方式による場合、決算において、期中に計上された仮受消費税と仮払消費税を相殺して納税額を算出し、未払消費税で処理します。

未払消費税：220,000円－160,000円＝60,000円

5．普通預金口座に入金される金額は、定期預金の元本部分と受取利息の手取額部分の合計額です。また、受取利息から控除されている源泉所得税は、法人税の前払いと考え、中間申告分と同様に、仮払法人税等で処理します。

受取利息：5,000,000円×0.3％＝15,000円

源泉所得税：15,000円×15％＝2,250円

受取利息の手取額：15,000円－2,250円＝12,750円

6．受取配当金の入金額は、源泉所得税（20％）が控除された手取額です。源泉所得税は、法人税の前払いと考え、中間申告分と同様に、仮払法人税等で処理します。受取配当金の手取額200,000円が受取配当金のうち80％分であることから、受取配当金の金額を計算します。

受取配当金：200,000円÷80％＝250,000円

源泉所得税：250,000円×20％＝50,000円

7．法人税等1,200,000円と仮払法人税等で処理してある中間納付額700,000円との差額を未払法人税等で処理します。

未払法人税等：1,200,000円－700,000円＝500,000円

ここに注意！

法人税等が仮払法人税等より少ないときは、法人税等の前払いが多すぎるので、未収還付法人税等で処理して、納め過ぎた税金を還付してもらいます。

8．税務調査などが原因となり、法人税等の追徴が発生した場合は、追徴法人税等で処理します。

基本  テキスト 第10章

25 税金２（決算問題）

解答

問１

決算整理後残高試算表（一部）

(租税公課)	(250,000)	未払金	(62,500)
法人税等	(320,000)	**(未払法人税等)**	(170,000)

問２

損益計算書　（単位：円）

：	
販売費及び一般管理費	
(租税公課)	(250,000)
：	
税引前当期純利益	(1,280,000)
法人税等	(320,000)
当期純利益	(960,000)

解説

法人税等の会計処理は、発生と納付のタイミングが重要です。まずは、基礎知識として納税のタイミング等を確認してください。それを知らずに機械的に覚えてもすぐに忘れてしまいます。

1．税引前当期純利益1,280,000円の25％である320,000円を法人税等に計上します。しかし、決算整理前残高試算表の仮払法人税等は150,000円であり、中間納付が150,000円行われていたことが分かります。そのため、未払法人税等の額は320,000円－150,000円＝170,000円となります。

〈中間納付時〉

(借) 仮払法人税等	150,000	(貸) 当座預金など	150,000

〈決算時〉

(借) 法人税等	320,000	(貸) 仮払法人税等	150,000
		未払法人税等	170,000

2．固定資産税が発生しているので「租税公課」で表します。ただし、当期分250,000円のうち納付しているのは187,500円(第１期分～第３期分)なので、残った62,500円(当期分250,000円－納付分187,500円)を「未払金」で表します。

〈納税通知書受取時〉

(借) 租税公課	250,000	(貸) 未払金	250,000

〈支払時(まとめて支払ったと仮定)〉

(借) 未払金	187,500	(貸) 当座預金	187,500

実際は４回に分けて
支払うよ!!

基本  テキスト 第11章

26 引当金1（仕訳問題）

解答

	借方科目	金額	貸方科目	金額
1	建物 修繕引当金 修繕費	2,400,000 1,100,000 500,000	当座預金	4,000,000
2	退職給付引当金	5,000,000	普通預金	5,000,000
3	退職給付費用	1,500,000	退職給付引当金	1,500,000
4	賞与引当金繰入	750,000	賞与引当金	750,000
5	賞与引当金 賞与	750,000 850,000	預り金 当座預金	240,000 1,360,000
6	商品保証引当金繰入	20,000	商品保証引当金	20,000
7	商品保証引当金 商品保証費	6,000 2,000	普通預金	8,000
8	商品保証引当金繰入	10,000	商品保証引当金	10,000

解　説

引当金は決算で設定されるものです。前期の決算整理に関係がない取引についてはそもそも引当金が設定されていないため、引当金を取崩すことはできません。対象となる取引や金額が前期以前に係るものなのか、当期にかかるものなのかを区別して考えることが重要です。

1．建物の修繕のための支出は、資本的支出と収益的支出に区別して処理します。資本的支出は、将来の収益獲得に貢献すると考えられるので、建物の増加として処理します。収益的支出は、修繕費の発生と考え、当期の費用として処理します。ただし、収益的支出部分について修繕引当金が設定されているときは、修繕引当金を取崩し、不足分を修繕費で処理します。

修繕により、固定資産の価値が高まるような場合には、資本的支出として、固定資産を新たに取得したときと同様の処理をします。

2．退職金を支払っています。退職給付引当金は、退職金の支払いに備えて設定しているものなので、退職給付引当金を取崩します。

3．退職給付債務の当期増加額を求め、退職給付費用として費用計上します。

　退職給付費用：8,000,000円－6,500,000円＝1,500,000円

4．次期の７月に支払う予定の従業員に対する賞与に備えて引当金を設定します。支給見込額のうち当期負担分を月割計算により求め、当期の費用とします。

$$\text{賞与引当金：}1{,}500{,}000\text{円}\times\frac{3\text{ヶ月}}{6\text{ヶ月}}=750{,}000\text{円}$$

5．従業員に対する賞与を支払っています。前期末に賞与引当金を設定しているので、賞与引当金を取崩します。不足分は、当期の費用として、賞与で処理します。賞与支払額に対して差引く源泉所得税等を預り金で処理し、手取額を当座預金の減少とします。

6．翌期中に補修依頼がくる見込みがあるため、商品保証引当金を設定しています。当期の売上高に対して0.4％を商品保証引当金として設定します。

商品保証引当金：5,000,000円×0.4％＝20,000円

7．商品の補修依頼があり、補修費用を支払っています。前期の売上分については商品保証引当金を取崩します。これに対して、当期の売上分は、商品保証費で処理します。

8．無料の品質保証付き商品について、将来に予想される修理費用の当期負担分として、商品保証引当金を設定します。

商品保証引当金：￥2,000,000×0.5％＝10,000円

ここに注意！

保証内容によって、引当金の設定対象になるかどうかが異なります。無料の品質保証については、商品保証引当金の設定対象となります。一方、２年間延長できる有料のサポートサービス（長期保証サービス）は、履行義務に該当するため、履行義務の充足に応じて収益を計上します。

基本  テキスト 第11章

27 引当金２(決算問題)

解答

決算整理後残高試算表
×９年３月31日

借　方	勘定科目	貸　方
	：	
	修繕引当金	500,000
	賞与引当金	3,200,000
	退職給付引当金	18,000,000
	：	
	修繕引当金戻入	50,000
500,000	修繕引当金(**繰入**)	
3,200,000	賞与引当金(**繰入**)	
6,000,000	退職給付(**費用**)	
	：	
×××		×××

解説

1．決算整理前の修繕引当金はすべて戻入れます。その後、修繕引当金繰入(費用)を計上し、貸方は修繕引当金とします。

(借) 修繕引当金	50,000	(貸) 修繕引当金戻入	50,000
(借) 修繕引当金繰入	500,000	(貸) 修繕引当金	500,000

2．賞与引当金繰入(費用)を計上し、貸方は賞与引当金とします。

(借) 賞与引当金繰入	3,200,000	(貸) 賞与引当金	3,200,000

3．退職給付費用(費用)を計上し、貸方は退職給付引当金とします。

(借) 退職給付費用	6,000,000	(貸) 退職給付引当金	6,000,000

基本

テキスト　第12章

28 外貨換算会計

解答

問1

	借方科目	金額	貸方科目	金額
1	仕入	336,000	買掛金	336,000
2	買掛金	336,000	当座預金 為替差益	324,000 12,000

問2

	借方科目	金額	貸方科目	金額
1	売掛金	160,500	売上	160,500
2	売掛金	4,500	為替差益	4,500
3	当座預金	168,000	売掛金 為替差益	165,000 3,000

問3

	借方科目	金額	貸方科目	金額
1	仕入	420,000	買掛金	420,000
2	為替差損	24,000	買掛金	24,000
3	仕訳なし			
4	買掛金	444,000	当座預金	444,000

解　説

外貨換算会計の仕訳問題です。仕訳自体はテキストの例とほとんど変わりませんが、問題文が少し読み辛くなっています。「輸出」「輸入」「為替予約」などの意味内容を、素早く読み取れるようにしましょう。

問１

1．商品を掛けにより仕入れた場合、仕入時の直物為替相場により換算します。

買掛金：3,000ドル×仕入時112円／ドル＝336,000円

2．買掛金の決済は、決済時の為替相場で換算した金額をもって支払いに充てることとなります。また、買掛金と支払額の差額は為替差損益で表します。

当座預金：3,000ドル×決済時108円／ドル＝324,000円

為替差益：買掛金336,000円－当座預金324,000円＝12,000円

問２

1．商品を掛けにより売上げた場合、売上時の直物為替相場により換算します。

売掛金：1,500ドル×売上時107円／ドル＝160,500円

2．売掛金は貨幣項目なので、決算において決算時の為替相場で換算します。

売掛金：1,500ドル×決算時110円／ドル＝165,000円

為替差益：決算時売掛金165,000円－売上時売掛金160,500円＝4,500円

3．売掛金の決済では、決済時の為替相場で換算した金額を受取ります。また、売掛金と受取額の差額は為替差損益で表します。

当座預金：1,500ドル×決済時112円／ドル＝168,000円

為替差益：当座預金168,000円－売掛金165,000円＝3,000円

問３

1．商品を掛けにより仕入れた場合、仕入時の直物為替相場により換算します。

買掛金：4,000ドル×仕入時105円／ドル＝420,000円

2．為替予約を締結したため、将来の買掛金支払時に用いる為替相場を先物為替相場111円／ドルで固定します。また、仕入時の買掛金との差額は為替差損益とします。

買掛金：4,000ドル×先物為替相場111円／ドル＝444,000円

為替差損：為替予約後買掛金444,000円－仕入時買掛金420,000円
＝24,000円

3．為替予約により将来支払時の円貨額は固定されているので、貨幣項目であっても、決算時に換算替えはしません。

基本  テキスト 第13章

29 精算表 1

解答

精　算　表

(単位：円)

勘定科目	試算表		修正記入		損益計算書		貸借対照表	
	借方	貸方	借方	貸方	借方	貸方	借方	貸方
現金	16,200						16,200	
売掛金	39,000						39,000	
売買目的有価証券	26,900			400			26,500	
繰越商品	58,200		66,000	58,200			60,632	
				2,400				
				2,968				
備品	100,000		20,000				120,000	
満期保有目的債券	29,400		60				29,460	
仮払金	20,000			20,000				
のれん	28,000			1,400			26,600	
買掛金		28,040						28,040
貸倒引当金		690		90				780
減価償却累計額		20,000		17,000				37,000
資本金		220,000						220,000
繰越利益剰余金		17,000						17,000
売上		150,000				150,000		
受取配当金		120				120		
有価証券利息		150		60		210		
仕入	104,000		58,200	66,000	99,168			
			2,968					
給料	14,300				14,300			
	436,000	436,000						
貸倒引当金繰入			90		90			
棚卸減耗損			2,400		2,400			
商品評価損			2,968	2,968				
減価償却費			17,000		17,000			
のれん償却			1,400		1,400			
(有価証券評価損)			400		400			
当期純利益					15,572			15,572
			171,486	171,486	150,330	150,330	318,392	318,392

解　説

決算整理仕訳を修正記入欄に記入し、決算整理後残高を損益計算書欄、貸借対照表欄に記入します。当期純利益または当期純損失は貸借差額で求めます。

1．備品の取得原価を備品勘定に振替えます。

(借)	備　　　品	20,000	(貸)	仮　払　金	20,000

2．売掛金の期末残高の２％を貸倒引当金として設定します。

(借)	貸倒引当金繰入	90	(貸)	貸 倒 引 当 金	90

貸倒引当金繰入：39,000円×２％－貸倒引当金残高690円＝90円

3．棚卸減耗損と商品評価損を計上するとともに、売上原価を算定します。

(借)	仕　　　入	58,200	(貸)	繰 越 商 品	58,200
(借)	繰 越 商 品	66,000	(貸)	仕　　　入	66,000
(借)	棚 卸 減 耗 損	2,400	(貸)	繰 越 商 品	2,400
(借)	商 品 評 価 損	2,968	(貸)	繰 越 商 品	2,968
(借)	仕　　　入	2,968	(貸)	商 品 評 価 損	2,968

期末商品帳簿棚卸高：@300円×220個＝66,000円
棚卸減耗損：@300円×（220個－212個）＝2,400円
商品評価損：（@300円－ @286円）×212個＝2,968円

4．前期以前から所有している備品と、当期中に購入した備品の減価償却を行います。

(借) 減価償却費	17,000	(貸) 減価償却累計額	17,000

前期以前取得分：(100,000円－20,000円)×20％＝16,000円

当期取得分：20,000円×20％×$\frac{3ヶ月}{12ヶ月}$＝1,000円

5．売買目的有価証券を時価に評価替えします。

(借) 有価証券評価損	400	(貸) 売買目的有価証券	400

有価証券評価損：帳簿価額26,900円－時価26,500円＝400円

6．満期保有目的債券を償却原価法(定額法)により評価します。

(借) 満期保有目的債券	60	(貸) 有価証券利息	60

額面総額と取得原価の差額：30,000円－29,400円＝600円
取得日から満期日までの期間：60ヶ月

当期の償却額：600円×$\frac{6ヶ月}{60ヶ月}$＝60円

7．当期首に取得したのれんを償却します。のれんの最長償却期間は20年なので、20年間にわたり償却します。

(借) のれん償却	1,400	(貸) のれん	1,400

のれん償却：帳簿価額28,000円÷最長償却期間20年＝1,400円

基本　テキスト　第13章

30 精算表２

解答

精　算　表　（単位：千円）

勘定科目	試算表		修正記入		損益計算書		貸借対照表	
	借方	貸方	借方	貸方	借方	貸方	借方	貸方
現金預金	5,640						5,640	
売掛金	15,070			70			15,000	
繰越商品	5,100		4,500	5,100			4,060	
				440				
備品	3,000						3,000	
満期保有目的債券	7,760		80				7,840	
買掛金		7,660		40				7,700
貸倒引当金		270	70	100				300
退職給付引当金		5,000		200				5,200
減価償却累計額		1,080		384				1,464
資本金		12,000						12,000
繰越利益剰余金		3,000						3,000
売上		55,000				55,000		
有価証券利息		40		80		120		
仕入	38,000		5,100	4,500	38,600			
給料	9,380				9,380			
保険料	100			24	76			
	84,050	84,050						
棚卸減耗損			150		150			
商品評価損			290		290			
減価償却費			384		384			
貸倒引当金繰入			100		100			
退職給付費用			200		200			
（**為替差損益**）			40		40			
（**前払**）保険料			24				24	
当期純（**利益**）					5,900			5,900
			10,938	10,938	55,120	55,120	35,564	35,564

解　説

精算表の作成に関する問題です。まず、決算整理事項に基づいて決算整理仕訳を行い、これを修正記入欄に記入します。続いて、修正記入欄の金額を試算表欄の金額に加減算して決算整理後残高を算定し、収益・費用は損益計算書欄に、資産・負債・純資産は貸借対照表欄に記入します。最後に、損益計算書欄の貸借差額で求めた当期純利益または当期純損失を、貸借対照表欄にも記入し、各欄の借方合計と貸方合計が一致することを確認します。

1．前期発生売掛金が貸倒れた場合には、貸倒引当金を取崩します。

(借) 貸倒引当金	70		(貸) 売掛金	70

2．売掛金の期末残高に対して２％を貸倒引当金として設定します。

(借) 貸倒引当金繰入	100		(貸) 貸倒引当金	100

(15,070千円－70千円)×２％＝300千円
300千円－(270千円－70千円)＝100千円

3．売上原価を算定するとともに、棚卸減耗損と商品評価損を計上します。

(借) 仕入	5,100	(貸) 繰越商品	5,100
(借) 繰越商品	4,500	(貸) 仕入	4,500
(借) 棚卸減耗損	150	(貸) 繰越商品	150
(借) 商品評価損	290	(貸) 繰越商品	290

期末商品帳簿棚卸高：@15千円×300個＝4,500千円
棚卸減耗損：@15千円×(300個－290個)＝150千円
商品評価損：(@15千円－@14千円)×290個＝290千円

ここに注意！

解答用紙の精算表では、繰越商品の行が２行になっています。このような場合には、１行目に期首商品棚卸高の金額、２行目に棚卸減耗損と商品評価損の合計額を記入するようにしましょう。

4．備品の減価償却を定率法により行います。

(借) 減価償却費	384	(貸) 減価償却累計額	384

(3,000千円－1,080千円)×20％＝384千円

5．満期保有目的債券は、額面総額8,000千円と取得価額7,760千円(残高試算表)で差額が生じているので、問題文の指示に従って、償却原価法(定額法)を適用します。

(借) 満期保有目的債券	80	(貸) 有価証券利息	80

(8,000千円－7,760千円)÷３年＝80千円

6．外貨建買掛金は、決算時の為替相場により換算します。

(借) 為替差損益	40	(貸) 買掛金	40

貸借対照表価額：８千ドル×115円＝920千円
為替差損益：920千円－880千円＝40千円(為替差損)

7．退職給付債務のうち当期の負担に属する金額を退職給付費用として計上します。

(借) 退職給付費用	200	(貸) 退職給付引当金	200

8．当期の12月1日に前払いした1年分の保険料のうち、翌期に対応する部分の繰延べを行います。

(借) 前 払 保 険 料	24	(貸) 保　険　料	24

$$36千円 \times \frac{8ヶ月}{12ヶ月} = 24千円$$

復習しよう!

決算整理の収益・費用の勘定の残高を損益計算書欄に記入すると、損益計算書欄の貸方合計は55,120千円、借方合計は49,220千円となります。損益計算書欄において、貸方合計が収益の合計、借方合計が費用の合計を意味しますので、その両者の差額が当期純利益となります。これを損益計算書欄の借方と貸借対照表欄の貸方に記入し、各欄の借方合計と貸方合計が一致することを確認します。

基本　　テキスト 第13章

31 英米式決算法

解答

損　　益

3/31	（仕　　入）	（ 1,353,000）	3/31	（売　　上）	（ 2,255,000）
〃	（給　　料）	（ 516,000）	〃	（受取家賃）	（ 258,000）
〃	（支払地代）	（ 364,000）	〃	（貸倒引当金戻入）	（ 1,000）
〃	（減価償却費）	（ 30,000）			
〃	（繰越利益剰余金）	（ 251,000）			
		（ 2,514,000）			（ 2,514,000）

繰越利益剰余金

6/25	（利益準備金）	（ 10,000）	4/ 1	（前期繰越）	（ 200,000）
〃	（未払配当金）	（ 100,000）	3/31	（損　　益）	（ 251,000）
〃	（別途積立金）	（ 40,000）			
3/31	（次期繰越）	（ 301,000）			
		（ 451,000）			（ 451,000）

解説

英米式決算法に関する問題です。英米式決算法の場合は、資産・負債・純資産の各勘定を「次期繰越」と記入して締切るのがポイントです。決算整理後の繰越利益剰余金勘定の残高は、まだ当期純利益が振替えられる前の金額であることに注意してください。

決算整理後の費用の勘定の残高と収益の勘定の残高を、すべて損益勘定に振替えます。損益勘定の貸方残高251,000円は当期純利益を意味します。これを損益勘定から繰越利益剰余金勘定へ振替えます。

これにより、繰越利益剰余金勘定の残高は貸方残高301,000円になります。英米式決算法の場合は、繰越利益剰余金勘定に「次期繰越」と記入して締切ります。

1．繰越利益剰余金勘定の前期繰越額

繰越利益剰余金勘定の前期繰越額が分からないので、推定しなければなりません。まず、6月25日の株主総会の決議に基づく仕訳を考えます。

(借)	繰越利益剰余金	150,000	(貸)	利益準備金	10,000
				未払配当金	100,000
				別途積立金	40,000

この仕訳が繰越利益剰余金勘定に転記された後、決算を迎え、決算整理前残高が、そのまま決算整理後残高となります。そのため、繰越利益剰余金勘定の決算整理後残高50,000円は、前期繰越額から150,000円減少した後の金額ということになります。よって、前期繰越額は、50,000円＋150,000円より、200,000円と推定できます。

2．損益振替

収益・費用の各勘定の残高がゼロになるようにし、相手勘定科目は損益とします。

(借)	売上	2,255,000	(貸)	損益	2,514,000
	受取家賃	258,000			
	貸倒引当金戻入	1,000			
(借)	損益	2,263,000	(貸)	仕入	1,353,000
				給料	516,000
				支払地代	364,000
				減価償却費	30,000

3．資本振替

損益勘定の残高がゼロになるようにし、相手勘定科目は繰越利益剰余金とします。

（借）損　　　　益　251,000　　（貸）繰越利益剰余金　251,000

4．資産・負債・純資産の各勘定の締切り

資産・負債・純資産の各勘定の期末残高を次期に繰越すために、「次期繰越」の記入をします。

復習しよう!

貸借対照表に記載する繰越利益剰余金の金額は、繰越利益剰余金の決算整理前の残高に当期純利益を加算した金額になります。

5．繰越試算表の作成（参考）

資産・負債・純資産の各勘定の締切りで、次期繰越額として記入した金額を、繰越試算表として一覧表にします。

繰越試算表　（単位：円）

借　方	勘定科目	貸　方
290,500	現金	
753,000	当座預金	
950,000	売掛金	
307,000	繰越商品	
1,000,000	建物	
	買掛金	780,500
	貸倒引当金	19,000
	減価償却累計額	450,000
	資本金	1,500,000
	利益準備金	210,000
	別途積立金	40,000
	繰越利益剰余金	301,000
3,300,500		3,300,500

基本  テキスト 第13章

32 財務諸表作成

解答

損益計算書
自×2年4月1日　至×3年3月31日

Ⅰ	売上高		2,825,800
Ⅱ	売上原価		
	1 期首商品棚卸高	(375,000)	
	2 当期商品仕入高	(1,621,550)	
	合計	(1,996,550)	
	3 期末商品棚卸高	(387,500)	
	差引	(1,609,050)	
	4 (**商品評価損**)	(5,880)	(1,614,930)
	売上総利益		(1,210,870)
Ⅲ	販売費及び一般管理費		
	1 給料	(492,000)	
	2 減価償却費	(33,750)	
	3 租税公課	(91,000)	
	4 支払保険料	(96,000)	
	5 (**棚卸減耗損**)	(20,000)	
	6 貸倒引当金繰入	(8,150)	(740,900)
	営業利益		(469,970)
Ⅳ	営業外収益		
	1 有価証券利息	(8,000)	
	2 (**有価証券評価益**)	(3,000)	(11,000)
Ⅴ	営業外費用		
	1 支払利息		(12,500)
	経常利益		(468,470)
Ⅵ	特別利益		
	1 (**固定資産売却益**)		(1,750)
	税引前当期純利益		(470,220)
	法人税等		(120,000)
	当期純利益		(350,220)

貸借対照表
×3年3月31日　(単位：円)

資産の部			負債の部	
Ⅰ 流動資産			Ⅰ 流動負債	
1 現金預金		(502,500)	1 支払手形	(306,000)
2 受取手形	(535,500)		2 買掛金	(350,500)
3 売掛金	(384,500)		3 短期借入金	(140,000)
貸倒引当金	(18,400)	(901,600)	4 (**未払法人税等**)	(40,000)
4 有価証券		(243,000)	流動負債合計	(836,500)
5 商品		(361,620)	負債合計	(836,500)
6 貯蔵品		(20,000)	純資産の部	
7 (**前払費用**)		(56,000)	Ⅰ 株主資本	
流動資産合計		(2,084,720)	1 資本金	(1,000,000)
Ⅱ 固定資産			2 利益剰余金	
有形固定資産			(1)その他利益剰余金	
1 建物	(750,000)		繰越利益剰余金	(918,220)
減価償却累計額	(270,000)	(480,000)	株主資本合計	(1,918,220)
有形固定資産合計		(480,000)	純資産合計	(1,918,220)
投資その他の資産				
1 投資有価証券		(190,000)		
投資その他の資産合計		(190,000)		
固定資産合計		(670,000)		
資産合計		(2,754,720)	負債・純資産合計	(2,754,720)

解説

比較的簡単な損益計算書・貸借対照表作成問題です。まずは表示科目や表示区分を意識することがポイントです。また、早く解けるように時間を計って何度も解き直しましょう。

1．貸倒引当金

受取手形535,500円と売掛金384,500円を合算した売上債権合計額920,000円に対して貸倒引当金を設定します。ただし、決算整理前残高試算表に10,250円の貸倒引当金が残っているので、それを控除した残額を繰入れます。

貸倒引当金：(535,500円＋384,500円)×２％＝18,400円
貸倒引当金繰入：18,400円－10,250円＝8,150円

(借)	貸倒引当金繰入	8,150	(貸)	貸倒引当金	8,150

2．商品

期末帳簿棚卸数量1,550個に対し、実地棚卸数量1,470個であり、棚卸減耗が生じています。減耗した商品は1,550個－1,470個より80個であり、この商品の原価は@250円です。減耗した商品の原価を棚卸減耗損として計上します。また、原価@250円に対し、時価@246円であり、時価が下がっています。商品１個あたりの時価の値下がり額は@250円－@246円より４円です。減耗しなかった商品1,470個につき、時価の値下がり額を商品評価損として計上します。その後、商品評価損勘定の残高を仕入勘定に振替えます。

(借)	仕入	375,000	(貸)	繰越商品	375,000
(借)	繰越商品	387,500	(貸)	仕入	387,500
(借)	棚卸減耗損	20,000	(貸)	繰越商品	20,000
(借)	商品評価損	5,880	(貸)	繰越商品	5,880
(借)	仕入	5,880	(貸)	商品評価損	5,880

棚卸減耗損：@250円×(1,550個－1,470個)＝20,000円
商品評価損：(@250円－@246円)×1,470個＝5,880円

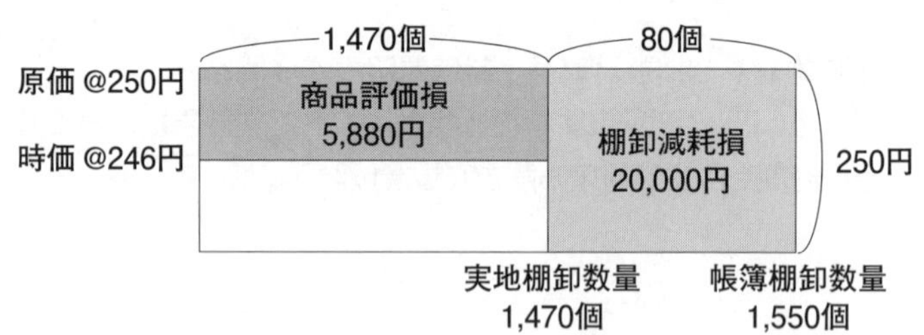

分析図を見ると、棚卸減耗損の長方形は、縦の長さが250円、横の長さが80個であるため、面積は250円×80個より20,000円となります。これが棚卸減耗損です。また、商品評価損の長方形は、縦の長さが４円、横の長さが1,470個であるため、面積は４円×1,470個より5,880円となります。これが、商品評価損です。

３．有価証券

(1)　売買目的有価証券の期末時価は243,000円であり、決算整理前残高試算表の金額240,000円を上回っているので有価証券評価益を計上します。

有価証券評価益：期末時価243,000円－帳簿価額240,000円＝3,000円

また、有価証券評価益は営業外収益に計上します。

(借) 有価証券	3,000	(貸) 有価証券評価益	3,000

(2)　満期保有目的債券は額面総額200,000円と取得価額188,000円で差が生じているので、問題文の指示に従って、償却原価法(定額法)を適用します。

取得価額：額面総額200,000円×$\frac{94円}{100円}$＝188,000円

償却額：(200,000円－188,000円)÷６年＝2,000円

また、満期保有目的債券は決算日の翌日から数えて１年を超えて満期が到来するので、固定資産である「投資その他の資産」に表示します。

(借) 満期保有目的債券	2,000	(貸) 有価証券利息	2,000

約定利息の3％の受取りは決算整理前残高試算表に反映されているよ！

4．固定資産

(1)　建物は耐用年数30年、残存価額10％、定額法で減価償却計算を行います。

　減価償却費：750,000円×0.9÷30年＝22,500円

(借)	減価償却費	22,500	(貸)	建物減価償却累計額	22,500

(2)　機械は当期にすべて売却していますが、売却時の処理が未処理なので、決算で売却時の処理を行います。機械を売却しているのが当期の11月30日なので、８ヶ月分の減価償却費を計算し、売却したと考えます。

　減価償却費：(120,000円−52,500円)×25％×$\frac{8ヶ月}{12ヶ月}$＝11,250円

　売却時点の帳簿価額：120,000円−52,500円−11,250円＝56,250円

　固定資産売却益：売却価額58,000円−売却時点の帳簿価額56,250円
　　＝1,750円

　また、固定資産売却益は特別利益に計上します。

(借)	機械減価償却累計額	52,500	(貸)	機械	120,000
	減価償却費	11,250		固定資産売却益	1,750
	現金	58,000			

5．収入印紙

　収入印紙等を購入したときに「租税公課」勘定で処理しています。そのため、決算時には未使用分を資産である「貯蔵品」勘定に振替えます。

(借)	貯蔵品	20,000	(貸)	租税公課	20,000

6．保険料の前払い

保険料は毎期、11月１日に向こう１年分を支払っているので、決算整理前残高試算表の金額152,000円は19ヶ月分の保険料になります（当期の期首に振替えられた×２年４月１日～×２年10月31日の７ヶ月分＋×２年11月１日～×３年10月31日の12ヶ月分）。そのため、次期の保険料７ヶ月分（×３年４月１日～×３年10月31日）について前払いの処理をします。

１ヶ月あたりの保険料：決算整理前残高試算152,000円÷19ヶ月＝8,000円
前払保険料：8,000円×７ヶ月＝56,000円

（借）	前払保険料	56,000	（貸）支払保険料	56,000

前払保険料は前払費用と表示します。

7．法人税等

決算整理前残高試算表に「仮払法人税等」勘定があるので、中間納付があったことが分かります。そのため、未払法人税等の金額は法人税等の額から中間納付額を控除した残額になります。

（借）	法人税等	120,000	（貸）仮払法人税等	80,000
			未払法人税等	40,000

8．その他

損益計算書で算定された当期純利益は350,220円なので、その金額を決算整理前残高試算表の繰越利益剰余金に加算します。

繰越利益剰余金：決算整理前残高試算表568,000円＋当期純利益350,220円
＝918,220円

基本  テキスト 第14章

33 本支店間の取引

解答

本店

4/14	売掛金	33,000	4/1	諸口	317,000
24	現金	20,000	8	現金	70,000
28	現金	10,000	19	通信費	6,500

支店

4/1	諸口	317,000	4/14	受取手形	33,000
8	売掛金	70,000	24	未払金	20,000
19	現金	6,500	28	旅費交通費	10,000

解説

本店と支店との取引に関する問題です。本店は、支店に対する債権・債務を支店勘定に記入し、支店は、本店に対する債権・債務を本店勘定に記入します。

〈本店の仕訳〉

4/1	(借) 減価償却累計額	75,000	(貸) 現金	150,000
	支店	317,000	繰越商品	42,000
			備品	200,000
4/8	(借) 支店	70,000	(貸) 売掛金	70,000
4/14	(借) 受取手形	33,000	(貸) 支店	33,000
4/19	(借) 支店	6,500	(貸) 現金	6,500

4/24	(借) 未払金	20,000	(貸) 支店	20,000
4/28	(借) 旅費交通費	10,000	(貸) 支店	10,000

〈支店の仕訳〉

4/ 1	(借) 現金	150,000	(貸) 減価償却累計額	75,000
	繰越商品	42,000	本店	317,000
	備品	200,000		
4/ 8	(借) 現金	70,000	(貸) 本店	70,000
4/14	(借) 本店	33,000	(貸) 売掛金	33,000
4/19	(借) 通信費	6,500	(貸) 本店	6,500
4/24	(借) 本店	20,000	(貸) 現金	20,000
4/28	(借) 本店	10,000	(貸) 現金	10,000

復習しよう!

本支店間で取引があった場合、本店勘定の借方と支店勘定の貸方、または本店勘定の貸方と支店勘定の借方に同じ金額が記入されます。同様に、本店より仕入れ勘定の借方と支店へ売上勘定の貸方にも同じ金額が記入されます。そのためこれらの勘定の残高は貸借逆で一致します。

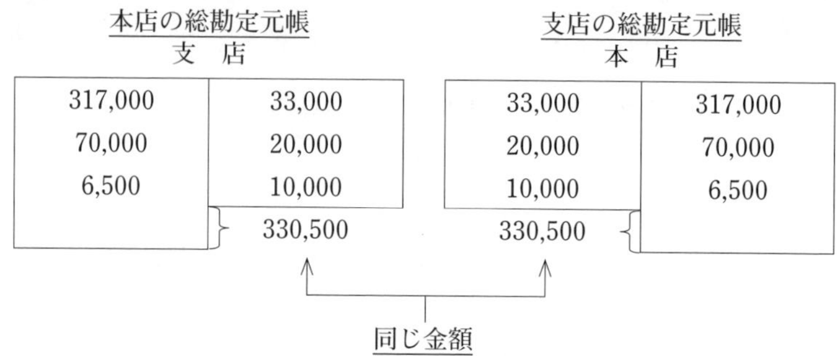

支店勘定は借方残高330,500円、本店勘定は貸方残高330,500円となっており、貸借逆で一致しています。

基本　テキスト 第14章

34 本支店会計の決算手続き

解答

問１

総　合　損　益

借方	金額	貸方	金額
（法　人　税　等）	（55）	（損　　　益）	（160）
（繰越利益剰余金）	（165）	（支　　　店）	（60）

問２

840	円

解説

帳簿上の手続きは一連の流れを理解することが重要です。今、何をしているのか、全体の流れの中においてどの処理を行っているのかを考えながら問題を解いてください。

問１

1．まず、与えられている決算整理後残高試算表から支店の損益と本店の損益を算定し、①支店の利益を本店に送り、本店は支店の利益を受入れます。②本店の利益はそのまま総合損益勘定に振替えます。

支店の収益：売上1,890円

支店の費用：仕入820円＋本店より仕入550円＋営業費330円＋減価償却費100円＋貸倒引当金繰入30円＝1,830円

支店の利益：収益1,890円－費用1,830円＝60円

本店の収益：売上2,420円＋支店へ売上550円＝2,970円

本店の費用：仕入2,100円＋営業費420円＋減価償却費200円＋貸倒引当金繰入90円＝2,810円

本店の利益：収益2,970円－費用2,810円＝160円

〈支店利益の本店への振替（支店）〉

（借）損　　益	60	（貸）本　　店	60

〈支店利益の受入れ（本店）〉

（借）支　　店	60	（貸）総合損益	60

〈本店利益の総合損益勘定への振替（本店）〉

（借）損　　益	160	（貸）総合損益	160

2．次に、本店の利益と支店の利益を合算し、その25％の法人税等を計上し、計上額を総合損益勘定へ振替えます。

法人税等の額：（本店の利益160円＋支店の利益60円）×25％＝55円

〈法人税等の計上（本店）〉

（借）法人税等	55	（貸）未払法人税等	55

〈総合損益勘定への振替（本店）〉

（借）総合損益	55	（貸）法人税等	55

3．最後に、総合損益勘定で算定された本支店合併純損益を繰越利益剰余金勘定へ振替えます。

〈繰越利益剰余金勘定への振替（本店）〉

（借）総合損益	165	（貸）繰越利益剰余金	165

総合損益

借方	貸方
法人税等 55円	損　益 160円
繰越利益剰余金 165円	支　店 60円

問2

1．決算整理後残高試算表の本店における「支店」勘定の金額に、支店利益の金額を加算します。

決算整理後残高試算表における支店勘定の金額780円＋本店が受入れた支店利益の金額60円＝840円

支　店

決算整理後残高試算表 780円	次期繰越額 840円
支店利益の受入れ 60円	

支店の利益を「支店」勘定で受入れているからだね。

基本  テキスト 第15章

35 課税所得の計算

解答

区　分		金　額(単位：円)
当期純利益		(240,000)
加算調整	(減価償却超過額)	(3,800)
	(交際費等の損金不算入額)	(2,800)
	(売上計上漏れ)	(4,000)
減算調整	(貸倒引当金繰入超過額認容)	(1,100)
	(受取配当金の益金不算入額)	(3,500)
課税所得		(246,000)

法人税等　73,800 円

解　説

課税所得の計算方法に関する問題です。本問では、調整しなければならない項目の具体的な名称が与えられています。また、同時にその項目が「損金算入項目」、「損金不算入項目」、「益金算入項目」、「益金不算入項目」のいずれに該当するかも示されているので、調整項目の意味が分からなくても解くことができるレベルの問題です。試験対策上は、課税所得の計算から法人税等の算定までの流れの理解が大切です。会計上の利益と税法上の所得は異なることを理解しましょう！

課税所得は会計上の当期純利益（税引前）の金額に、損金不算入項目と益金算入項目を加算し、損金算入項目と益金不算入項目を減算して求めます。また、法人税等は課税所得に法人税等の実効税率を掛けて算定します。

当期純利益：収益総額860,000円－費用総額620,000円＝240,000円
加算調整項目：減価償却超過額3,800円＋交際費等の損金不算入額2,800円
　　　　　　　＋売上計上漏れ4,000円＝10,600円
減算調整項目：貸倒引当金繰入超過額認容1,100円＋受取配当金の益金不算入額
　　　　　　　3,500円＝4,600円
課税所得：当期純利益240,000円＋加算調整10,600円－減算調整4,600円
　　　　　＝246,000円
法人税等：課税所得246,000円×実効税率30％＝73,800円

法人税等は、いつも計算していた会計の利益から計算されるわけじゃないんだね…

基本  テキスト 第15章

36 税効果会計 1

解答

	借方科目	金額	貸方科目	金額
1	貸倒引当金繰入 繰延税金資産	80,000 9,000	貸倒引当金 法人税等調整額	80,000 9,000
2	法人税等調整額	9,000	繰延税金資産	9,000
3	減価償却費 繰延税金資産	90,000 9,000	減価償却累計額 法人税等調整額	90,000 9,000
4	その他有価証券	12,080,000	現金	12,080,000
5	その他有価証券	2,920,000	その他有価証券評価差額金 繰延税金負債	2,044,000 876,000
6	その他有価証券評価差額金 繰延税金負債	2,044,000 876,000	その他有価証券	2,920,000

解　説

会計上と税務上の差異を求め、その差異に対して実効税率を掛けることによって、計上すべき繰延税金資産を算出することができます。
また、繰延税金資産は、法人税等の前払いであり、将来の税務上の法人税等を減額させる効果があると、会計上は考えます。

1．会計上、貸倒引当金を￥80,000設定するために、貸倒引当金繰入(費用)を計上します。しかし、税務上、貸倒引当金繰入のうち￥30,000が損金不算入となるため、貸倒引当金繰入限度超過額に実効税率を掛けた金額を法人税等の前払いと考え、繰延税金資産として計上します。

　貸倒引当金繰入限度超過額：￥80,000－￥50,000＝￥30,000
　繰延税金資産：￥30,000×30％＝￥9,000

2．×1年度に損金不算入とされた貸倒引当金繰入額￥30,000について、×2年度において該当する売掛金が貸倒れたため、×1年度の反対仕訳を行い、×1年度に計上した繰延税金資産を取崩します。

⚠ここに注意!

貸倒れ発生時における貸倒引当金は、会計上は￥80,000ですが、税務上は￥50,000です。税務上の貸倒引当金が￥30,000少ないため、貸倒損失となる金額は、会計上の金額に比べ税務上の金額の方が￥30,000多くなります。そのため、×1年度に損金不算入となった￥30,000が、×2年度に損金に算入され、一時差異が解消されます。

3．会計上と税務上の耐用年数の相違により、両者の減価償却費も相違することになります。その差額(減価償却限度超過額)に実効税率を掛けた金額を繰延税金資産として計上します。

　会計上の減価償却費：(￥360,000－￥０)÷４年＝￥90,000
　税務上の減価償却費：(￥360,000－￥０)÷６年＝￥60,000
　減価償却限度超過額：￥90,000－￥60,000＝￥30,000
　繰延税金資産：￥30,000×30％＝￥9,000

4．取引関係維持のために取得した株式は、その他有価証券に該当します。なお、取得に要した取引費用は取得原価に算入します。

その他有価証券：@￥1,200×10,000株＋￥80,000＝￥12,080,000

5．会計上、その他有価証券は時価評価しますが、税務上では取得原価で評価されます。そのため、一時差異(その他有価証券評価差額金部分)が発生します。

一時差異：@￥1,500×10,000株－￥12,080,000＝￥2,920,000

繰延税金負債：￥2,920,000×30％＝￥876,000

その他有価証券評価差額金：￥2,920,000－￥876,000＝￥2,044,000

6．その他有価証券の時価評価において翌期首に洗替処理をする際、その他有価証券評価差額金とともに繰延税金負債も取崩します。これにより、一時差異は解消します。

基本 テキスト 第15章

37 税効果会計2

解答

決算整理後残高試算表

借　方	勘定科目	貸　方
	：	
16,500	繰延税金資産	
	：	
	繰延税金負債	60,000
	：	
	法人税等調整額	6,750
	：	
×××		×××

解説

決算整理において税効果会計の処理を行い、決算整理後残高試算表を作成する問題です。繰延税金資産の発生と解消に気をつけながら、税効果会計の処理を行う必要があります。

1．貸倒引当金

貸倒引当金の前期設定額に対する一時差異の解消についての処理をした上で、当期設定額に対する一時差異の発生についての処理も行います。

(借)	法人税等調整額	3,750	(貸)	繰延税金資産	3,750
	繰延税金資産	4,500		法人税等調整額	4,500

一時差異の解消分：￥3,750

一時差異の発生分：(￥50,000－￥35,000)×30％＝￥4,500

2．備品の減価償却

会計上の減価償却費と税務上の減価償却費との差額が一時差異となります。また、当期末まで保有している備品に対する一時差異は解消されないため、当期の減価償却費に対する一時差異の発生のみを考えます。

(借) 繰延税金資産	6,000	(貸) 法人税等調整額	6,000

会計上の減価償却費：￥600,000÷5年＝￥120,000
税法上の減価償却費：￥600,000÷6年＝￥100,000
繰延税金資産：(￥120,000－￥100,000)×30％＝￥6,000

【当期末までの減価償却の状況】

	会計上		税務上		差異
	減価償却費	備品簿価	減価償却費	備品簿価	
取得時	―	600,000	―	600,000	0
前期末	120,000	480,000	100,000	500,000	20,000
当期末	120,000	360,000	100,000	400,000	40,000

3．その他有価証券の時価評価

その他有価証券の期末時価と帳簿価額との差額である評価差額について、実効税率を掛けた金額は繰延税金資産または繰延税金負債とし、残額は、その他有価証券評価差額金とします。

(借) その他有価証券	200,000	(貸) その他有価証券評価差額金	140,000
		繰延税金負債	60,000

繰延税金負債：(￥1,500,000－￥1,300,000)×30％＝￥60,000
その他有価証券評価差額金：￥200,000－￥60,000＝￥140,000

基本 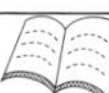 テキスト 第16章

38 資本連結（支配獲得時）

解答

問1

	借方科目	金額	貸方科目	金額
1	資本金	200,000	子会社株式	420,000
	資本剰余金	120,000		
	利益剰余金	80,000		
	のれん	20,000		
2	資本金	250,000	子会社株式	350,000
	資本剰余金	150,000	非支配株主持分	200,000
	利益剰余金	100,000		
	のれん	50,000		
3	資本金	400,000	子会社株式	540,000
	資本剰余金	200,000	非支配株主持分	150,000
	利益剰余金	150,000	負ののれん発生益	60,000

問2

連結貸借対照表
×1年3月31日　　(単位：円)

科目	金額	科目	金額
諸資産	(710,000)	諸負債	(455,000)
(のれん)	(7,500)	資本金	(150,000)
		利益剰余金	(100,000)
		(非支配株主持分)	(12,500)
	(717,500)		(717,500)

解説

連結会計における支配獲得時の処理を問う問題です。投資と資本の相殺消去では、子会社株式を取得する割合や投資消去差額が借方・貸方のどちらに生じるかによって処理が異なることに注意が必要です。
支配獲得時の処理は連結会計の最も基礎的な内容なので、しっかりと理解しておきましょう。

問1

1．P社の子会社株式とS社の純資産である資本金、資本剰余金および利益剰余金を相殺消去し、貸借差額はのれんとして計上します。
2．P社の子会社株式とS社の純資産である資本金、資本剰余金および利益剰余金を相殺消去し、S社の純資産のうちP社以外の株主が保有する部分を非支配株主持分として計上します。また、貸借差額はのれんとして処理します。

非支配株主持分：(￥250,000＋￥150,000＋￥100,000)×(100％−60％)
＝￥200,000

3．解き方は2と同じですが、貸借差額が貸方に生じます。この場合は負ののれん発生益として処理します。

ここに注意!

3のように貸借差額が貸方に生じたときには、その差額分は負債計上せずに、負ののれん発生益として一括で収益計上します。なお、負ののれん発生益は特別利益として計上します。

問2

まず、親会社と子会社の個別貸借対照表を合算し、次に、支配獲得時の仕訳を加味すると解答の連結貸借対照表の金額となります。

(借)	資本金	30,000	(貸)	子会社株式	45,000
	利益剰余金	20,000		非支配株主持分	12,500
	のれん	7,500			

非支配株主持分：(￥30,000＋￥20,000)×(100％−75％)＝￥12,500
のれん：貸借差額

基本  テキスト 第17章

39 成果連結(仕訳問題)

解答

1．商品売買取引および商品に関する連結修正仕訳

借方科目	金額	貸方科目	金額
売上高	140,000	売上原価	140,000
利益剰余金当期首残高	5,750	売上原価	5,750
売上原価	9,000	商品	9,000

2．売上債権・仕入債務および手形に関する連結修正仕訳

借方科目	金額	貸方科目	金額
買掛金	11,000	売掛金	11,000
支払手形	20,500	受取手形	16,500
		短期借入金	4,000

3．貸倒引当金に関する連結修正仕訳

借方科目	金額	貸方科目	金額
貸倒引当金	550	利益剰余金当期首残高	460
		貸倒引当金繰入	90

解説

成果連結の基本的な仕訳問題です。本問では、どのような仕訳が必要か解答用紙から読取れますが、実際の試験では、そのような指示がないと考えてください。そのため、連結財務諸表を作成する際に、親子会社間の取引から行うべき連結修正仕訳を判断できなければなりません。

1．商品売買取引および商品に関する連結修正仕訳

商品売買取引および商品に関する連結修正仕訳は①売上と仕入の相殺消去、②期首商品に関する未実現利益の実現、③期末商品に関する未実現利益の消去の３つの修正仕訳になります。また、期首商品に関する未実現利益の実現は以下の〈復元仕訳〉と〈実現仕訳〉を合算したものです。

〈復元仕訳〉

(借) 利益剰余金当期首残高	5,750	(貸) 商　　　品	5,750

〈実現仕訳〉

(借) 商　　　品	5,750	(貸) 売 上 原 価	5,750

期首商品未実現利益：期首商品23,000円×売上利益率25％＝5,750円
期末商品未実現利益：期末商品36,000円×売上利益率25％＝9,000円

2．売上債権・仕入債務および手形に関する連結修正仕訳

ここでは、期末の売掛金・買掛金の相殺消去のほか、受取手形と支払手形の相殺消去も行います。ただし、手形については問題文中５の手形も考慮する必要があります。連結会社が振出した手形の割引は手形による借入と考えるため、4,000円を「支払手形」から「短期借入金」に振替えます。

支払手形消去高：14,500円（４より）＋6,000円（５より）＝20,500円
受取手形消去高：14,500円（４より）＋2,000円（＝6,000円－割引4,000円）
＝16,500円

中野産業の杉並商事に対する売上債権があるってことは、杉並商事の中野産業に対する仕入債務が同じ金額だけあるってことです。

3．貸倒引当金に関する連結修正仕訳

親会社である中野産業は期末の売上債権に貸倒引当金を設定します。ここで、杉並商事に対する売上債権についても貸倒引当金を設定しているので、杉並商事に対する売上債権を連結修正仕訳で消去することに伴い、当該貸倒引当金の修正が必要になります。なお、前期の売上債権に係る貸倒引当金の修正仕訳は開始仕訳で復元する必要があります。また、手形取引に関する5の手形債権の考慮を忘れないように注意してください。

〈復元仕訳〉

（借）貸倒引当金	460	（貸）利益剰余金当期首残高	460

（前期末受取手形13,000円＋前期末売掛金10,000円）×２％＝460円

〈当期分の修正仕訳〉

（借）貸倒引当金	90	（貸）貸倒引当金繰入	90

当期末貸倒引当金：（当期末受取手形14,500円＋当期末売掛金11,000円＋５における受取手形2,000円（＝6,000円－割引4,000円））×２％＝550円

当期末貸倒引当金繰入：当期末の貸倒引当金550円－前期末の貸倒引当金460円＝90円

基本  テキスト 第17章

40 未実現利益の消去

解答

	借方科目	金額	貸方科目	金額
1	売上原価	4,000	商品	4,000
2	売上原価	18,000	商品	18,000
3	利益剰余金当期首残高 売上原価	16,000 22,000	売上原価 商品	16,000 22,000
4	土地売却益	240,000	土地	240,000
5	売上原価 非支配株主持分当期変動額	12,000 2,400	商品 非支配株主に帰属する当期純利益	12,000 2,400
6	土地売却益 非支配株主持分当期変動額	150,000 30,000	土地 非支配株主に帰属する当期純利益	150,000 30,000

解　説

親子会社間で取引した資産(商品や土地)が期末に残っていた場合、その資産の金額には売り手側が計上した利益が含まれています。企業グループとして考えた場合、その利益は未実現の利益となりますので、連結会計上、未実現の利益を消去しなければなりません。

1．Ｓ社の期末商品棚卸高のうちＰ社から仕入れた24,000円には、未実現の利益が含まれているためこれを消去しなければなりません。なお、Ｐ社はＳ社に対して100,000円で仕入れた商品を120,000円で販売しているため、付加利益率は20％となります。

$$24{,}000円\times\frac{0.2}{1.2}=4{,}000円$$

2．Ｓ社の期末商品棚卸高のうちＰ社から仕入れた138,000円には、未実現の利益が含まれているためこれを消去しなければなりません。

$$138{,}000円\times\frac{0.15}{1.15}=18{,}000円$$

3．Ｓ社の期首商品棚卸高のうちＰ社から仕入れた80,000円には、未実現の利益が含まれているため、前期末における未実現利益の消去の仕訳を開始仕訳として復元するとともに、当期における実現仕訳を行います。以下の２つの仕訳を合算した仕訳が解答の１つ目の仕訳になります。

(借)			(貸)		
	利益剰余金当期首残高	16,000		商　　品	16,000
	商　　品	16,000		売上原価	16,000

80,000円×20％＝16,000円

また、Ｓ社の期末商品棚卸高のうちＰ社から仕入れた110,000円には、未実現の利益が含まれているためこれを消去しなければなりません。

110,000円×20％＝22,000円

4．Ｓ社が期末に所有する、Ｐ社から購入した土地3,240,000円には、未実現の利益が含まれているためこれを消去しなければなりません。

3,240,000円－3,000,000円＝240,000円

5．Ｐ社の期末商品棚卸高のうちＳ社から仕入れた132,000円には、未実現の利益が含まれているためこれを消去しなければなりません。

$$132{,}000円 \times \frac{0.1}{1.1} = 12{,}000円$$

また、消去された未実現利益のうち、非支配株主に帰属する部分は非支配株主に負担させます。

12,000円×20％＝2,400円

6．Ｐ社が期末に所有する、Ｓ社から購入した土地2,150,000円には、未実現の利益が含まれているためこれを消去しなければなりません。

2,150,000円－2,000,000円＝150,000円

また、消去された未実現利益のうち、非支配株主に帰属する部分は非支配株主に負担させます。

150,000円×20％＝30,000円

基本

テキスト 第18章

41 連結貸借対照表

解答

問1

連　結　精　算　表　(単位：千円)

科　目	個別財務諸表		修正・消去		連結財務諸表
	P　社	S　社	借　方	貸　方	
貸借対照表					**連結貸借対照表**
諸資産	42,600	15,000			57,600
(のれん)			900		900
子会社株式	3,600			3,600	
資産合計	46,200	15,000	900	3,600	58,500
諸負債	(25,500)	(10,500)			(36,000)
資本金	(12,000)	(3,000)	3,000		(12,000)
利益剰余金	(8,700)	(1,500)	1,500		(8,700)
(非支配株主持分)				1,800	(1,800)
負債・純資産合計	(46,200)	(15,000)	4,500	1,800	(58,500)

(注)精算表において(　　)を付してある金額欄は貸方項目を意味している。

問2

連結貸借対照表
×4年3月31日　(単位：千円)

諸資産	(60,400)	諸負債	(36,000)
(のれん)	(810)	資本金	(12,000)
		利益剰余金	(11,210)
		(非支配株主持分)	(2,000)
	(61,210)		(61,210)

解説

ここが
ポイント！

連結会計では、連結精算表において、個別財務諸表の合算と連結修正仕訳による修正を行い、連結財務諸表に記載すべき金額を計算します。連結修正仕訳は、連結精算表において個別財務諸表の合算額から、連結財務諸表に記載すべき金額に修正するための記入内容を仕訳の形で表したものといえます。そのため、連結修正仕訳は、親会社や子会社の帳簿に記入することはありません。

問１

支配獲得時における連結精算表を作成します。支配獲得時には、連結貸借対照表を作成します。そのため、連結精算表を作成し、連結貸借対照表に記載すべき金額を求めます。

解答にあたっては、まず、連結修正仕訳として行う、投資と資本の相殺消去の処理を考えます。次に、連結精算表の修正・消去欄に連結修正仕訳(投資と資本の相殺消去)を記入します。最後に、個別貸借対照表の合算額に連結修正仕訳(投資と資本の相殺消去)を加減算して、連結貸借対照表に記載すべき金額を求めます。

１．投資と資本の相殺消去

Ｐ社の投資(子会社株式)とＳ社の資本(資本金、資本剰余金および利益剰余金)のうちＰ社の投資に対応する分を相殺消去し、投資消去差額はのれんとして処理します。また、Ｓ社の資本のうち非支配株主(Ｐ社以外の株主)に対応する部分は非支配株主持分として計上します。

(借)	資本金	3,000	(貸)	子会社株式	3,600
	利益剰余金	1,500		非支配株主持分	1,800
	のれん	900			

のれん：3,600千円－(3,000千円＋1,500千円)×60％＝900千円
非支配株主持分：(3,000千円＋1,500千円)×(100％－60％)＝1,800千円

問2

連結第1年度末における連結貸借対照表を作成します。作成手続きの概要は以下のとおりです。

ＳＴＥＰ１　個別財務諸表を合算する。
ＳＴＥＰ２　支配獲得時に行った連結修正仕訳(投資と資本の相殺消去)を開始仕訳として行う。
ＳＴＥＰ３　当期(連結第１年度)の連結修正仕訳を行う。
ＳＴＥＰ４　個別財務諸表の合算額に、開始仕訳および当期の連結修正仕訳の内容を加減算して、連結貸借対照表に記載する金額を求める。

ここに注意!

本問では、連結貸借対照表のみの作成が問われています。そこで、本来であれば、連結損益計算書や連結株主資本等変動計算書の科目で考えるべきところは、連結貸借対照表の科目で考える必要があります。

1．開始仕訳

支配獲得時に行う投資と資本の相殺消去において、純資産の科目に当期首残高をつけます。

(借)	資本金当期首残高	3,000	(貸)	子会社株式	3,600
	利益剰余金当期首残高	1,500		非支配株主持分当期首残高	1,800
	のれん	900			

〈貸借対照表の科目による仕訳〉

(借)	資本金	3,000	(貸)	子会社株式	3,600
	利益剰余金	1,500		非支配株主持分	1,800
	のれん	900			

2．当期純利益の按分

子会社の当期純利益のうち非支配株主に帰属する部分については非支配株主持分に按分します。

(借)	非支配株主に帰属する当期純利益	400	(貸)	非支配株主持分当期変動額	400

1,000千円×40％＝400千円

〈貸借対照表の科目による仕訳〉

(借) 利益剰余金	400	(貸) 非支配株主持分	400

3．剰余金の配当

子会社の剰余金の配当のうち、親会社に対する配当は企業グループ内の取引なので、受取配当金を消去します。また、非支配株主に対する配当は、非支配株主持分の減少として処理します。

(借) 受取配当金	300	(貸) 剰余金の配当	500
非支配株主持分当期変動額	200		

受取配当金：500千円×60％＝300千円
非支配株主持分：500千円×40％＝200千円

〈貸借対照表の科目による仕訳〉

(借) 利益剰余金	300	(貸) 利益剰余金	500
非支配株主持分	200		

4．のれんの償却

支配獲得時に認識したのれんを償却期間10年の定額法で償却します。

(借) のれん償却	90	(貸) の　れ　ん	90

のれん償却：900千円÷10年＝90千円

〈貸借対照表の科目による仕訳〉

(借) 利益剰余金	90	(貸) の　れ　ん	90

復習しよう!

連結精算表は、連結損益計算書⇒連結株主資本等変動計算書⇒連結貸借対照表の順番に集計していきます。連結損益計算書や連結株主資本等変動計算書の内容は、最終的に、連結貸借対照表の科目に集約されるので、連結貸借対照表のみを作成する問題では、連結貸借対照表の科目で処理する必要があります。

基本  テキスト　第18章

42 連結財務諸表

解答

(問１)

連結損益計算書

×３年４月１日～×４年３月31日　(単位：千円)

売上高	(1,249,000)
売上原価	(933,750)
売上総利益	(315,250)
販売費及び一般管理費	(245,260)
営業利益	(69,990)
営業外収益	(19,190)
営業外費用	(57,750)
当期純利益	(31,430)
非支配株主に帰属する当期純利益	(3,942)
親会社株主に帰属する当期純利益	(27,488)

(問２)

連結貸借対照表の金額

(×４年３月31日)　(単位：千円)

	金額
商品	63,250
のれん	3,200
利益剰余金	72,388
非支配株主持分	28,842

解　説

基本的な連結財務諸表作成問題です。個別財務諸表の作成と異なって、過去の仕訳を開始仕訳として考慮する必要があります。初めは面倒と感じるかもしれませんが、慣れてしまえば、それほどでもありません。
連結財務諸表の作成において開始仕訳は必須なので、早めに慣れましょう。

まず、親会社と子会社の個別財務諸表の金額を合算し、次に、連結修正仕訳を加味すると解答の連結損益計算書および連結貸借対照表の金額になります。

開始仕訳は、以下①～③の仕訳の合算となります。なお、網掛けの金額は過去の利益に関する項目なので、開始仕訳では「利益剰余金当期首残高」となります。

① 投資と資本の相殺消去

(借)	資本金当期首残高	50,000	(貸)	S　社　株　式	60,000
	資本剰余金当期首残高	10,000		非支配株主持分当期首残高	24,000
	利益剰余金当期首残高	20,000			
	の　れ　ん	4,000			

② 当期純利益の按分

(借)	非支配株主に帰属する当期純利益	1,800	(貸)	非支配株主持分当期首残高	1,800

×２年度Ｓ社当期純利益6,000千円×非支配株主持分30％＝1,800千円

③ のれんの償却

(借)	のれん償却額	400	(貸)	の　れ　ん	400

支配獲得時のれん4,000千円÷10年＝400千円

1．開始仕訳

支配獲得時の投資と資本の相殺消去と×２年度の連結修正仕訳は開始仕訳として引継がれます。

(借)	資本金当期首残高	50,000	(貸)	S　社　株　式	60,000
	資本剰余金当期首残高	10,000		非支配株主持分当期首残高	25,800
	利益剰余金当期首残高	22,200			
	の　れ　ん	3,600			

2．当期純利益の按分

子会社の当期純利益のうち非支配株主に帰属する部分については非支配株主に按分します。

(借) 非支配株主に帰属する当期純利益	3,942	(貸) 非支配株主持分当期変動額	3,942

×３年度Ｓ社当期純利益13,140千円×非支配株主持分30％＝3,942千円

3．のれんの償却

(借) のれん償却額	400	(貸) の　れ　ん	400

支配獲得時ののれん4,000千円÷10年＝400千円

4．剰余金の配当

子会社剰余金の配当のうち、親会社に対する配当は企業グループ内の取引なので、受取配当金を消去します。また、非支配株主に対する配当は、非支配株主持分の減少として処理します。

(借) 受取配当金	2,100	(貸) 配当金(利益剰余金)	3,000
非支配株主持分当期変動額	900		

×３年度Ｓ社配当3,000千円×親会社持分70％＝2,100千円
×３年度Ｓ社配当3,000千円×非支配株主持分30％＝900千円

5．売上と仕入の相殺消去

親子会社間の取引は、企業集団内部での取引になりますので、親会社Ｐ社の売上と子会社Ｓ社の仕入を相殺消去します。なお、仕入の消去については、「当期商品仕入高」を消去するのではなく、連結財務諸表上は売上原価の内訳項目は科目が集約されるので「売上原価」の消去として仕訳します。

(借) 売　上　高	120,000	(貸) 売上原価	120,000

6．未実現利益の消去(期末商品)

子会社Ｓ社が期末に保有する親会社Ｐ社から仕入れた商品は、Ｐ社が上乗せした未実現利益が計上されているので、消去します。

(借) 売上原価	3,750	(貸) 商　　品	3,750

Ｓ社保有Ｐ社仕入商品期末残高28,750千円×$\frac{0.15}{1+0.15}$＝3,750千円

7．債権債務の相殺消去

親子会社間の取引で発生した債権債務については相殺消去します。

(借) 買　掛　金	32,000	(貸) 売　掛　金	32,000

8．貸倒引当金の修正

親子会社間の相殺消去により売掛金が消去されるので、それに伴い売掛金に設定していた貸倒引当金を修正します。売掛金が消去された分だけ貸倒引当金も消去します。

(借) 貸倒引当金	640	(貸) 貸倒引当金繰入	640

Ｐ社のＳ社に対する売掛金期末残高32,000千円×２％＝640千円

(問２解説)

商品…45,000千円＋22,000千円－内部利益3,750千円＝63,250千円

のれん…4,000千円－前年度分400千円－当年度分400千円＝3,200千円

利益剰余金…貸借対照表の貸借差額

非支配株主持分…(資本金50,000千円＋資本剰余金10,000千円＋利益剰余金36,140千円)×30％＝28,842千円

or

期首非支配株主持分25,800千円＋当期純利益按分分3,942千円－配当分900千円＝28,842千円

連結貸借対照表

×４年３月31日　(単位：千円)

資産	Ｐ社	負債・純資産	Ｐ社
諸資産	665,000	諸負債	310,000
売掛金	175,000	買掛金	122,720
貸倒引当金	△2,500	資本金	300,000
商品	**63,250**	資本剰余金	70,000
のれん	**3,200**	利益剰余金	**72,388**
		非支配株主持分	**28,842**
	903,950		903,950

基本　テキスト 第18章

43 連結精算表

解答

連結精算表　（単位：千円）

科目	個別財務諸表			連結修正仕訳		連結財務諸表
	P社	S社	合計	借方	貸方	
損益計算書						
売上高	(892,000)	(450,000)	(1,342,000)	215,000		(1,127,000)
売上原価	710,000	325,000	1,035,000	10,500	223,250	822,250
営業費	166,700	99,200	265,900			265,900
(のれん償却)	—	—	—	680		680
受取配当金	(22,000)	—	(22,000)	4,800		(17,200)
受取利息	(4,000)	—	(4,000)	800		(3,200)
支払利息	12,300	9,800	22,100		800	21,300
土地売却益	(15,000)	—	(15,000)	15,000		–
非支配株主帰属純利益	—	—	—	3,200		3,200
親会社株主帰属純利益	44,000	16,000	(60,000)	249,980	224,050	(34,070)
株主資本等変動計算書						
資本金						
当期首残高	(200,000)	(80,000)	(280,000)	80,000		(200,000)
当期末残高	(200,000)	(80,000)	(280,000)	80,000		(200,000)
資本剰余金						
当期首残高	(90,000)	(48,000)	(138,000)	48,000		(90,000)
当期末残高	(90,000)	(48,000)	(138,000)	48,000		(90,000)
利益剰余金						
当期首残高	(145,000)	(110,000)	(255,000)	110,930		(144,070)
配当金	25,000	6,000	31,000		6,000	25,000
親会社株主帰属純利益	(44,000)	(16,000)	(60,000)	249,980	224,050	(34,070)
当期末残高	(164,000)	(120,000)	(284,000)	360,910	230,050	(153,140)
非支配株主持分						
当期首残高	—	—	—		47,600	(47,600)
当期変動額	—	—	—	1,200	3,200	(2,000)
当期末残高	—	—	—	1,200	50,800	(49,600)

次ページへ続く

前ページより続く

連結精算表　　　　(単位：千円)

科目	個別財務諸表			連結修正仕訳		連結財務諸表
	P社	S社	合計	借方	貸方	
貸借対照表						
現金預金	40,000	30,500	70,500			70,500
売掛金	126,000	94,500	220,500		58,000	162,500
商品	88,000	63,000	151,000		10,500	140,500
土地	190,000	142,000	332,000		15,000	317,000
S社株式	196,000	−	196,000		196,000	−
のれん	−	−	−	12,920	680	12,240
長期貸付金	60,000	−	60,000		20,000	40,000
資産合計	700,000	330,000	1,030,000	12,920	300,180	742,740
買掛金	(146,000)	(42,000)	(188,000)	58,000		(130,000)
長期借入金	(100,000)	(40,000)	(140,000)	20,000		(120,000)
資本金	(200,000)	(80,000)	(280,000)	80,000		(200,000)
資本剰余金	(90,000)	(48,000)	(138,000)	48,000		(90,000)
利益剰余金	(164,000)	(120,000)	(284,000)	360,910	230,050	(153,140)
非支配株主持分	−	−	−	1,200	50,800	(49,600)
負債・純資産合計	(700,000)	(330,000)	(1,030,000)	568,110	280,850	(742,740)

解説

連結精算表作成問題です。連結精算表は、個別財務諸表を合算し、そこに連結修正仕訳を加味して連結財務諸表を作成するという、連結手続き一連の流れが一目で確認できる一覧表です。本問は貸方項目に括弧をつける形式ですが、連結精算表は他の形式での出題も考えられます。試験では、どのような形式なのかを見極めて対応する必要があります。また、本問は非常に基本的な内容なので、何度も繰返し練習し、連結会計の基礎を確立してください。

1．開始仕訳

支配獲得時の投資と資本の相殺消去と×７年度の連結修正仕訳は開始仕訳として引継がれます。

(借)	資本金当期首残高	80,000	(貸)	Ｓ　社　株　式	196,000
	資本剰余金当期首残高	48,000		非支配株主持分当期首残高	47,600
	利益剰余金当期首残高	102,680			
	の　れ　ん	12,920			

上記の開始仕訳は、以下①～③の仕訳を合算したものとなります。なお、網掛けの金額は過去の利益に関する項目なので、開始仕訳では「利益剰余金当期首残高」となります。

①　投資と資本の相殺消去

(借)	資本金当期首残高	80,000	(貸)	Ｓ　社　株　式	196,000
	資本剰余金当期首残高	48,000		非支配株主持分当期首残高	45,600
	利益剰余金当期首残高	100,000			
	の　れ　ん	13,600			

②　当期純利益の按分

(借)	非支配株主に帰属する当期純利益	2,000	(貸)	非支配株主持分当期首残高	2,000

×７年度Ｓ社当期純利益10,000千円×非支配株主持分20％＝2,000千円

③　のれんの償却

(借)	のれん償却額	680	(貸)	の　れ　ん	680

支配獲得時のれん13,600千円÷20年＝680千円

2．当期純利益の按分

子会社の当期純利益のうち非支配株主に帰属する部分については、非支配株主に按分します。

(借)	非支配株主に帰属する当期純利益	3,200	(貸)	非支配株主持分当期変動額	3,200

×８年度Ｓ社当期純利益16,000千円×非支配株主持分20％＝3,200千円

3．のれんの償却

(借) のれん償却	680	(貸) の れ ん	680

支配獲得時のれん13,600千円÷20年＝680千円

4．剰余金の配当

子会社剰余金の配当のうち、親会社に対する配当は企業グループ内の取引なので、受取配当金を消去します。また、非支配株主に対する配当は、非支配株主持分の減少として処理します。

(借) 受取配当金	4,800	(貸) 配当金(利益剰余金)	6,000
(借) 非支配株主持分当期変動額	1,200		

×8年度Ｓ社配当6,000千円×親会社持分80％＝4,800千円
×8年度Ｓ社配当6,000千円×非支配株主持分20％＝1,200千円

5．売上と仕入の相殺消去

親子会社間の取引は、企業集団内部での取引なので、親会社Ｐ社の売上と子会社Ｓ社の仕入を相殺消去します。なお、仕入の消去については、「当期商品仕入高」を消去するのではなく、連結財務諸表上は売上原価の内訳項目は科目が集約されるので「売上原価」の消去として仕訳します。

(借) 売 上 高	215,000	(貸) 売上原価	215,000

6．未実現利益の実現（期首商品）

子会社Ｓ社が期首に保有する親会社Ｐ社から仕入れた商品は、Ｐ社が上乗せした未実現利益が計上されているので、実現します。

(借) 利益剰余金当期首残高	8,250	(貸) 売上原価	8,250

Ｓ社保有Ｐ社仕入商品期首残高33,000千円×（１－原価率75％）＝8,250千円

なお、期首商品の未実現利益の実現に係る連結修正仕訳は、以下の①復元仕訳と②実現仕訳を合算したものです。

① **復元仕訳**

（借）利益剰余金当期首残高　8,250　（貸）商　　品　8,250

② **実現仕訳**

（借）商　　品　8,250　（貸）売上原価　8,250

7．未実現利益の消去（期末商品）

子会社Ｓ社が期末に保有する親会社Ｐ社から仕入れた商品は、Ｐ社が上乗せした未実現利益が計上されているので、消去します。

（借）売上原価　10,500　（貸）商　　品　10,500

Ｓ社保有Ｐ社仕入商品期末残高42,000千円×（１－原価率75％）＝10,500千円

8．債権債務の相殺消去

親子会社間の取引で発生した債権債務については相殺消去します。

（借）買　掛　金　58,000　（貸）売　掛　金　58,000

9．土地の売却に係る未実現利益の修正

親子会社間の土地の売却により未実現利益が発生しているので、商品同様、未実現利益を消去します。

（借）土地売却益　15,000　（貸）土　　地　15,000

売却価額105,000千円－帳簿価額90,000千円＝15,000千円

10．貸付金に関する修正

親子会社間の金銭の貸借取引により発生した借入金と貸付金は企業集団内での取引なので相殺消去します。なお、当該貸付金は、決算日の翌日から起算して１年を超えて満期が到来するので、「長期」貸付金、「長期」借入金の相殺消去となります。

（借）長期借入金　20,000　（貸）長期貸付金　20,000

また、貸付金からは利息が発生しているので、この利息についても企業集団内の取引から発生したものとして相殺消去します。

（借）受取利息　800　（貸）支払利息　800

貸付額20,000千円×年利率４％＝800千円

応用  テキスト 第1・3・4・10章

44 仕訳問題1

解答

	借方科目	金額	貸方科目	金額
1	カ	654,500	エ	654,500
2	イ	200,000	オ エ	140,000 60,000
3	ア ウ	5,034,000 6,000	イ エ	5,000,000 40,000
4	イ	6,798,000	オ エ	6,600,000 198,000
5	キ	1,450,000	イ オ	800,000 650,000

解説

仕訳問題対策では、満遍なく学習しておくことが大切です。基本から標準レベルの問題を速くかつ正確に解けるようになりましょう。

解答にあたっては、借方と貸方のそれぞれについて、勘定科目を複数回使ってはいけないルールになっています。

1．貸倒引当金の設定

電子記録債権については、２％の貸倒実績率で貸倒引当金を計算します。一方、貸付金については債務者の財政状態の悪化により通常の債権とは区別して貸倒引当金を設定します。

電子記録債権の貸倒引当金：1,250,000円×２％＝25,000円
貸付金の貸倒引当金：1,600,000円×40％＝640,000円
貸倒引当金繰入：25,000円＋640,000円－貸倒引当金残高10,500円
＝654,500円

(借)			(貸)		
(借)	貸倒引当金繰入	654,500	(貸)	貸倒引当金	654,500

2．その他有価証券の時価評価

長期利殖目的で保有する株式はその他有価証券に該当します。その他有価証券の時価評価について税効果会計を適用する場合、時価と帳簿価額との差額である評価差額のうち、評価差額に法定実効税率を掛けた金額は繰延税金資産または繰延税金負債とします。また、残額はその他有価証券評価差額金で処理します。

評価差額：1,000,000円－800,000円＝200,000円
繰延税金負債：200,000円×30％＝60,000円
その他有価証券評価差額金：200,000円－60,000円＝140,000円

(借)			(貸)		
(借)	その他有価証券	200,000	(貸)	その他有価証券評価差額金	140,000
				繰延税金負債	60,000

3．受取利息および源泉所得税

満期となった定期預金の元本部分と利息部分に分けて考えると、分りやすいです。元本部分と利息部分の手取額の合計が、普通預金に入金されています。また、受取利息のうち、控除された（源泉徴収された）源泉所得税は、法人税等の前払い（中間申告と同様の扱い）として、仮払法人税等で処理します。

受取利息：5,000,000円×年利率0.8％＝40,000円
源泉所得税：40,000円×15％＝6,000円

〈元本部分〉

(借) 普通預金	5,000,000	(貸) 定期預金	5,000,000

〈利息部分〉

(借) 普通預金	34,000	(貸) 受取利息	40,000
仮払法人税等	6,000		

〈解答の仕訳〉

(借) 普通預金	5,034,000	(貸) 定期預金	5,000,000
仮払法人税等	6,000	受取利息	40,000

4．土地の取得原価

固定資産の取得原価は、購入代価に付随費用を加算した金額です。本問では、購入手数料のほか、土地の整地に要した費用や不動産取得税も取得原価を構成します。また、商品売買取引のことを主たる営業取引といいますが、主たる営業取引以外の取引で手形債務が増加したときは、営業外支払手形で処理します。

(借) 土地	6,798,000	(貸) 営業外支払手形	6,600,000
		未払金	198,000

5．研究開発費

研究開発目的に要した費用は、すべて当期の費用として研究開発費で処理します。本問では、研究開発部門の人件費、研究開発目的にのみ使用する備品の両方が、研究開発費の対象です。なお、研究開発活動に使用した後、他の目的に使用することができる固定資産を取得したときは、通常どおり固定資産として処理し、研究開発活動で使用した期間などに応じた減価償却費を研究開発費として処理します。

(借) 研究開発費	1,450,000	(貸) 普通預金	800,000
		未払金	650,000

応用 テキスト 第1・6・10・11・13章

45 仕訳問題２

解答

	借方科目	金額	貸方科目	金額
1	イ ア	3,500,000 9,700,000	キ イ エ	3,500,000 9,000,000 700,000
2	キ ウ	220,000 550,000	エ イ カ	700,000 20,000 50,000
3	オ	200,000	キ	200,000
4	エ カ	1,620,000 45,000	キ エ	1,620,000 45,000
5	イ	1,120,000	オ ウ	280,000 840,000

解説

仕訳の仕方について問題文に指示ある場合には、その指示に従わなければなりません。例えば、建物取得時の仕訳で、いったん建設仮勘定に計上するという指示があるときは、建設仮勘定を相殺しないで解答するので、建設仮勘定を借方と貸方で１回ずつ使って仕訳をします。

1．建設仮勘定

建物が完成して引渡しを受けた場合は、取得原価を建物として計上します。取得原価は、本体価格（建設請負金額）および付随費用（登記手数料）の合計額です。問題文の指示に従って、建設請負金額は、いったん、建設仮勘定に計上します。その上で、建設請負金額総額を建設仮勘定から建物に振替えるとともに、登記手数料も建物に計上します。

(借)	科目	金額	(貸)	科目	金額
(借)	建設仮勘定	3,500,000	(貸)	当座預金	3,500,000
	建物	9,700,000		建設仮勘定	9,000,000
				現金	700,000

2．剰余金の配当

繰越利益剰余金だけでなく、その他資本剰余金からも配当が行われています。繰越利益剰余金から配当が行われた場合は、利益準備金を積み立てますが、その他資本剰余金から配当が行われえた場合は資本準備金を積み立てます。本問は、問題文の指示によりそれぞれの配当額の10分の１の金額を積み立てます。

(借)	科目	金額	(貸)	科目	金額
(借)	その他資本剰余金	220,000	(貸)	未払配当金	700,000
	繰越利益剰余金	550,000		資本準備金	20,000
				利益準備金	50,000

3．商品保証引当金

商品を品質保証付で販売した場合には、次期以降の将来に発生するであろう修理などの商品保証費を引当金として決算で見積計上します。保証期間内で修理の申し出があったときは、計上済みの商品保証引当金を充当します。もし計上済みの商品保証引当金よりも修理などの費用の方が多額になった場合は、商品保証引当金を上回った分は、当期の費用として商品保証費や補修費を計上します。

(借)	科目	金額	(貸)	科目	金額
(借)	商品保証引当金	200,000	(貸)	現金	200,000

4．長期前払費用の振替

一括払いした保険料をいったん資産計上するために、長期前払費用で処理します。その後、当月分のみを費用計上するために、長期前払費用から支払保険料に振替えます。なお、支払いを普通預金から行っていることにも注意が必要です。

当月分保険料：1,620,000円÷36ヶ月＝45,000円

(借)	長期前払費用	1,620,000	(貸)	普通預金	1,620,000
	支払保険料	45,000		長期前払費用	45,000

5．租税公課

固定資産税は1年分の税額を4回に分けて納付しますが、納税通知書を受取った段階で、4回分全額を費用にする方法と納付時に費用に計上する方法があります。本問では、前者の方法で処理します。第1期分は納付済みなので第2期から第4期までの840,000円を未払金で処理します。

(借)	租税公課	1,120,000	(貸)	現金	280,000
				未払金	840,000

応用  テキスト 第3・5～7章

46 仕訳問題3

解答

	借方科目	金額	貸方科目	金額
1	ア	550,000	カ イ	350,000 200,000
2	ア	264,000	カ オ	257,400 6,600
3	カ ア キ	50,400 120,000 45,600	ウ	216,000
4	ア ウ キ	31,000 194,000 6,000	カ オ	210,000 21,000

解説

収益の認識基準が論点となっている問題では、履行義務の充足に応じて収益を計上します。ただし、「収益の計上＝債権の計上」とは限らないことにも注意が必要です。また、受取る対価の額が減少する見込がある場合には、その分は、収益を計上しません。

1．2つの履行義務がある場合の収益の認識

1つの契約の中に2つの履行義務があり、そのうちの1つである商品Bを引渡すという履行義務を果たすまでは、代金の請求はできない契約です。このような場合、商品Bを引渡すまでの間、商品Aの代金を受取る権利は、債権とは考えません。そこで、商品Aを引渡した時点では、売上を計上するとともに、契約資産という資産が増えたと考えます。

本日、商品Ｂの引渡しを行ったので、商品Ｂの分の売上を計上します。また、商品Ａの代金も含め、代金の請求ができるようになったので、商品Ａ及び商品Ｂの代金合計を債権である売掛金で処理します。つまり、商品Ａについてのお金を受取る権利は、契約資産という資産から売掛金に変わったと考えて仕訳をします。

(借)			(貸)		
	売掛金	550,000		売上	350,000
				契約資産	200,000

２．売上割戻（変動対価）

商品の販売時において売上割戻が見込まれる場合、予想される割戻額は、将来リベートとして支払う予定があると考え、返金負債で処理します。そして、予想される割戻額を差引いた金額を売上として収益計上します。

返金負債：@20円×330個＝6,600円

売上：（@800円－@20円）×330個＝257,400円

(借)			(貸)		
	売掛金	264,000		売上	257,400
				返金負債	6,600

３．有形固定資産の除却

備品の除却時の帳簿価額と処分価値との差額を固定資産除却損とし、その処分価値は売却や再利用するまで貯蔵品とします。

備品の償却率：１÷耐用年数５年 ×200％＝0.4

前々期減価償却費：600,000円×0.4＝240,000円

前期減価償却費：（600,000円－240,000円）×0.4＝144,000円

当期首減価償却累計額：240,000円＋144,000円＝384,000円

当期の減価償却費：（600,000円－384,000円）×0.4×$\frac{7ヶ月}{12ヶ月}$＝50,400円

除却時の帳簿価額：600,000円－384,000円－50,400円＝165,600円

固定資産除却損：165,600円－120,000円＝45,600円

(借)			(貸)		
	減価償却費	50,400		備品	216,000
	貯蔵品	120,000			
	固定資産除却損	45,600			

4．クレジット売掛金

クレジット販売により生じた信販会社に対するクレジット手数料は支払手数料で処理します。また、売上代金に対して課税された消費税は仮受消費税で処理します。クレジット手数料には消費税が課税されないため、仮払消費税は生じません。

販売代金（税抜価格）：231,000円×$\frac{100}{110}$＝210,000円

仮受消費税：210,000円×10％＝21,000円
支払手数料：（231,000円－31,000円）×３％＝6,000円
クレジット売掛金：231,000円－31,000円－6,000円＝194,000円

（借）	現　　　金	31,000	（貸）	売　　　上	210,000
	クレジット売掛金	194,000		仮受消費税	21,000
	支払手数料	6,000			

応用 テキスト 第1・13章

47 貸借対照表の表示区分

解答

貸借対照表(一部)
×7年3月31日
(単位：千円)

資産の部		負債の部	
Ⅰ 流動資産		Ⅰ 流動負債	
1 現金預金	(164,200)	1 支払手形	(30,000)
:		2 短期借入金	(20,000)
:		3 (営業外支払手形)	(100,000)
4 有価証券	(17,800)	:	
5 (商品)	(111,000)	Ⅱ 固定負債	
6 前払費用	(11,520)	1 長期借入金	(40,000)
:		:	
Ⅱ 固定資産			
:			
投資その他の資産			
1 投資有価証券	(25,000)		
2 (関係会社株式)	(220,000)		
3 長期前払費用	(17,280)		
:			

解説

貸借対照表の表示区分は、とても重要です。「正常営業循環基準」と「一年基準」によって分類されるので、この２つの基準で分類できるようにしてください。

1. 現金預金

現金、普通預金、当座預金は、まとめて「現金預金」で表示します。

現金預金：現金20,000千円＋普通預金48,000千円＋当座預金96,200千円
＝164,200千円

2．有価証券

満期保有目的債券の満期日は、×8年3月31日で決算日の翌日から数えて1年以内に満期が到来するので、流動資産に表示します(一年基準)。そのため、貸借対照表の「有価証券」は売買目的有価証券と満期保有目的債券の合計額になります。

有価証券：売買目的有価証券8,000千円＋満期保有目的債券9,800千円
＝17,800千円

3．商品

残高試算表の繰越商品は貸借対照表上「商品」として表示します。

4．前払費用・長期前払費用

保険料は10月1日に支払われており、そのうち当期分(6ヶ月分)は費用処理されているので、残高試算表の前払費用は残りの30ヶ月分です。そのうち、次期に費用化される分(12ヶ月分)を「前払費用」に、次期に費用化されない分(×8年4月以降に費用化される18ヶ月分)を「長期前払費用」に表示します。

前払費用：28,800千円×$\frac{12ヶ月}{30ヶ月}$＝11,520千円

長期前払費用：28,800千円×$\frac{18ヶ月}{30ヶ月}$＝17,280千円

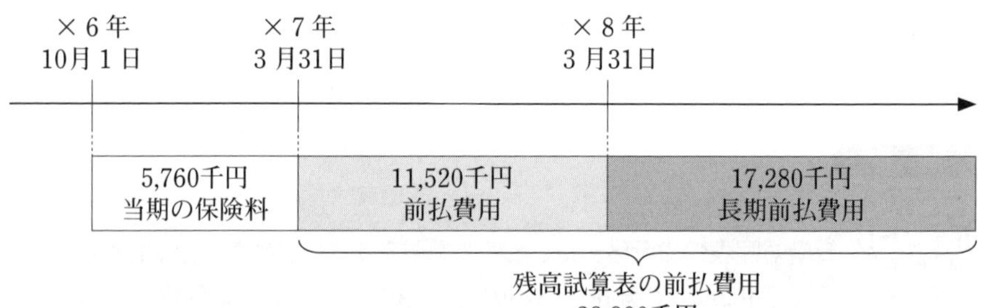

5．関係会社株式・投資有価証券

子会社株式・関連会社株式は、まとめて「関係会社株式」として表示します。

関係会社株式：子会社株式150,000千円＋関連会社株式70,000千円
＝220,000千円

また、保有しているその他有価証券が株式の場合は、投資その他の資産に「投資有価証券」として表示します。一方、保有しているその他有価証券が債券の場合は一年基準に従って、決算日の翌日から数えて１年以内に満期が到来する場合は流動資産に「有価証券」として、１年を超えて満期が到来する場合は投資その他の資産に「投資有価証券」として表示します。本問のその他有価証券25,000千円は株式なので、「投資有価証券」として表示します。

6．支払手形

残高試算表の支払手形130,000千円のうち、機械装置を購入する際に振出した約束手形100,000千円は流動負債に「営業外支払手形」として表示します。残りの30,000千円は流動負債に「支払手形」として表示します。

7．借入金

残高試算表の借入金は、×５年４月１日に借入れた100,000千円のうちまだ返済されていない60,000千円です。この60,000千円を20,000千円ずつの３年にわたり返済するので、一年基準により、決算日の翌日から数えて１年以内に返済日が到来する20,000千円（×８年３月31日返済分）は流動負債に「短期借入金」として、１年を超えて返済日が到来する40,000千円（×９年３月31日、×10年３月31日返済分）は固定負債に「長期借入金」として表示します。

応用  テキスト 第1・3章

48 貸倒引当金

解答

損益計算書(一部)
自×2年4月1日 至×3年3月31日 (単位：円)

販売費及び一般管理費		
：		
貸倒引当金繰入	(	112,400)
：		
営業外費用		
貸倒引当金繰入	(	3,500)
：		

貸借対照表(一部)
×3年3月31日 (単位：円)

資産の部			負債の部	
：		：		
受取手形	(650,000)		：	：
貸倒引当金	(13,000)	(637,000)		
売掛金	(400,000)		：	：
貸倒引当金	(119,000)	(281,000)		
電子記録債権	(220,000)			
貸倒引当金	(4,400)	(215,600)		
：		：		
貸付金	(800,000)			
貸倒引当金	(24,000)	(776,000)		
：		：		

解　説

貸倒引当金の算定においては、期中の未処理事項などで、債権の金額が変わる場合があります。そのため、総合問題などでは問題文の全体を見渡して、影響がありそうな箇所はあらかじめチェックするといいでしょう。

1．甲社に対する売掛金

債権額200,000円から担保処分見込額40,000円を控除した残額の60％の金額を貸倒見積高とします。

貸倒引当金(甲社)：(200,000円－40,000円)×60％＝96,000円

2．乙社に対する売掛金

債権額50,000円の40％を貸倒見積高とします。

貸倒引当金(乙社)：50,000円×40％＝20,000円

3．その他の売上債権

債権額の２％を貸倒見積高とします。

① 受取手形：650,000円×２％＝13,000円

② 売掛金：150,000円(売掛金400,000円－甲社分200,000円－乙社分50,000円)×２％＝3,000円

③ 電子記録債権：220,000円×２％＝4,400円

④ 合計(①＋②＋③)：20,400円

4．貸付金

貸付金期末残高800,000円の３％を貸倒見積高とします。

貸付金：800,000円×３％＝24,000円

5．販売費及び一般管理費に計上される貸倒引当金繰入

売上債権に対する貸倒引当金繰入は、販売費及び一般管理費に表示されます。そのため、上記１～３の合計額から決算整理前の売上債権に対する貸倒引当金24,000円を控除した金額が、販売費及び一般管理費に計上される貸倒引当金繰入になります。

繰入額：(96,000円＋20,000円＋20,400円)－売上債権に対する貸倒引当金24,000円＝112,400円

6．営業外費用に計上される貸倒引当金繰入

本問では営業外債権は貸付金しかありません。よって、貸付金に対する貸倒見積高から決算整理前の営業外債権に対する貸倒引当金20,500円を控除した金額が、営業外費用に計上される貸倒引当金繰入になります。

繰入額：24,000円－営業外債権に対する貸倒引当金20,500円＝3,500円

応用 テキスト 第4章

49 有価証券

解答

有価証券利息

日付	摘要	金額	日付	摘要	金額
1/ 1	未収有価証券利息	(7,500)	3/31	当座預金	(15,000)
12/31	(損益)	(38,000)	9/30	当座預金	(15,000)
			12/31	未収有価証券利息	(7,500)
			〃	(満期保有目的債券)	(8,000)
		(45,500)			(45,500)

解説

有価証券利息勘定を作成する問題です。ポイントは、①有価証券利息の未収の処理と再振替仕訳と②償却原価法の処理です。

〈×1年度〉

① 10月1日社債取得時

取得価額：1,000,000円×$\frac{96円}{100円}$＝960,000円

(借) 満期保有目的債券 960,000 (貸) 当座預金 960,000

② 12月31日決算時

未収有価証券利息：1,000,000円×3％×$\frac{3ヶ月}{12ヶ月}$＝7,500円

償却額：(1,000,000円－960,000円)×$\frac{3ヶ月}{60ヶ月}$＝2,000円

(借) 未収有価証券利息 7,500 (貸) 有価証券利息 7,500
(借) 満期保有目的債券 2,000 (貸) 有価証券利息 2,000

×１年度の有価証券利息：7,500円＋2,000円＝9,500円
×１年度末の社債の貸借対照表価額：960,000円＋2,000円＝962,000円

〈×２年度〉

① １月１日期首再振替時

（借）	有価証券利息	7,500	（貸） 未収有価証券利息	7,500

② ３月31日利払時

社債利息：1,000,000円×３％×$\frac{6ヶ月}{12ヶ月}$＝15,000円

（借）	当座預金	15,000	（貸） 有価証券利息	15,000

③ ９月30日利払時

（借）	当座預金	15,000	（貸） 有価証券利息	15,000

④ 12月31日決算時

償却額：（1,000,000円－960,000円）×$\frac{12ヶ月}{60ヶ月}$＝8,000円

（借）	未収有価証券利息	7,500	（貸） 有価証券利息	7,500
（借）	満期保有目的債券	8,000	（貸） 有価証券利息	8,000

×２年度の有価証券利息：15,000円＋15,000円＋7,500円＋8,000円
－7,500円＝38,000円
×２年度末の有価証券の貸借対照表価額：962,000円＋8,000円
＝970,000円

応用 テキスト 第6章

50 減価償却 1

解答

備品

1/ 1	前期繰越	(652,750)	3/31	諸口	(350,000)
8/ 1	現金	(440,000)	10/31	諸口	(302,750)
			12/31	減価償却費	(20,625)
			〃	次期繰越	(419,375)
		(1,092,750)			(1,092,750)

減価償却費

3/31	諸口	(18,750)	12/31	損益	(91,875)
10/31	備品	(52,500)			
12/31	備品	(20,625)			
		(91,875)			(91,875)

解説

備品ごとに、過年度の減価償却と当期中の取引について確認していきましょう。本問では直接法で記帳しているため、減価償却を行うたびに備品勘定の貸方に記入しています。よって、備品の前期繰越高は、当期首時点での備品の実質価値となっています。

〈備品 A〉

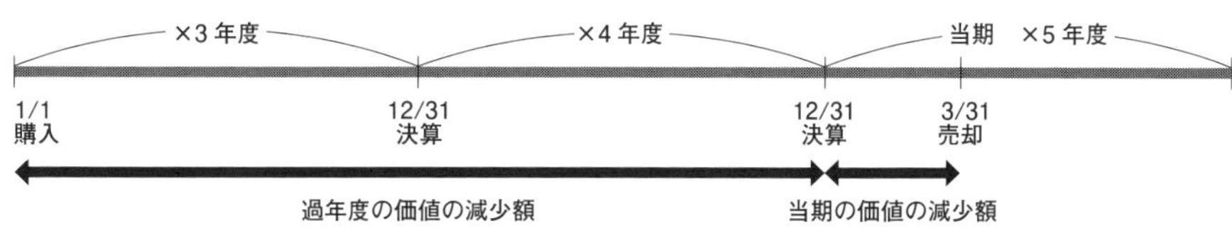

〈備品 B〉

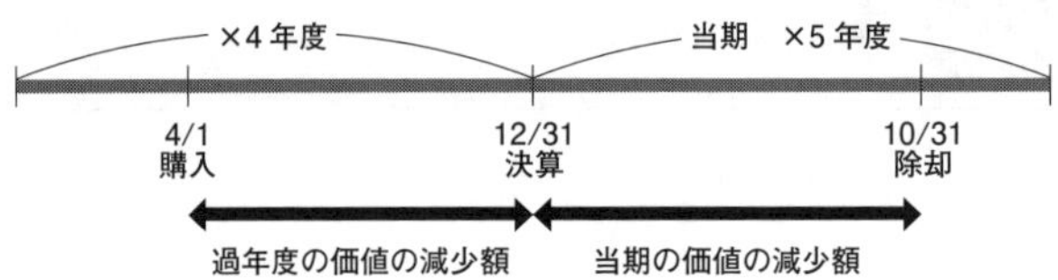

〈備品 C〉

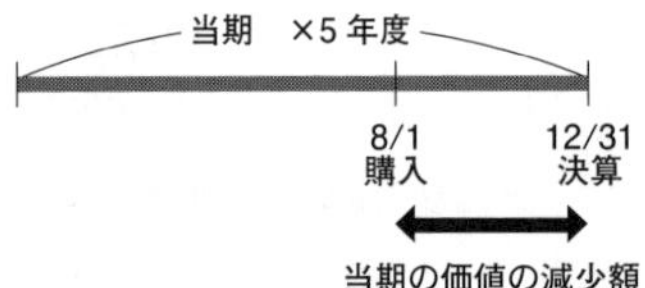

〈前期以前の仕訳〉

×３年１/１

（借）備　　品(A)	500,000	（貸）現　　金	500,000

×３年12/31

（借）減価償却費	75,000	（貸）備　　品(A)	75,000

備品Ａの減価償却費：¥500,000×0.9÷６年＝¥75,000

×４年４/１

（借）備　　品(B)	350,000	（貸）現　　金	350,000

×４年12/31

（借）減価償却費	75,000	（貸）備　　品(A)	75,000
（借）減価償却費	47,250	（貸）備　　品(B)	47,250

備品Ａの減価償却費：¥500,000×0.9÷６年＝¥75,000

備品Ｂの減価償却費：¥350,000×0.9÷５年×$\frac{9ヶ月}{12ヶ月}$＝¥47,250

備品の前期繰越高は、取得原価から過年度の価値の減少額を差引いて求めることができます。

備品Ａ：取得原価 ¥500,000－過年度の価値の減少額(¥75,000＋¥75,000)
＝¥350,000

備品Ｂ：取得原価￥350,000－過年度の価値の減少額￥47,250＝￥302,750
備品の前期繰越高：￥350,000＋￥302,750＝￥652,750

〈当期の仕訳〉
×５年３/31
備品Ａの売却時の帳簿価額と売却価額との差額を備品売却損益とします。

（借）	減価償却費	18,750	（貸）	備　品(A)	350,000
	現　金	335,000		備品売却益	3,750

当期の減価償却費：￥500,000×0.9÷６年×$\frac{3ヶ月}{12ヶ月}$＝￥18,750

帳簿価額：￥350,000－￥18,750＝￥331,250
備品売却益：売却価額￥335,000－帳簿価額￥331,250＝￥3,750

×５年８/１

（借）	備　品(C)	440,000	（貸）	現　金	440,000

×５年10/31
備品Ｂの除却時の帳簿価額と処分価値との差額を備品除却損とします。

（借）	減価償却費	52,500	（貸）	備　品(B)	302,750
	貯蔵品	220,000			
	備品除却損	30,250			

当期の減価償却費：￥350,000×0.9÷５年×$\frac{10ヶ月}{12ヶ月}$＝￥52,500

帳簿価額：￥302,750－￥52,500＝￥250,250
備品除却損：帳簿価額￥250,250－処分価値￥220,000＝￥30,250

×５年12/31

（借）	減価償却費	20,625	（貸）	備　品(C)	20,625

備品Ｃの減価償却費：￥440,000×0.9÷８年×$\frac{5ヶ月}{12ヶ月}$＝￥20,625

当期の仕訳を備品勘定と減価償却費勘定に転記します。減価償却費勘定の残高は損益勘定に振替え、備品勘定の残高は次期に繰越します。

応用  テキスト 第7～9章

51 減価償却2

解答

決算整理後残高試算表 （単位：円）

借方	勘定科目	貸方
	：	
22,400,000	建物	
4,200,000	機械	
8,000,000	備品	
1,200,000	土地	
6,600,000	リース資産	
285,000	（**のれん**）	
1,170,000	ソフトウェア	
	：	
	リース債務	5,500,000
	（**未払リース料**）	140,000
	建物減価償却累計額	8,390,400
	機械減価償却累計額	1,890,000
	備品減価償却累計額	3,904,000
	リース資産減価償却累計額	1,100,000
	：	
2,792,400	減価償却費	
15,000	のれん償却	
360,000	ソフトウェア償却	
140,000	支払リース料	
	固定資産受贈益	2,600,000
2,600,000	（**固定資産圧縮損**）	
×××		×××

解　説

複数の固定資産が絡んだ総合問題です。様々な処理を行う必要がありますが、復習のポイントは学習論点を意識することです。各論点の内容を、一つ一つを丁寧に積み上げて復習してください。

1．機械およびファイナンス・リース取引

当期首に機械のファイナンス・リース取引を開始していますが、現金で機械を取得した処理をしているので、正しい処理(リース資産およびリース債務の計上)に修正します。この際、本問では利子込法を採用しているので、リース資産およびリース債務の計上はリース料総額で行います。

〈リース資産の計上(修正仕訳)〉

(借)	リース資産	6,600,000	(貸)	機　　械	6,600,000

〈リース債務の計上(修正仕訳)〉

(借)	現　　金	6,600,000	(貸)	リース債務	6,600,000

〈リース料の支払い(期中未処理)〉

また、リース料支払日(×9年3月31日)においては1年あたりのリース料をリース債務の返済として処理します。

(借)	リース債務	1,100,000	(貸)	現　　金	1,100,000

〈決算時(リース資産)〉

決算においてはリース資産の減価償却費を計上します。なお、リース資産は残存価額はゼロ、耐用年数はリース期間で減価償却費を計算します。

(借)	減価償却費	1,100,000	(貸)	リース資産減価償却累計額	1,100,000

減価償却費：6,600,000円÷6年＝1,100,000円

〈決算時（機械）〉

(借) 減価償却費	378,000	(貸) 機械減価償却累計額	378,000

機械の取得原価：決算整理前残高10,800,000円－リース資産6,600,000円
＝4,200,000円

減価償却費：4,200,000円×0.9÷10年＝378,000円

2．備品およびオペレーティング・リース取引

オペレーティング・リース取引は、ファイナンス・リース取引と異なり、リース資産およびリース債務を計上しません。リース料支払日に支払リース料を計上するのみですが、本問はリース料支払日と決算日がズレているので、決算整理で、支払リース料の見越計上を行います。

〈決算時（支払リース料の見越計上）〉

(借) 支払リース料	140,000	(貸) 未払リース料	140,000

未払リース料：リース料年額240,000円×$\frac{7ヶ月}{12ヶ月}$＝140,000円

〈決算時（備品）〉

(借) 減価償却費	1,024,000	(貸) 備品減価償却累計額	1,024,000

減価償却費：（8,000,000円－2,880,000円）×20％＝1,024,000円

3．建物

建物の取得に際して交付を受けた国庫補助金が、仮受金として処理されているので修正する必要があります。また、同時に直接減額方式で圧縮記帳を行っているので、圧縮記帳の処理もする必要があります。

〈国庫補助金の受取（修正仕訳）〉

(借) 仮受金	2,600,000	(貸) 国庫補助金受贈益	2,600,000

〈直接減額方式による圧縮記帳（期中未処理）〉

直接減額方式での圧縮記帳により、国庫補助金相当額2,600,000円を建物の帳簿価額から減額します。

（借）建物圧縮損	2,600,000	（貸）建　　　物	2,600,000

〈決算時（建物：当期12月１日取得分）〉

（借）減価償却費	56,400	（貸）建物減価償却累計額	56,400

建物の減価償却費の基礎となる金額：12,000,000円－2,600,000円
＝9,400,000円

減価償却費：$9,400,000円 \times 0.9 \div 50年 \times \frac{4ヶ月}{12ヶ月} = 56,400円$

〈決算時（建物：前期以前取得分）〉

（借）減価償却費	234,000	（貸）建物減価償却累計額	234,000

建物の取得原価：決算整理前残高25,000,000円－当期取得建物12,000,000円
＝13,000,000円

減価償却費：13,000,000円×0.9÷50年＝234,000円

４．ソフトウェア

ソフトウェアは無形固定資産なので、減価償却計算の記帳方法は直接法のみです。そのため、決算整理前残高1,530,000円は未償却残高を示します。そのため、決算整理前残高1,530,000円を残存償却期間51ヶ月で割ることにより１ヶ月あたりの償却額を算定できます。

〈決算時〉

（借）ソフトウェア償却	360,000	（貸）ソフトウェア	360,000

残存償却期間：利用可能期間60ヶ月（５年）－経過期間９ヶ月＝51ヶ月

ソフトウェア償却：$決算整理前残高1,530,000円 \times \frac{12ヶ月}{51ヶ月} = 360,000円$

5．事業買収

当期首に行われた久留米商会の衣料品事業の買収について未処理なので、必要な処理を行います。事業買収では、事業買収時の時価で対象となる事業を取込むと考えるので、本問の土地のように、帳簿価額と時価が異なる場合には、時価で評価する点に注意が必要です（合併の場合も同様です）。また、事業買収に伴って計上したのれんは、決算において償却します。本問ののれんの償却期間は最長償却期間なので、計上時より20年間で償却します。

〈事業買収（期中未処理）〉

(借)	諸資産	5,000,000	(貸)	諸負債	3,500,000
	土地	1,200,000		現金預金	3,000,000
	のれん	300,000			

〈決算時〉

(借)	のれん償却	15,000	(貸)	のれん	15,000

のれん償却：300,000円÷最長償却期間20年＝15,000円

6．減価償却費

リース資産1,100,000円＋機械378,000円＋備品1,024,000円＋建物（当期取得分）56,400円＋建物（前期以前取得分）234,000円＝2,792,400円

応用 テキスト 第6～7章

52 有形固定資産

解答

問 1

1,050,000	円

問 2

①

借方科目	金額	貸方科目	金額
機械	5,000,000	現金預金	1,000,000
仮払消費税	500,000	未払金	4,740,000
長期前払費用	240,000		

②

借方科目	金額	貸方科目	金額
未払金	79,000	現金預金	79,000

③

借方科目	金額	貸方科目	金額
支払利息	24,000	長期前払費用	24,000
減価償却費	250,000	減価償却累計額	250,000

問3

借方科目	金額	貸方科目	金額
減価償却累計額	270,000	車両	1,200,000
減価償却費	54,000	営業外支払手形	250,000
車両	1,100,000		
固定資産売却損	26,000		

問4

232,400	円

解　説

比較的難易度の高い固定資産の問題です。資本的支出として資産の帳簿価額に加算するのは、その資産の価値を増加させていると考えるからです。そのため本問のように「耐震機能を向上」と指示があれば資本的支出になりますが、「単なるメンテナンス」などの指示があれば資産の価値を増加させた支出とはいえないので「収益的支出」とします。

問1

耐震機能を向上させるための支出は資産の価値を増加させるための支出といえるので、4,400,000円は資本的支出に該当します。資本的支出部分は問題文の指示に従って、本体部分と同様に期首時点の残存耐用年数22年（耐用年数30年－経過年数8年）にわたって減価償却を実施していきます。

減価償却費（本体部分）：30,000,000円÷30年＝1,000,000円

減価償却費（資本的支出部分）：4,400,000円÷22年×$\frac{3ヶ月}{12ヶ月}$＝50,000円

減価償却費（合計）：1,000,000円＋50,000＝1,050,000円

問2

① 機械を分割購入しています。税抜方式を採用しているので、機械の取得原価5,000,000円に消費税500,000円は含めません。また、割賦利息込みで月79,000円を購入月より60ヶ月の分割払いとしており、頭金1,000,000円を除いた利息込みの支払総額は79,000円×60ヶ月＝4,740,000円となります（未払金で仕訳）。ここで、利息を除いた残りの支払総額は（機械5,000,000円＋消費税500,000円－頭金1,000,000円）＝4,500,000円なので利息の金額は4,740,000円－4,500,000円＝240,000円になります。この利息部分240,000円は問題文の指示に従って取得時には資産の勘定で処理しますので「長期前払費用」勘定で仕訳します。

② 分割代金を支払ったときは、未払金を取崩します。

③ 決算時には、問題文の指示に従って、利息を定額法により費用計上します。機械を分割購入したのは当期の10月1日なので、3月31日までの6ヶ月分の利息を計上し、長期前払費用を取崩します。

支払利息：利息総額240,000円×$\frac{6ヶ月}{60ヶ月}$＝24,000円

また、当期の減価償却費も計上します。

$$減価償却費：5,000,000円÷10年×\frac{6ヶ月}{12ヶ月}=250,000円$$

なお、１ヶ月の支払い79,000円の内訳は、本体部分75,000円＋利息部分4,000円です。

本体部分：利息抜き支払総額4,500,000円÷60ヶ月＝75,000円

利息部分：利息の金額240,000円÷60ヶ月＝4,000円

復習しよう！

購入時に計上する割賦利息については、本問のように「長期前払費用」や「前払費用」として処理する方法のほかに、「支払利息」として処理する場合もあります。この場合、決算時に未経過高を「長期前払費用」や「前払費用」に振替えます。

〈購入時〉

（借）	機械	5,000,000	（貸）	現金預金	1,000,000
	仮払消費税	500,000		未払金	4,740,000
	支払利息	240,000			

〈決算時〉

（借）	長期前払費用	216,000	（貸）	支払利息	216,000

$$未経過高：240,000円×\frac{54ヶ月}{60ヶ月}=216,000円$$

問3

車両の一部を買換えています。車両の取得日や買換えのタイミングが問題文から判明しませんが、生産高比例法により減価償却計算を行っており、解答の仕訳を求めることについては問題ありません。買換えた車両の買換時の走行距離は3,600kmであり、そのうち当期の走行距離は600kmなので、前期までに計上されている減価償却累計額と当期(買換時)に計上すべき減価償却費は以下のように求めることができます。

$$\text{減価償却累計額：}1,200,000\text{円}\times0.9\times\frac{3,000\text{km}}{12,000\text{km}}=270,000\text{円}$$

$$\text{減価償却費：}1,200,000\text{円}\times0.9\times\frac{600\text{km}}{12,000\text{km}}=54,000\text{円}$$

また、問題文からは下取価額が判明しませんが、固定資産売却損が26,000円と示されているので、以下のように下取価額を求めることができます。

買換時車両帳簿価額：取得価額1,200,000円－(減価償却累計額270,000円＋減価償却費54,000円)＝876,000円

下取価額：買換時車両帳簿価額876,000円－固定資産売却損26,000円＝850,000円

なお、新車両の購入価額1,100,000円と下取価額850,000円の差額250,000円を手形を振出して支払っていますが、営業外取引なので「営業外支払手形」を使います。

876,000円の車両が850,000円で売れたってことだね。

問 4

当期の12月末に備品を除却しています。除却時の帳簿価額から除却資産の評価額を差引いた金額が固定資産除却損となります。

除却時の帳簿価額：取得価額1,200,000円－(768,000円＋129,600円)
＝302,400円

当期首までの２年分の減価償却費：×７年度480,000円＋×８年度288,000円＝768,000円

×７年度：1,200,000円×償却率40％＝480,000円

×８年度：(1,200,000円－480,000円)×償却率40％＝288,000円

×９年度(除却時まで)：(1,200,000円－480,000円－288,000円)×償却率40％×$\frac{9ヶ月}{12ヶ月}$＝129,600円

固定資産除却損：除却時の帳簿価額302,400円－評価額70,000円＝232,400円

〈除却時の仕訳〉

(借)	減価償却累計額	768,000	(貸)	備　　品	1,200,000
	減価償却費	129,600			
	貯　蔵　品	70,000			
	固定資産除却損	232,400			

応用 テキスト 第5章

53 役務収益・役務原価

解 答

（問１）

損 益 計 算 書 （単位：千円）
×３年４月１日 至×４年３月31日

Ⅰ 役 務 収 益		（ 4,222,100）
Ⅱ 役 務 原 価		
報 酬	（ 3,149,675）	
そ の 他	（ 42,000）	（ 3,191,675）
売 上 総 利 益		（ 1,030,425）
：		

（問２）

2,700	千円

解 説

難易度の高い役務収益・役務原価の問題です。ポイントは問題文をよく読み状況を把握することです。多くの問題で、役務原価の計上時期がズレているといったケースが想定されます。この場合、いつ役務収益を計上すべきかに注意を払ってください。基本的には、そのタイミングで役務原価を計上します。また、サービスの提供を主たる営業としている会社の損益計算書についてもおさえましょう。

１．決算整理前残高試算表の仕掛品2,300千円は役務提供に係る給与の先払分です。３月に役務収益が計上されたので、それに伴い仕掛品2,300千円を「役務原価」に振替えます。

（借）役務原価（報酬）	2,300	（貸）仕 掛 品	2,300

また、４月以降に計上される「役務収益」に係る「役務原価」がすでに計上されています。役務原価は役務完了時（役務収益計上時）に計上される費用であり、

当期の費用として計上すべきではありません。そのため、役務原価2,700千円を「仕掛品」に振替えます。

(借)	仕掛品	2,700	(貸)	役務原価(報酬)	2,700

2．①の形態において勤務報告書の提出漏れがあります。①の形態は勤務報告書の時間に基づき役務収益・役務原価を計上するので、決算において当該勤務報告書の未計上分を計上します。給与は１時間あたり750円であり、総勤務時間は100時間なので、100時間×750円で75千円の役務原価を計上します。同時に、当該役務原価に対応する役務収益も計上します。顧客の請求額の75％が役務原価なので、75千円÷75％で100千円が計上する役務収益になります。

(借)	売掛金	100	(貸)	役務収益	100
(借)	役務原価(報酬)	75	(貸)	未払金	75

応用　テキスト　第12章

54 外貨換算会計

解答

決算整理後残高試算表　(単位：千円)

借　方	勘定科目	貸　方
	：	
102,200	備　　　品	
1,080	前　渡　金	
	：	
	買　掛　金	92,250
	長期借入金	332,000
	未払費用	440
	(**未　払　金**)	66,000
	：	
20,730	為替差損益	
8,960	支払利息	
	：	
×××		×××

解説

外貨建取引から決算整理後残高試算表を作成する問題です。決算時に換算替えする項目と換算替えしない項目をきちんと整理しておくことが大切です。

1．借入金

⑴　借入時(×６年９月１日)

資金の貸借取引が行われた場合、借入金等の債権債務は取引発生時(借入時：×６年９月１日)の直物為替相場で換算します。

(借) 当座預金	112,800	(貸) 長期借入金	112,800

長期借入金：1,200千ドル×94円／ドル＝112,800千円

⑵　利払日(×７年２月28日)

利息の支払いが行われた場合、取引発生時(利息支払時：×７年２月28日)の直物為替相場で換算します。

(借) 支払利息	2,520	(貸) 現金預金	2,520

支払利息：1,200千ドル×４％×$\frac{6ヶ月}{12ヶ月}$×105円／ドル＝2,520千円

⑶　決算時(×７年３月31日)

①　借入金の換算

借入金は貨幣項目なので、決算時には決算時の直物為替相場で換算します。

(借) 為替差損益	19,200	(貸) 長期借入金	19,200

為替差損益：1,200千ドル×110円／ドル－帳簿価額112,800千円
＝19,200千円

②　未払利息の計上

本問は決算日と利払日が異なるので、決算時に支払利息の未払計上を行います。なお、未払計上する利息は決算時の直物為替相場で換算します。

(借) 支払利息	440	(貸) 未払費用	440

未払費用：1,200千ドル×４％×$\frac{1ヶ月}{12ヶ月}$×110円／ドル＝440千円

2．買掛金(×７年２月１日取得)

⑴　仕入時(×７年２月１日)

掛けで商品売買が行われた場合、買掛金等の債権債務は取引発生時(借入時：×７年２月１日)の直物為替相場で換算します。

(借) 仕　　　　入	25,500	(貸) 買　掛　金	25,500

買掛金：250千ドル×102円／ドル＝25,500千円

⑵　為替予約時(×７年３月１日)

為替予約が行われているので、買掛金を予約時(×７年３月１日)の先物為替相場で換算し、固定します。なお、買掛金の帳簿価額との差額は為替差損益として処理します。

(借) 為 替 差 損 益	1,750	(貸) 買　掛　金	1,750

為替差損益：250千ドル×109円／ドル－帳簿価額25,500千円＝1,750千円

3．買掛金(×７年２月15日取得)

⑴　仕入時(×７年２月15日)

掛けで商品売買が行われた場合、買掛金等の債権債務は取引発生時(借入時：×７年２月15日)の直物為替相場で換算します。

(借) 仕　　　　入	10,400	(貸) 買　掛　金	10,400

買掛金：100千ドル×104円／ドル＝10,400千円

⑵　決算時(×７年３月31日)

買掛金は貨幣項目なので、決算時には決算時の直物為替相場で換算します。

(借) 為 替 差 損 益	600	(貸) 買　掛　金	600

為替差損益：100千ドル×110円／ドル－帳簿価額10,400千円
＝600千円

4．備品

⑴　購入時(×７年３月15日)

固定資産を購入した場合、固定資産は取引発生時(借入時：×７年３月15日)の直物為替相場で換算します。

(借) 備　　　　　品	64,200	(貸) 未　払　金	64,200

備品：600千ドル×107円／ドル＝64,200千円

⑵　決算時(×７年３月31日)

未払金は貨幣項目なので、決算時には決算時の直物為替相場で換算します。なお、備品は非貨幣項目なので取得時の為替損場で換算し、決算での換算替えは行いません。

(借) 為 替 差 損 益	1,800	(貸) 未　払　金	1,800

為替差損益：600千ドル×110円／ドル－帳簿価額64,200千円＝1,800千円

5．前渡金

⑴　契約締結時(×７年３月25日)

手付金等の支払いが行われた場合、前渡金等の債権債務は取引発生時(借入時：×７年３月25日)の直物為替相場で換算します。

(借) 前　渡　金	1,080	(貸) 当 座 預 金	1,080

前渡金：10千ドル×契約締結時108円／ドル＝1,080千円

⑵　決算時(×７年３月31日)

前渡金は非貨幣項目なので取得時の為替損場で換算し、決算での換算替えは行いません。

仕訳なし

6．為替差損益と支払利息の集計

決算整理前残高に、上記の仕訳に基づいて加減算します。

為替差損益：△2,620千円＋19,200千円＋1,750千円＋600千円＋1,800千円
＝20,730千円

支払利息：6,000千円＋2,520千円＋440千円＝8,960千円

応用 テキスト 第16〜18章

55 連結会計（アップ・ストリーム）

解答

問1

連結損益計算書

×8年4月1日〜×9年3月31日 （単位：千円）

売上高	（ 1,570,000 ）
売上原価	（ 1,049,050 ）
売上総利益	（ 520,950 ）
販売費及び一般管理費	（ 393,330 ）
営業利益	（ 127,620 ）
営業外収益	（ 26,700 ）
営業外費用	（ 41,800 ）
経常利益	（ 112,520 ）
特別利益	（ 20,000 ）
当期純利益	（ 132,520 ）
非支配株主に帰属する当期純利益	（ 4,384 ）
親会社株主に帰属する当期純利益	（ 128,136 ）

問2

連結貸借対照表の金額

（×9年3月31日） （単位：千円）

項目	金額
売掛金（貸倒引当金控除前）	207,000
貸倒引当金	3,105
商品	145,650
のれん	9,600
土地	250,000
利益剰余金	234,372
非支配株主持分	32,443

解 説

アップ・ストリームを中心とした応用問題です。アップ・ストリームの場合は、子会社の利益が動くと、それに応じて非支配株主への按分が必要となります。ダウン・ストリームの場合には必要がない処理が追加されることを理解しているかが重要です。

【解答手順の概要】

(1)親会社と子会社の個別財務諸表の金額を合算し、(2)以下の連結修正仕訳を加味すると解答の連結損益計算書および連結貸借対照表の金額になります。

1. 開始仕訳

支配獲得時の投資と資本の相殺消去と×7年度の連結修正仕訳は開始仕訳として引継がれます(商品売買に関する仕訳は除く)。

(借)	資本金当期首残高	70,000	(貸)	S 社 株 式	112,000
	資本剰余金当期首残高	10,000		非支配株主持分当期首残高	28,800
	利益剰余金当期首残高	50,000			
	の れ ん	10,800			

上記の開始仕訳は、以下①～③の仕訳の合算となります。なお、網掛けの金額は過去の利益に関する項目なので、開始仕訳では「利益剰余金当期首残高」となります。

① 投資と資本の相殺消去

（借）	資本金	70,000	（貸）	S社株式	112,000
	資本剰余金	10,000		非支配株主持分	25,000
	利益剰余金	45,000			
	のれん	12,000			

S社株式：320,000株×350円＝112,000千円

非支配株主持分：支配獲得時S社資本125,000千円（＝資本金70,000千円＋資本剰余金10,000千円＋利益剰余金45,000千円）×非支配株主持分20％＝25,000千円

保有割合：P社保有S社株式320,000株÷S社発行済株式総数400,000株＝P社保有割合80％ ⇒ 非支配株主保有割合20％

② 当期純利益の按分

（借）	非支配株主に帰属する当期純利益	3,800	（貸）	非支配株主持分当期変動額	3,800

×7年度S社当期純利益19,000千円×非支配株主持分20％＝3,800千円

③ のれんの償却

（借）	のれん償却	1,200	（貸）	のれん	1,200

支配獲得時のれん12,000千円÷10年＝1,200千円

2．当期純利益の按分

子会社の当期純利益のうち非支配株主に帰属する部分については非支配株主に按分します。

（借）	非支配株主に帰属する当期純利益	4,600	（貸）	非支配株主持分当期変動額	4,600

×8年度S社当期純利益23,000千円×非支配株主持分20％＝4,600千円

3．のれんの償却

のれんを10年間で均等償却します。

(借) のれん償却	1,200	(貸) のれん	1,200

支配獲得時のれん12,000千円÷10年＝1,200千円

4．売上と仕入の相殺消去

親子会社間の取引は、企業集団内部での取引なので、親会社Ｐ社の仕入と子会社Ｓ社の売上を相殺消去します。なお、仕入の消去については、「当期商品仕入高」を消去するのではなく、連結財務諸表上は売上原価の内訳項目は科目が集約されるので「売上原価」の消去として仕訳します。

(借) 売上高	170,000	(貸) 売上原価	170,000

5．未実現利益の消去(期首商品：アップ・ストリーム)

前期末に親会社において在庫となっていた商品は、当期中に販売されたと考えるので、前期末に行った未実現利益の消去について、復元と実現の処理をします。

アップ・ストリームの場合、未実現利益のうち非支配株主に負担させた分の復元と実現の処理も行わなければなりません。

また、Ｓ社は、商品販売において外部売上向けとＰ社売上向けの原価率を区別していないので、Ｓ社損益計算書の売上原価434,000千円÷売上高620,000千円＝原価率70％ ⇒利益率30％と算定します。

〈前期の復元＋当期中の実現仕訳〉

(借) 利益剰余金当期首残高	4,200	(貸) 売上原価	4,200

Ｐ社保有Ｓ社仕入商品前期末残高14,000千円×利益率30％＝4,200千円

〈前期の復元仕訳〉

(借) 非支配株主持分当期首残高	840	(貸) 利益剰余金当期首残高	840

未実現利益4,200千円×非支配株主持分20％＝840千円

〈当期中の実現仕訳〉

(借) 非支配株主に帰属する当期純利益	840	(貸) 非支配株主持分当期変動額	840

6．未実現利益の消去（期末商品：アップ・ストリーム）

親会社Ｐ社が期末に保有する子会社Ｓ社から仕入れた商品は、Ｓ社が上乗せした未実現利益が計上されているので、消去します。なお、当該商品売買はアップ・ストリームなので、未実現利益のうち非支配株主に帰属する金額は非支配株主に負担させます。

（借）	売上原価	5,250	（貸）商品	5,250

Ｐ社保有Ｓ社仕入商品当期末残高17,500千円×利益率30％＝5,250千円

（借）	非支配株主持分当期変動額	1,050	（貸）非支配株主に帰属する当期純利益	1,050

未実現利益5,250千円×非支配株主持分20％＝1,050千円

7．債権債務の相殺消去

親子会社間の取引で発生した債権債務が期末において残っている場合は、相殺消去します。

（借）	買掛金	31,000	（貸）売掛金	31,000

8．貸倒引当金の修正（前期末分＋当期末分）

親子会社間の相殺消去により売掛金が消去されるので、それに伴い売掛金に設定していた貸倒引当金を修正します。売掛金が消去された分だけ貸倒引当金も消去します。なお、当該商品売買はアップ・ストリームなので、貸倒引当金の修正の際に子会社の利益剰余金が変動するので、そのうち非支配株主に帰属する金額は非支配株主に負担させます。

〈前期の復元＋当期中の修正に係る仕訳〉

（借）	貸倒引当金	465	（貸）利益剰余金当期首残高	495
	貸倒引当金繰入	30		

上記の仕訳は、以下①および②の仕訳の合算となります。

① 前期の復元仕訳

(借) 貸倒引当金	495	(貸) 利益剰余金当期首残高	495

S社のP社に対する売掛金前期末残高33,000千円×1.5％＝495千円

② 当期中の修正に係る仕訳

(借) 貸倒引当金繰入	30	(貸) 貸倒引当金	30

S社のP社に対する売掛金当期末残高31,000千円×1.5％＝465千円
前期設定貸倒引当金495千円－当期設定貸倒引当金465千円＝30千円

〈前期の復元＋当期中の修正に係る仕訳〉

(借) 利益剰余金当期首残高	99	(貸) 非支配株主持分当期首残高	99
非支配株主持分当期変動額	6	非支配株主に帰属する当期純利益	6

前期貸倒引当金修正額495千円×非支配株主持分20％＝99千円
当期貸倒引当金修正額30千円×非支配株主持分20％＝６千円

9．未実現利益の消去(土地：ダウン・ストリーム)

親会社P社が子会社S社に売却した土地の帳簿価額は、P社が上乗せした土地売却益の分だけ過大計上されているので、相殺消去します。

(借) 土地売却益	8,000	(貸) 土地	8,000

P社土地売却価額48,000千円－P社土地帳簿価額40,000千円＝8,000千円

10. （問１）の解答数値の算定

売上高：Ｐ社1,120,000千円＋Ｓ社620,000千円－連結修正170,000千円
　　＝1,570,000千円

売上原価：Ｐ社784,000千円＋Ｓ社434,000千円
　　－170,000千円－4,200千円＋5,250千円
　　＝1,049,050千円

販売費及び一般管理費：Ｐ社241,000千円＋Ｓ社151,100千円
　　＋のれん償却額1,200千円
　　＋貸倒引当金繰入30千円
　　＝393,330千円

営業外収益：Ｐ社19,000千円＋Ｓ社7,700千円＝26,700千円

営業外費用：Ｐ社22,200千円＋Ｓ社19,600千円＝41,800千円

特別利益：Ｐ社28,000千円－土地売却益8,000千円＝20,000千円

非支配株主に帰属する当期純利益：当期純利益の按分4,600千円
　　＋期首商品840千円
　　－期末商品1,050千円
　　－貸倒引当金６千円
　　＝4,384千円

11. （問２）の解答数値の算定

売掛金：Ｐ社140,000千円＋Ｓ社98,000千円－連結修正31,000千円
　　＝207,000千円

貸倒引当金：Ｐ社2,100千円＋Ｓ社1,470千円－連結修正465千円
　　＝3,105千円

商品：Ｐ社95,500千円＋Ｓ社55,400千円－連結修正5,250千円
　　＝145,650千円

のれん：開始仕訳10,800千円－連結修正1,200千円
　　＝9,600千円

土地：Ｐ社160,000千円＋Ｓ社98,000千円－連結修正8,000千円
　　＝250,000千円

利益剰余金：Ｐ社215,000千円＋Ｓ社87,000千円
－開始仕訳50,000千円
－当期純利益の按分4,600千円
－のれん償却額1,200千円
－売上高170,000千円
＋売上原価170,000千円
－(期首商品に関する修正4,200千円－4,200千円
＋840千円－840千円)
－(期末商品に関する修正5,250千円－1,050千円)
＋(貸倒引当金に関する修正495千円－30千円－99千円
＋６千円)
－土地売却益8,000千円
＝234,372千円

非支配株主持分：開始仕訳28,800千円
＋当期純利益の按分4,600千円
－(期首商品に関する修正840千円－840千円)
－期末商品に関する修正1,050千円
＋(貸倒引当金に関する修正99千円－６千円)
＝32,443千円

応用 テキスト 第13章

56 精算表

解答

精　算　表　(単位：円)

勘定科目	試算表		修正記入		損益計算書		貸借対照表	
	借方	貸方	借方	貸方	借方	貸方	借方	貸方
現金預金	96,800		300				155,100	
			60,000	2,000				
売掛金	49,550						49,550	
繰越商品	36,000		37,800	36,000			36,050	
				1,050				
				700				
建物	180,000						180,000	
満期保有目的債券	18,600		160				18,760	
買掛金		17,420						17,420
貸倒引当金		780		211				991
減価償却累計額		10,800		5,400				16,200
資本金		297,000		60,000				357,000
繰越利益剰余金		13,500						13,500
売上		240,000				240,000		
有価証券利息		150		300		760		
				160				
				150				
仕入	156,600		36,000	37,800	156,550			
			1,050					
			700					
給料	42,100				42,100			
	579,650	579,650						
貸倒引当金繰入			211		211			
棚卸減耗損			1,050	1,050				
商品評価損			700	700				
減価償却費			5,400		5,400			
株式交付費			2,000		2,000			
(未収有価証券利息)			150				150	
当期純利益					34,499			34,499
			145,521	145,521	240,760	240,760	439,610	439,610

解　説

1．期限の到来した社債の利札は通貨代用証券なので、現金として処理します（未処理分）。なお、本問では、現金預金を用いて処理します。

(借) 現金預金	300	(貸) 有価証券利息	300

2．売掛金の期末残高の2％を貸倒引当金として設定します。

(借) 貸倒引当金繰入	211	(貸) 貸倒引当金	211

貸倒引当金繰入：49,550円×2％－貸倒引当金残高780円＝211円

3．棚卸減耗損と商品評価損を計上するとともに、売上原価を算定します。

(借) 仕入	36,000	(貸) 繰越商品	36,000
(借) 繰越商品	37,800	(貸) 仕入	37,800
(借) 棚卸減耗損	1,050	(貸) 繰越商品	1,050
(借) 商品評価損	700	(貸) 繰越商品	700
(借) 仕入	1,050	(貸) 棚卸減耗損	1,050
(借) 仕入	700	(貸) 商品評価損	700

期末商品帳簿棚卸高：@210円×180個＝37,800円
棚卸減耗損：@210円×（180個－175個）＝1,050円
商品評価損：（@210円－@206円）×175個＝700円

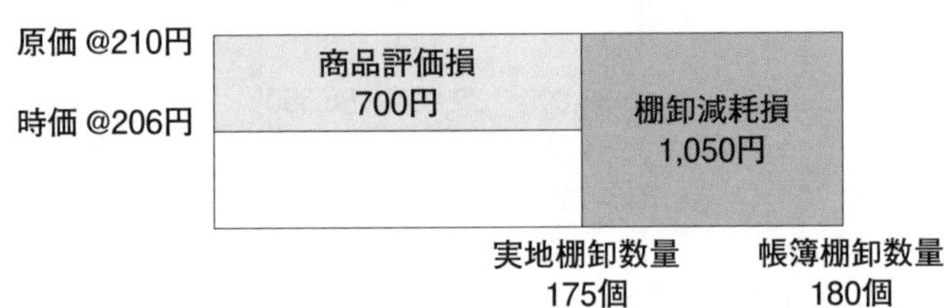

4．建物の減価償却を行います。

（借）減価償却費　5,400　（貸）減価償却累計額　5,400

減価償却費：180,000円×0.9÷30年＝5,400円

5．満期保有目的債券を償却原価法(定額法)により評価します。

（借）満期保有目的債券　160　（貸）有価証券利息　160

取得口数：20,000円÷100円＝200口
取得原価：@92円×200口＝18,400円
額面総額と取得原価の差額：20,000円－18,400円＝1,600円
取得日から満期日までの期間：120ヶ月

当期の償却額：1,600円×$\frac{12ヶ月}{120ヶ月}$＝160円

×5年1月1日～×5年3月31日の利息は、利払日が到来しておらず、まだ受取っていないものの、当期に属する利息です。よって、有価証券利息の未収計上をします。

（借）未収有価証券利息　150　（貸）有価証券利息　150

6．新株を発行して払込金を当座預金で処理します(未処理分)。なお、資本金増加額は会社法規定の原則額なので、60,000円全額を資本金とします。

（借）現金預金　60,000　（貸）資本金　60,000

また、新株発行の広告など2,000円を現金で支出しています。これは株式交付として費用処理します。

（借）株式交付費　2,000　（貸）現金預金　2,000

応用  テキスト 第13章

57 英米式決算法

解答

損益

日付	摘要	金額	日付	摘要	金額
3/31	仕入	(1,793,075)	3/31	売上	(3,000,000)
〃	減価償却費	(75,000)	〃	貸倒引当金戻入	(4,000)
〃	修繕引当金繰入	(150,000)	〃	修繕引当金戻入	(148,000)
〃	賞与引当金繰入	(78,000)			
〃	退職給付費用	(19,000)			
〃	その他費用	(884,925)			
〃	法人税等	(45,600)			
〃	繰越利益剰余金	(106,400)			
		(3,152,000)			(3,152,000)

繰越利益剰余金

日付	摘要	金額	日付	摘要	金額
6/25	利益準備金	14,000	4/ 1	前期繰越	289,000
〃	未払配当金	140,000	3/31	損益	(106,400)
〃	別途積立金	5,000			
3/31	次期繰越	(236,400)			
		(395,400)			(395,400)

解説

ここがポイント！

英米式決算法により、損益勘定および繰越利益剰余金勘定を作成します。まず決算整理事項等(7を除く)を仕訳し、各勘定の決算整理後残高を算定します。損益勘定の貸方と借方の退職給付費用までを記入した時点での損益勘定の貸方残高が税引前当期純利益であるため、ここで7に基づき法人税等と(税引後)当期純利益を求めます。

1．受取手形と売掛金の期末残高の２％を貸倒引当金として設定します。

(借)	貸倒引当金	4,000	(貸) 貸倒引当金戻入	4,000

貸倒引当金戻入：￥32,000－(￥650,000＋￥750,000)×２％＝￥4,000

2．棚卸減耗損と商品評価損を計上するとともに、売上原価を算定します。

(借)	仕入	157,000	(貸) 繰越商品	157,000
(借)	繰越商品	179,400	(貸) 仕入	179,400
(借)	棚卸減耗損	1,610	(貸) 繰越商品	1,610
(借)	商品評価損	3,865	(貸) 繰越商品	3,865

期末商品帳簿棚卸高：@￥230×780個＝￥179,400
棚卸減耗損：@￥230×(780個－773個)＝￥1,610
商品評価損：(@￥230－@￥225)×773個＝￥3,865

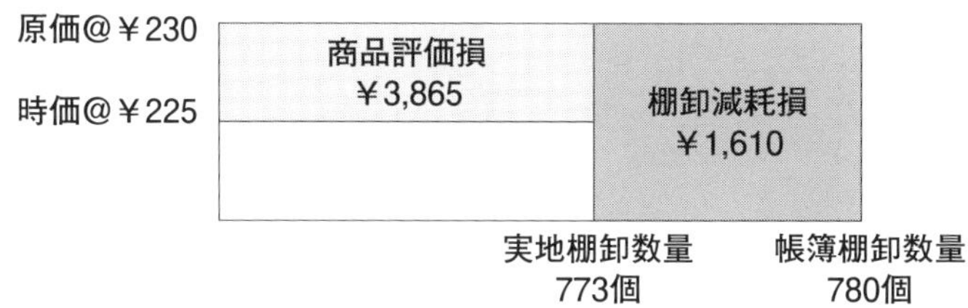

棚卸減耗損と商品評価損を売上原価に算入するとの指示があるため、棚卸減耗損と商品評価損を仕入勘定に振替えます。これにより、仕入勘定の残高が棚卸減耗損と商品評価損の金額だけ大きくなります。仕入勘定の残高は売上原価を表します。

(借)	仕入	1,610	(貸) 棚卸減耗損	1,610
(借)	仕入	3,865	(貸) 商品評価損	3,865

〈棚卸減耗損・商品評価損の振替前〉

仕　　入

仕入（借方）	仕入（貸方）
決算整理前残高　1,810,000	期末商品帳簿棚卸高 179,400
期首商品　157,000	

〈棚卸減耗損・商品評価損の振替後〉

仕　　入

仕入（借方）	仕入（貸方）
決算整理前残高　1,810,000	期末商品帳簿棚卸高 179,400
期首商品　157,000	
棚卸減耗損　1,610	
商品評価損　3,865	

売上原価 1,793,075（決算整理前残高・期首商品・棚卸減耗損・商品評価損から期末商品帳簿棚卸高を差し引いた残高）

損益振替によって仕入勘定から損益勘定に振替えられる金額は、決算整理後の仕入勘定の残高￥1,793,075です。

また、決算整理後の棚卸減耗損勘定と商品評価損勘定の残高はゼロであるため、損益勘定には振替えられません。

3．建物の減価償却を行います。

(借) 減価償却費	75,000	(貸) 減価償却累計額	75,000

減価償却費：￥2,500,000×0.9÷30年＝￥75,000

4．修繕引当金を設定します。

(借) 修繕引当金	148,000	(貸) 修繕引当金戻入	148,000
(借) 修繕引当金繰入	150,000	(貸) 修繕引当金	150,000

5．賞与引当金を設定します。

(借) 賞与引当金繰入	78,000	(貸) 賞与引当金	78,000

6．退職給付引当金を設定します。

(借) 退職給付費用	19,000	(貸) 退職給付引当金	19,000

ここまでの決算整理仕訳ができたら、決算整理後残高を損益勘定に記入しましょう。

法人税等と繰越利益剰余金に関する項目以外は埋められるはずです。

7．法人税等を計上します。

(借)	法人税等	45,600	(貸)	未払法人税等	45,600

復習しよう!

当期中に法人税等の中間納付が行われていた場合は、決算整理前残高試算表上に仮払法人税等が計上されているはずです。そして、法人税等の金額から、仮払法人税等の金額(中間納付額)を差引いた金額を、未払法人税等として計上することになります。しかし、本問では決算整理前残高試算表上に仮払法人税等が計上されていないため、法人税等の全額を未払法人税等として計上します。

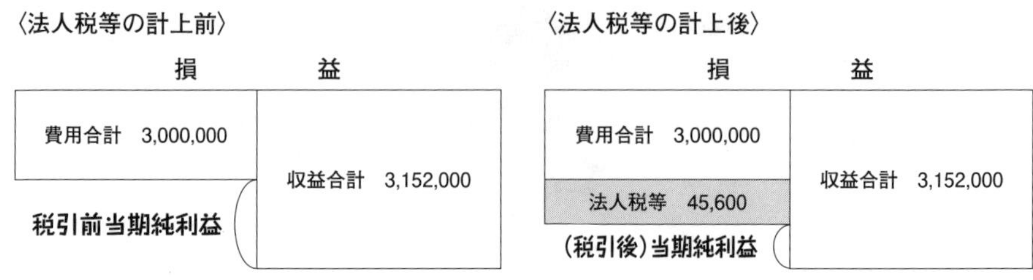

税引前当期純利益：￥3,152,000－￥3,000,000＝￥152,000

法人税等：￥152,000×30％＝￥45,600

損益勘定の貸方残高、つまり(税引後)当期純利益は損益勘定から繰越利益剰余金勘定に振替えます。その後、繰越利益剰余金勘定の残高￥236,400を次期に繰越します。

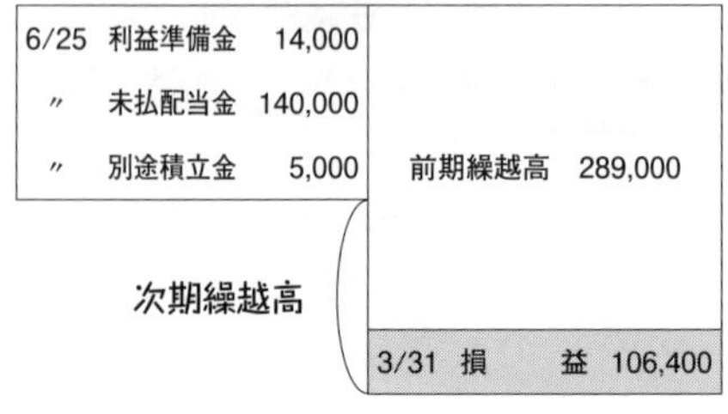

応用 テキスト 第13章

58 決算整理後残高試算表

解答

決算整理後残高試算表 (単位：円)

借方	勘定科目	貸方
397,000	現金預金	
775,000	売掛金	
374,850	繰越商品	
2,300	貯蔵品	
2,450,000	建物	
500,000	車両	
300,000	ソフトウェア	
	買掛金	127,800
	貸倒引当金	15,500
	建物減価償却累計額	142,125
	車両減価償却累計額	138,750
	資本金	3,500,000
	繰越利益剰余金	361,000
	売上	2,920,000
1,721,150	仕入	
158,000	給料	
4,300	貸倒引当金繰入	
100,000	ソフトウェア償却	
164,625	減価償却費	
251,700	その他費用	
6,250	固定資産売却損	
7,205,175		7,205,175

解　説

決算整理後残高試算表の作成問題です。決算整理事項等を仕訳し、各勘定の決算整理後残高を算定します。

1．備品の売却の処理を行います。売却時の売却価額と帳簿価額との差額を固定資産売却損益とします。

(借)	備品減価償却累計額	75,000	(貸)	備　品	300,000
	減価償却費	18,750			
	仮受金	200,000			
	固定資産売却損	6,250			

当期の減価償却費：(300,000円−75,000円)×25％×$\frac{4ヶ月}{12ヶ月}$＝18,750円

帳簿価額：300,000円−75,000円−18,750円＝206,250円

固定資産売却損：売却価額200,000円−帳簿価額206,250円＝△6,250円

2．建設仮勘定から建物に振替えます。

(借)	建　物	950,000	(貸)	建設仮勘定	450,000
				現金預金	500,000

3．売掛金の期末残高の2％を貸倒引当金として設定します。

(借)	貸倒引当金繰入	4,300	(貸)	貸倒引当金	4,300

貸倒引当金繰入：775,000円×2％−11,200円＝4,300円

4．棚卸減耗損と商品評価損を計上するとともに、売上原価を算定します。

(借)	仕　入	360,000	(貸)	繰越商品	360,000
(借)	繰越商品	384,000	(貸)	仕　入	384,000
(借)	棚卸減耗損	3,200	(貸)	繰越商品	3,200
(借)	商品評価損	5,950	(貸)	繰越商品	5,950

期末商品帳簿棚卸高：@320円×1,200個＝384,000円

棚卸減耗損：@320円×(1,200個−1,190個)＝3,200円

商品評価損：(@320円− @315円)×1,190個＝5,950円

原価 @320円	商品評価損 5,950円	棚卸減耗損 3,200円
時価 @315円		
	実地棚卸数量 1,190個	帳簿棚卸数量 1,200個

棚卸減耗損と商品評価損を売上原価に算入するとの指示があるため、これらを仕入勘定に振替えます。

(借) 仕　入	3,200	(貸) 棚卸減耗損	3,200
(借) 仕　入	5,950	(貸) 商品評価損	5,950

5．前期以前から所有している建物、当期中に完成し、引渡しを受けた建物および車両の減価償却を行います。

(借) 減価償却費	145,875	(貸) 建物減価償却累計額	52,125
		車両減価償却累計額	93,750

旧建物の減価償却費：1,500,000円×0.9÷30年＝45,000円

新建物の減価償却費：950,000円×0.9÷30年×$\frac{3ヶ月}{12ヶ月}$＝7,125円

車両の減価償却費：500,000円×0.9×$\frac{25,000\text{km}}{120,000\text{km}}$＝93,750円

6．郵便切手および収入印紙の未使用分を貯蔵品勘定へ振替えます。

(借) 貯蔵品	2,300	(貸) その他費用	2,300

7．前期首に取得した自社利用のソフトウェアを償却します。ソフトウェアの記帳方法は直接法のみが認められています。よって、ソフトウェアの帳簿価額は前期の償却額が控除されているので、帳簿価額を４年で償却します。

(借) ソフトウェア償却	100,000	(貸) ソフトウェア	100,000

ソフトウェア償却：帳簿価額400,000円÷残存耐用年数４年＝100,000円

応用  テキスト 第1・13章

59 株主資本等変動計算書

解答

① 55,000	② 3,000	③ △32,000	④ 1,000
⑤ 2,000	⑥ 1,500	⑦ △23,500	⑧ 15,000
⑨ △300	⑩ 797,000		

解説

株主資本等変動計算書は純資産項目の内訳明細書です。仕訳を行い、純資産に関連する勘定だけを株主資本等変動計算書に集計するだけです。
慣れてきたら仕訳を行わずに直接解答を埋めていくと効率的に解くことができますが、間違えないように細心の注意を払ってください。

1．×3年5月15日の新株発行の仕訳

55,000千円の新株の発行を行い、資本金増加額を会社法規定の原則額としたので、55,000千円全額を資本金に組み入れます。

(借) 現　　金	55,000	(貸) 資 本 金	55,000

2．×3年6月に開催された株主総会での仕訳

繰越利益剰余金の前期末残高のうち20,000千円を配当金として株主に支払い、1,500千円を別途積立金として積立てます。また、配当金の10分の1を、資本準備金と利益準備金の合計が資本金の4分の1に達するまで、利益準備金として積立てます。なお、このときに基準となる資本金、資本準備金、利益準備金は配当時の金額になります。本問は、5月の新株発行で資本金が変動しているので注意が必要になります。

(借)	繰越利益剰余金	23,500	(貸)	未払配当金	20,000
				別途積立金	1,500
				利益準備金	2,000

配当金の10分の１：20,000千円×$\frac{1}{10}$＝2,000千円

配当時資本金：期首資本金480,000円＋新株発行による増加額55,000千円
＝535,000千円

利益準備金要積立額：配当時資本金535,000千円×$\frac{1}{4}$－(配当時資本準備金75,000千円＋配当時利益準備金43,500千円)
＝15,250千円

利益準備金積立額：2,000千円＜15,250千円　∴2,000千円

3．×３年11月の計数の変動

資本準備金をその他資本剰余金に振替えます。

(借)	資本準備金	32,000	(貸)	その他資本剰余金	32,000

4．×４年２月におけるＣ事業の買収

買収したＣ事業の簿価は3,500千円(諸資産9,000千円－諸負債5,500千円)であり、4,000千円の株式を交付して取得しているので差額500千円は、のれんになります。また、問題文の指示に従って、増加資本4,000千円のうち3,000千円を資本金に、残りの1,000千円をその他資本剰余金にします。

(借)	諸資産	9,000	(貸)	諸負債	5,500
	のれん	500		資本金	3,000
				その他資本剰余金	1,000

5．資本振替

×４年３月31日の決算により当期純利益が15,000千円であることが判明しました。

(借)	損益	15,000	(貸)	繰越利益剰余金	15,000

6．有価証券に関する事項

当社が保有するその他有価証券は取得原価9,000千円であり、当期末時価は9,500千円なので、当期末のその他有価証券評価差額金は500千円（期末時価9,500千円－取得原価9,000円）です。株主資本等変動計算書においては、株主資本以外は変動事由を純額で表示するので、300千円（前期末その他有価証券評価差額金800千円－当期末その他有価証券評価差額金500千円）を減少額として表示します。

〈期首洗替仕訳〉

（借）	その他有価証券評価差額金	800	（貸）	その他有価証券	800

〈決算時〉

（借）	その他有価証券	500	（貸）	その他有価証券評価差額金	500

株主資本等変動計算書
自×3年4月1日　至×4年3月31日　(単位：千円)

	株主資本			
	資本金	資本剰余金		
		資本準備金	その他資本剰余金	資本剰余金合計
当期首残高	480,000	75,000	11,000	86,000
当期変動額				
新株の発行	①55,000			
剰余金の配当等				
資本準備金からその他資本剰余金への振替		③△32,000	32,000	
C事業の買収	②3,000		④1,000	1,000
当期純利益				
株主資本以外の項目の当期変動額(純額)				
当期変動額合計	58,000	△32,000	33,000	1,000
当期末残高	538,000	43,000	44,000	87,000

下段へ続く

上段より続く

	株主資本					評価・換算差額等		純資産合計
	利益剰余金				株主資本合計	その他有価証券評価差額金	評価・換算差額等合計	
	利益準備金	その他利益剰余金		利益剰余金合計				
		別途積立金	繰越利益剰余金					
当期首残高	43,500	55,000	78,000	176,500	742,500	800	800	743,300
当期変動額								
新株の発行					55,000			55,000
剰余金の配当等	⑤2,000	⑥1,500	⑦△23,500	△20,000	△20,000			△20,000
資本準備金からその他資本剰余金への振替								
C事業の買収					4,000			4,000
当期純利益			⑧15,000	15,000	15,000			15,000
株主資本以外の項目の当期変動額(純額)						△300	△300	△300
当期変動額合計	2,000	1,500	△8,500	△5,000	54,000	⑨△300	△300	53,700
当期末残高	45,500	56,500	69,500	171,500	796,500	500	500	⑩797,000

応用  テキスト 第1・13章

60 損益計算書

解答

損益計算書

自×2年4月1日　至×3年3月31日　(単位：千円)

Ⅰ	売上高		(1,489,000)
Ⅱ	売上原価		
1	期首商品棚卸高	(383,150)	
2	当期商品仕入高	(957,150)	
	合計	(1,340,300)	
3	期末商品棚卸高	(423,700)	
	差引	(916,600)	
4	(**商品評価損**)	(7,380)	(923,980)
	売上総利益		(565,020)
Ⅲ	販売費及び一般管理費		
1	給料	(96,000)	
2	(**賞与**)	(16,000)	
3	貸倒引当金繰入	(2,376)	
4	賞与引当金繰入	(30,000)	
5	退職給付費用	(34,000)	
6	減価償却費	(39,300)	
7	ソフトウェア償却	(6,925)	
8	支払保険料	(12,900)	
9	貸倒損失	(350)	
10	棚卸減耗損	(16,080)	(253,931)
	営業利益		(311,089)
Ⅳ	営業外収益		
1	受取手数料	(31,100)	
2	受取利息	(1,500)	(32,600)
Ⅴ	営業外費用		
1	支払利息	(43,514)	
2	(**貸倒引当金繰入**)	(12,500)	(56,014)
	経常利益		(287,675)
Ⅵ	特別損失		
1	(**ソフトウェア除却損**)		(21,275)
	税引前当期純利益		(266,400)
	法人税等		(66,600)
	当期純利益		(199,800)

解　説

損益計算書を作成する問題です。普段見慣れないような指示もありますが、大切なことは知っている論点を確実に得点することです。応用的な論点ばかりにとらわれ過ぎないようにしましょう！

〈未処理事項について〉

1．貸倒れに関する未処理分

貸倒れた売掛金のうち、前期発生分については貸倒引当金が設定されているので、貸倒引当金を取崩し、当期発生分については貸倒損失を計上します。

(借)	貸倒引当金	850	(貸)	売掛金	1,200
	貸倒損失	350			

2．建物に関する未処理分

建設中の建物の前払分は建設仮勘定で処理しますが、建物の完成・引渡時に建物勘定に振替える必要があります。本問は190,000千円の建設仮勘定を建物勘定に振替えるとともに、引渡時に支払った残額の50,000千円も建物の取得原価として処理します。

(借)	建物	240,000	(貸)	建設仮勘定	190,000
				当座預金	50,000

〈決算整理事項等について〉

1．商品

甲商品から商品評価損が、乙商品から棚卸減耗損が、丙商品からは商品評価損と棚卸減耗損の両方が発生しています。

〈甲商品〉

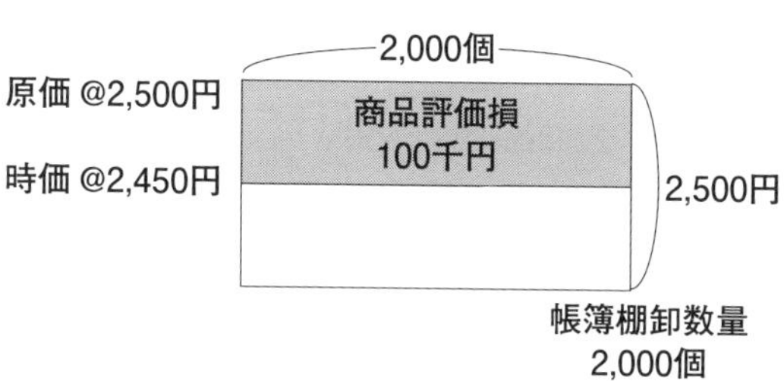

商品評価損(甲商品)：(取得原価 @2,500円－正味売却価額 @2,450円)×2,000個＝100千円

〈乙商品〉

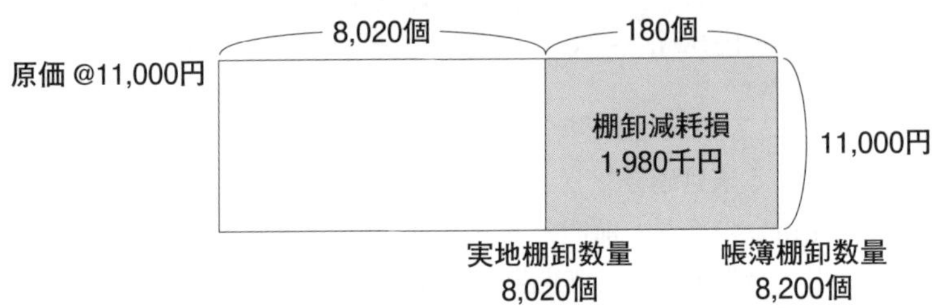

棚卸減耗損(乙商品)：取得原価 @11,000円×(帳簿棚卸数量8,200個－実地棚卸数量8,020個)＝1,980千円

なお、原価よりも正味売却価額の方が大きいため乙商品で商品評価損は生じません。

〈丙商品〉

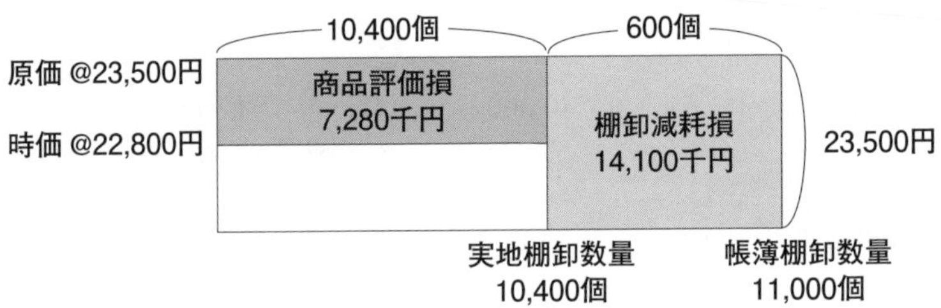

棚卸減耗損(丙商品)：取得原価 @23,500円×(帳簿棚卸数量11,000個－実地棚卸数量10,400個)＝14,100千円

商品評価損(丙商品)：(取得原価 @23,500円－正味売却価額 @22,800円)×10,400個＝7,280千円

棚卸減耗損(合計)：乙商品1,980千円＋丙商品14,100千円＝16,080千円

商品評価損(合計)：甲商品100千円＋丙商品7,280千円＝7,380千円

(借) 仕　　　　入	383,150	(貸) 繰　越　商　品	383,150
(借) 繰　越　商　品	423,700	(貸) 仕　　　　入	423,700
(借) 棚 卸 減 耗 損	16,080	(貸) 繰　越　商　品	16,080
(借) 商 品 評 価 損	7,380	(貸) 繰　越　商　品	7,380
(借) 仕　　　　入	7,380	(貸) 商 品 評 価 損	7,380

2．貸倒引当金

受取手形と売掛金を合算した売上債権合計額に対して貸倒引当金を設定します。ただし、〔資料Ⅰ〕1で売掛金1,200千円が減少しており、また貸倒引当金も850千円減少していますので、これらを反映させつつ当期の貸倒引当金の計算をする必要があります。

(借) 貸倒引当金繰入	2,376	(貸) 貸 倒 引 当 金	2,376

貸倒引当金：(87,000千円＋45,500千円－1,200千円)×2％＝2,626千円
貸倒引当金繰入：2,626千円－(1,100千円－850千円)＝2,376千円

また、営業外債権(貸付金)に対して2.5％の貸倒引当金を設定します。

(借) 貸倒引当金繰入	12,500	(貸) 貸 倒 引 当 金	12,500

貸倒引当金繰入：500,000千円×2.5％＝12,500千円

3．受取利息の計上

決算整理前残高試算表の前受収益は貸付金に対する1年分の受取利息を意味しています。貸付けているのは2月1日～3月31日の2ヶ月間なので、2ヶ月分の利息を計上します。

(借) 前　受　収　益	1,500	(貸) 受　取　利　息	1,500

受取利息：$9{,}000\text{千円} \times \dfrac{2\text{ヶ月}}{12\text{ヶ月}} = 1{,}500\text{千円}$

4．退職給付

当期分の退職給付費用を計上します。

(借) 退職給付費用	34,000	(貸) 退職給付引当金	34,000

5．賞与

従業員に対する当期の賞与の支払い48,000千円は支出時に全額給料として処理しているので、正しく修正する。

(借)	賞与引当金	32,000	(貸) 給　　　料	48,000
	賞　　　与	16,000		

賞与：支払額48,000千円－賞与引当金32,000千円＝16,000千円

また、当期の賞与引当金を設定します。

(借)	賞与引当金繰入	30,000	(貸) 賞与引当金	30,000

6．減価償却費

減価償却費は建物が750千円、備品が2,400千円を毎月見積計上しているので、決算にあたり３月分を計上します。

(借)	減価償却費	3,150	(貸) 建物減価償却累計額	750
			備品減価償却累計費	2,400

３月分減価償却費：建物750千円＋備品2,400千円＝3,150千円

また、決算整理前残高試算表の減価償却費の空欄は、建物と備品の11ヶ月分の減価償却費34,650千円になります。

建物分8,250千円(750千円×11ヶ月)＋備品分26,400千円(2,400千円×11ヶ月)＝34,650千円

当期に引渡しを受けた建物240,000千円(〔資料Ⅰ〕２参照)について事業の用に供した１月から３月までの３ヶ月分の減価償却費を計上します。

(借)	減価償却費	1,500	(貸) 建物減価償却累計額	1,500

減価償却費：240,000千円×0.025×$\frac{3ヶ月}{12ヶ月}$＝1,500千円

7．ソフトウェア

期首から保有している古いソフトウェアは５月末に除却しているので、４～５月の２ヶ月分の償却費を計上し、除却の処理を行います。除却時のソフトウェアの帳簿価額が除却損になります。

(借) ソフトウェア償却	925	(貸) ソフトウェア	925

ソフトウェア償却：22,200千円÷(10年－経過年数６年)×$\frac{2ヶ月}{12ヶ月}$
＝925千円

(借) ソフトウェア除却損	21,275	(貸) ソフトウェア	21,275

ソフトウェア除却損：期首残高22,200千円－２ヶ月分償却費925千円
＝21,275千円

決算において新経理システムの償却費を計上します。

(借) ソフトウェア償却	6,000	(貸) ソフトウェア	6,000

ソフトウェア償却：72,000千円÷10年×$\frac{10ヶ月}{12ヶ月}$＝6,000千円

8．法人税等

税引前当期純利益の25％の法人税等を計上します。

(借) 法　人　税　等	66,600	(貸) 未払法人税等	66,600

法人税等：税引前当期純利益266,400千円×25％＝66,600千円

応用  テキスト 第1・13章

61 貸借対照表

解答

問1

貸借対照表
×3年3月31日
(単位：円)

資産の部		
Ⅰ 流動資産		
1 現金預金		(18,296,500)
2 受取手形	(3,100,000)	
3 売掛金	(3,547,200)	
貸倒引当金	(132,944)	(6,514,256)
4 商品		(1,118,760)
5 前払費用		(190,000)
6 未収収益		(40,000)
流動資産合計		(26,159,516)
Ⅱ 固定資産		
有形固定資産		
1 建物	(30,000,000)	
減価償却累計額	(8,250,000)	(21,750,000)
2 土地		(15,000,000)
有形固定資産合計		(36,750,000)
無形固定資産		
1 特許権		(390,000)
無形固定資産合計		(390,000)
投資その他の資産		
1 投資有価証券		(725,000)
2 (**長期性預金**)		(12,000,000)
投資その他の資産合計		(12,725,000)
固定資産合計		(49,865,000)
資産合計		(76,024,516)

負債の部	
Ⅰ 流動負債	
1 支払手形	(2,222,000)
2 買掛金	(2,000,000)
3 未払費用	(75,000)
4 未払法人税等	(230,000)
5 短期借入金	(10,000,000)
流動負債合計	(14,527,000)
Ⅱ 固定負債	
1 長期借入金	(15,000,000)
固定負債合計	(15,000,000)
負債合計	(29,527,000)
純資産の部	
Ⅰ 株主資本	
1 資本金	30,000,000
2 利益剰余金	
(1)その他利益剰余金	
繰越利益剰余金	16,422,516
株主資本合計	46,422,516
Ⅱ 評価・換算差額等	
1 その他有価証券評価差額金	(75,000)
評価・換算差額等合計	(75,000)
純資産合計	(46,497,516)
負債・純資産合計	(76,024,516)

問2

(1)	棚卸減耗損	58,240	円
(2)	商品評価損	23,240	円

解　説

難易度の高い貸借対照表作成問題です。ただ、貸借対照表の数値は損益計算書の数値と比較して集計の要素が少なく、意外と簡単に求められる場合が多いです。見た目の分量に圧倒されることなく問題の本質を見抜いてください。

〈未処理事項〉

1．通信費の当座引落とし

(借)	通　信　費	3,500	(貸) 現 金 預 金	3,500

2．返品

(借)	売　　　上	12,800	(貸) 売　掛　金	12,800

〈決算整理事項〉

1．貸倒引当金を設定しますが、〔資料Ⅰ〕2の返品の処理で売掛金が減少するので考慮する必要があります。

(借)	貸倒引当金繰入	35,944	(貸) 貸 倒 引 当 金	35,944

貸倒引当金繰入：(受取手形3,100,000円＋売掛金3,560,000円－未処理分12,800円)×2％－貸倒引当金残高97,000円
＝35,944円

2．商品の売上原価を算定するために期首商品を仕入に、期末商品を繰越商品に振替えます。

(借) 仕　　　入	860,000	(貸) 繰越商品	860,000
(借) 繰越商品	1,190,000	(貸) 仕　　　入	1,190,000

しかし、上記仕訳だけでは返品分が考慮されていませんので、返品分を考慮します。返品分は返品されて期末時点で会社の期末商品を構成するので、繰越商品として処理します。

(借) 繰越商品	10,240	(貸) 仕　　　入	10,240

返品分の原価：12,800円×原価率80％＝10,240円

問題文の期末商品帳簿棚卸高に上記返品分を加えると、正しい期末商品帳簿棚卸高になります。

期末商品帳簿棚卸高(修正後)：1,190,000円＋返品分10,240円＝1,200,240円

期末商品実地棚卸高には返品分が含まれていますので、期末商品帳簿棚卸高(修正後)と期末商品実地棚卸高の差額が、棚卸減耗損になります。

棚卸減耗損：期末商品帳簿棚卸高(修正後) 1,200,240円－期末商品実地棚卸高1,142,000円＝58,240円(問２(1))

また、①返品分の販売可能価額は7,000円であり、原価10,240円よりも少額での販売になるので商品評価損が生じています。同様に②50,000円の品質不良分についても原価の60％でしか販売できないので商品評価損が生じています。

商品評価損(返品分)：返品分(原価) 10,240円－販売可能価額7,000円＝3,240円

商品評価損(品質不良分)：50,000円(原価)×(１－販売可能原価率60％)＝20,000円

商品評価損(合計)：3,240円＋20,000円＝23,240円(問２(2))

(借) 棚卸減耗損	58,240	(貸) 繰越商品	58,240
(借) 商品評価損	23,240	(貸) 繰越商品	23,240

以上より貸借対照表の商品の金額は以下のようになります。

商品：期末商品実地棚卸高1,142,000円－商品評価損23,240円＝1,118,760円

3．未払費用と前払費用の再振替仕訳を行っていないので決算で行います。

(借) 支払家賃	200,000	(貸) 前払費用	200,000
(借) 未払費用	82,500	(貸) 水道光熱費	82,500

また、同時に当期の支払家賃の前払い、水道光熱費の未払の処理を行います。

(借) 前払費用	190,000	(貸) 支払家賃	190,000
(借) 水道光熱費	75,000	(貸) 未払費用	75,000

4．保有しているその他有価証券の時価評価をします。なお、その他有価証券の時価評価差額は「その他有価証券評価差額金」として直接貸借対照表の純資産の部へ計上されます。

(借) その他有価証券	75,000	(貸) その他有価証券評価差額金	75,000

その他有価証券評価差額金：期末時価725,000円－取得原価650,000円
＝75,000円

また、その他有価証券は貸借対照表上、投資その他の資産に「投資有価証券」として表示されます。

5．減価償却費は毎月62,500円が見積計上されているので、決算にあたり３月分を計上すれば足ります。なお、決算整理前残高試算表の「減価償却費」および「減価償却累計額」には４月～２月までの当期の11ヶ月分の減価償却費が反映されています。

(借) 減価償却費	62,500	(貸) 減価償却累計額	62,500

6．定期預金の利払日は毎年11月末日なので、受取利息の未収計上をします。

(借) 未収収益	40,000	(貸) 受取利息	40,000

受取利息：$12{,}000{,}000円 \times 1\% \times \frac{4ヶ月}{12ヶ月} = 40{,}000円$

また、定期預金は現金預金に含まれていますが、本問の定期預金は10年物であり、当期に預入れたので満期は決算日の翌日から数えて１年を超えます。そのため、一年基準に従って固定資産に表示します。具体的には、投資その他の資産に「長期性預金」として表示します。

7．借入金については、決算整理で行うべき処理は特にありません。ただし、一年基準により、流動負債に表示すべきものと固定負債に表示すべきものに分けます。借入期間が3年の①10,000,000円の借入金は翌期末に返済日が到来するので流動負債に、借入期間が8年の②15,000,000円の借入金は決算日の翌日から数えて1年以内に返済日が到来しないので固定負債に表示します。

8．特許権は無形固定資産であり、記帳方法は直接法しか認められません。そのため、決算整理前残高試算表の特許権は償却費が控除された後の金額です。特許権は×1年10月1日に取得したものであり、6ヶ月分は控除されているので、決算整理前残高試算表の450,000円を残りの90ヶ月で償却します。

特許権償却：$450{,}000円\times\frac{12ヶ月}{90ヶ月}=60{,}000円$

(借) 特許権償却	60,000	(貸) 特　許　権	60,000

9．法人税等

決算整理前残高試算表に「仮払法人税等」勘定があるので中間納付があったことが分かります。そのため未払法人税等の金額は法人税等の額から中間納付額を控除した残額になります。

(借) 法人税等	500,000	(貸) 仮払法人税等	270,000
		未払法人税等	230,000

応用 テキスト 第1・13章

62 損益計算書と貸借対照表

解答

損益計算書

自×7年4月1日　至×8年3月31日　(単位：円)

Ⅰ	売上高		(1,400,000)
Ⅱ	売上原価		
1	期首商品棚卸高	(210,000)	
2	当期商品仕入高	(780,000)	
	合計	(990,000)	
3	期末商品棚卸高	(220,000)	
	差引	(770,000)	
4	商品評価損	(4,925)	(774,925)
	売上総利益		(625,075)
Ⅲ	販売費及び一般管理費		
1	給料	(350,000)	
2	保険料	(55,200)	
3	広告費	(55,765)	
4	(**棚卸減耗損**)	(3,300)	
5	貸倒引当金繰入	(2,260)	
6	賞与引当金繰入	(37,500)	
7	減価償却費	(82,000)	(586,025)
	営業利益		(39,050)
Ⅳ	営業外収益		
1	受取家賃		(213,600)
Ⅴ	営業外費用		
1	支払利息		(2,650)
	税引前当期純利益		(250,000)
	法人税等		(75,000)
	当期純利益		(175,000)

貸借対照表
×8年3月31日 (単位：円)

資産の部			負債の部	
Ⅰ 流動資産			Ⅰ 流動負債	
1 現金預金		(855,660)	1 支払手形	(182,000)
2 受取手形	(245,000)		2 買掛金	(226,000)
3 売掛金	(361,000)		3 前受収益	(124,600)
貸倒引当金	(12,120)	(593,880)	4 賞与引当金	(37,500)
4 商品		(211,775)	5 未払金	(123,000)
5 前払費用		(18,400)	6 未払法人税等	(27,500)
流動資産合計		(1,679,715)	7 未払費用	(2,650)
Ⅱ 固定資産			8 未払消費税	(48,000)
有形固定資産			9 短期借入金	(120,000)
1 建物	(600,000)		流動負債合計	(891,250)
減価償却累計額	(198,000)	(402,000)	Ⅱ 固定負債	
2 備品	(400,000)		1 長期借入金	(250,000)
減価償却累計額	(144,000)	(256,000)	固定負債合計	(250,000)
有形固定資産合計		(658,000)	負債合計	(1,141,250)
固定資産合計		(658,000)	純資産の部	
			Ⅰ 株主資本	
			1 資本金	(1,000,000)
			2 利益剰余金	
			(1)その他利益剰余金	
			繰越利益剰余金	(196,465)
			株主資本合計	(1,196,465)
			純資産合計	(1,196,465)
資産合計		(2,337,715)	負債・純資産合計	(2,337,715)

解説

貸借対照表と損益計算書を作成する問題です。このような問題が出題されたときは、分からないところにこだわることなく、解ける箇所からどんどん埋めていきましょう。また、どのような論点が解きやすいかを、練習段階から意識することが本試験の対策にもなります。

〈未処理事項〉

1. (1) 実際には小切手を振出していなかったことになるため、企業側で当座預金を振戻す処理を行います。また、買掛金が未払いとなるため、買掛金の増加(減少の取消し)として処理します。

(借) 現金預金	20,000	(貸) 買掛金	20,000

(2) 実際には小切手を振出していなかったことになるため、企業側で当座預金を振戻す処理を行います。また、広告費が未払いとなるため、未払金として処理します。

(借) 現金預金	123,000	(貸) 未払金	123,000

〈決算整理事項〉

1. 受取手形と売掛金の期末残高の２％を貸倒引当金として設定します。

(借) 貸倒引当金繰入	2,260	(貸) 貸倒引当金	2,260

貸倒引当金繰入：(245,000円＋361,000円)×２％－9,860円＝2,260円

2. 棚卸減耗損と商品評価損を計上するとともに、売上原価を算定します。

(借) 仕入	210,000	(貸) 繰越商品	210,000
(借) 繰越商品	220,000	(貸) 仕入	220,000
(借) 棚卸減耗損	3,300	(貸) 繰越商品	3,300
(借) 商品評価損	4,925	(貸) 繰越商品	4,925
(借) 仕入	4,925	(貸) 商品評価損	4,925

期末商品棚卸高：@1,100円×200個＝220,000円
棚卸減耗損：@1,100円×（200個－197個）＝3,300円
商品評価損：（@1,100円－@1,075円）×197個＝4,925円

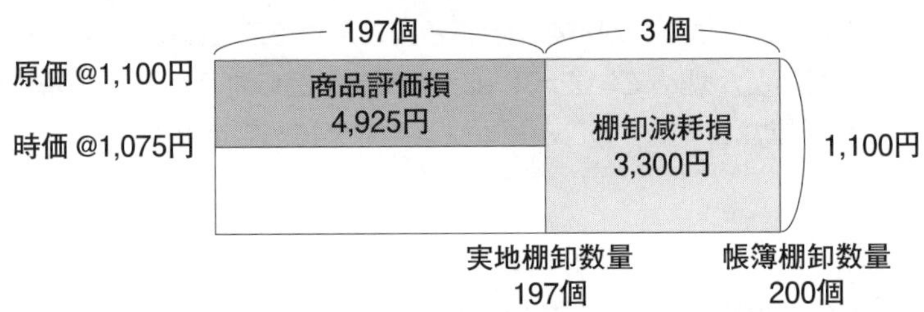

3．建物と備品の減価償却を行います。

（借）減価償却費	82,000	（貸）建物減価償却累計額	18,000
		備品減価償却累計額	64,000

建物の減価償却費：600,000円×0.9÷30年＝18,000円
備品の減価償却費：（400,000円－80,000円）×20％＝64,000円

4．支払利息の未収計上を行います。

（借）支払利息	1,400	（貸）未払利息	1,400
（借）支払利息	1,250	（貸）未払利息	1,250

A社の借入金の7ヶ月分の利息：120,000円×2％×$\frac{7ヶ月}{12ヶ月}$＝1,400円

B社の借入金の2ヶ月分の利息：250,000円×3％×$\frac{2ヶ月}{12ヶ月}$＝1,250円

借入金はA社からの120,000円とB社からの250,000円の合計370,000円です。決算整理前残高試算表上には借入金が370,000円計上されています。しかし、貸借対照表に表示するときは、この借入金を短期借入金と長期借入金に分け、短期借入金は流動負債として、長期借入金は固定負債として表示します。

決算日の翌日から1年以内に返済日が到来する借入金は短期借入金、1年を超える借入金は長期借入金とします。本問ではA社からの120,000円は短期借入金、B社からの250,000円は長期借入金となります。

未払利息は、未払費用と表示します。

5．保険料の前払いの処理を行います。前期の決算で4ヶ月分の前払いがあり、当期首にその再振替が行われているので、決算整理前の保険料勘定の残高は16ヶ月分の金額です。このうち4ヶ月分について、前払いの処理をします。

(借) 前払保険料	18,400	(貸) 保険料	18,400

4ヶ月分の保険料：73,600円×$\frac{4ヶ月}{16ヶ月}$＝18,400円

前払保険料は、前払費用と表示します。

6．受取家賃の前受けの処理を行います。前期の決算で7ヶ月分の前受けがあり、当期首にその再振替が行われているので、決算整理前の受取家賃勘定の残高は19ヶ月分の金額です。このうち7ヶ月をについて、前受けの処理をします。

(借) 受取家賃	124,600	(貸) 前受家賃	124,600

7ヶ月分の家賃：338,200円×$\frac{7ヶ月}{19ヶ月}$＝124,600円

前払家賃は、前受収益と表示します。

7．賞与は、月次決算において2月まで毎月各3,000円ずつ計上してきましたが、期末になり支給見込み額が37,500円と見積もられました。そのため、3,000円×11ヶ月＝33,000円との差額を決算で計上します。

(借) 賞与引当金繰入	4,500	(貸) 賞与引当金	4,500

賞与引当金繰入：37,500円－33,000円（3,000円×11ヶ月）＝4,500円

3月分の3,000円と見積もりとのズレの1,500円の合計を意味します！

8．未払消費税を計上します。未払消費税は、預かった消費税（仮受消費税）と支払った消費税（仮払消費税）の差額になります。

(借) 仮受消費税	108,000	(貸) 仮払消費税	60,000
		未払消費税	48,000

未払消費税：仮受消費税108,000円－仮払消費税60,000円＝48,000円

9．法人税等を計上します。

(借) 法人税等	75,000	(貸) 仮払法人税等	47,500
		未払法人税等	27,500

法人税等：税引前当期純利益250,000円×30％＝75,000円

復習しよう！

前期の決算で費用の前払いや収益の前受けの処理が行われた場合、当期首にその再振替が行われます。当期首の再振替仕訳は次のとおりです。

(借) 保険料	4ヶ月分	(貸) 前払保険料	4ヶ月分
前受家賃	7ヶ月分	受取家賃	7ヶ月分

そして、当期中に向こう１年分を受払いした際に次の仕訳が行われています。

(借) 保険料	12ヶ月分	(貸) 現金預金	12ヶ月分
現金預金	12ヶ月分	受取家賃	12ヶ月分

よって、決算整理前の時点で、保険料勘定の借方には16ヶ月分が、受取家賃勘定の貸方には19ヶ月分が記入されています。これが決算整理前残高です。この金額を利用して、４ヶ月分の保険料と７ヶ月の家賃を算定し、決算整理仕訳を行います。

応用 テキスト 第13・15章

63 財務諸表(税効果あり)

解答

損益計算書

自×2年4月1日　至×3年3月31日　(単位：千円)

Ⅰ 売上高			(197,000)
Ⅱ 売上原価			
1 期首商品棚卸高	(18,000)		
2 当期商品仕入高	(123,000)		
合計	(141,000)		
3 期末商品棚卸高	(19,500)		
差引	(121,500)		
4 (**棚卸減耗損**)	(600)		
5 (**商品**) 評価損	(630)		(122,730)
売上総利益			(74,270)
Ⅲ 販売費及び一般管理費			
1 給料	(18,990)		
2 保険料	(750)		
3 貸倒引当金繰入	(2,350)		
4 減価償却費	(8,400)		(30,490)
営業利益			(43,780)
Ⅳ 営業外収益			
1 受取利息	(1,300)		
2 為替差益	(420)		(1,720)
Ⅴ 営業外費用			
1 支払利息	(1,200)		
2 (**貸倒引当金繰入**)	(300)		(1,500)
税引前当期純利益			(44,000)
法人税、住民税及び事業税	(13,500)		
法人税等調整額	(△ 300)		(13,200)
当期純利益			(30,800)

(貸借対照表の各金額)

投資有価証券	買掛金	リース債務	繰越利益剰余金
16,000 千円	15,980 千円	12,000 千円	44,370 千円

損益計算書の作成および貸借対照表項目の一部の金額を解答する問題です。税効果会計や法人税等の計算を、問題文の指示に従って丁寧に処理しましょう。

1．外貨建買掛金の期末換算

期末に保有する外貨建買掛金は、決算時の為替相場で換算替えをします。また、換算替えによる買掛金の増減は為替差損益として処理します。

(借) 為替差損益	180	(貸) 買掛金	180

60千ドル※×(103円−100円)＝180千円

※ 6,000千円÷100円＝60千ドル

2．貸倒引当金の設定

売上債権と営業外債権に分けて貸倒引当金繰入を算定します。

(借) 貸倒引当金繰入	2,650	(貸) 貸倒引当金	2,650

(1) 売上債権

甲社に対する売掛金：(6,000千円−2,500千円)×50％＝1,750千円

乙社に対する売掛金：7,000千円×４％＝280千円

その他の売上債権：41,000千円※×２％＝820千円

※ 16,000千円＋38,000千円−6,000千円−7,000千円＝41,000千円

繰入額：1,750千円＋280千円＋820千円−500千円＝2,350千円

(2) 営業外債権

貸付金：20,000千円×２％＝400千円

繰入額：400千円−100千円＝300千円

貸付金に対する貸倒引当金繰入は営業外費用に表示します！

3．期末商品の評価および売上原価の算定

問題の指示に従い、棚卸減耗損と商品評価損は売上原価の内訳科目として表示します。

	借方科目	金額		貸方科目	金額
(借)	仕入	18,000	(貸)	繰越商品	18,000
	繰越商品	19,500		仕入	19,500
	棚卸減耗損	600		繰越商品	600
	商品評価損	630		繰越商品	630
	仕入	600		棚卸減耗損	600
	仕入	630		商品評価損	630

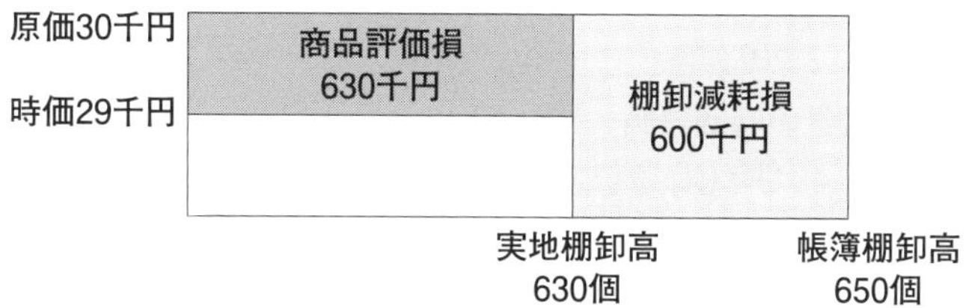

期末商品帳簿棚卸高：30千円×650個＝19,500千円
棚卸減耗損：(650個－630個)×30千円＝600千円
商品評価損：(30千円－29千円)×630個＝630千円

4．減価償却

資産ごとに減価償却費を計算します。なお、リース資産はその資産の種類に応じた固定資産の勘定科目で処理することもあります。

(借)	減価償却費	8,400	(貸)	建物減価償却累計額	3,000
				備品減価償却累計額	2,400
				車両減価償却累計額	3,000

建物：60,000千円÷20年＝3,000千円

備品：償却率＝１÷５年×200％＝0.4

(10,000千円－4,000千円)×0.4＝2,400千円

車両(リース資産)：15,000千円÷５年＝3,000千円

リース資産は、リース期間にわたって減価償却を行います。

5．その他有価証券の時価評価

その他有価証券は期末において時価評価を行い、評価差額はその他有価証券評価差額金として処理します。また、問題の指示に従い税効果会計を適用します。

(借)	その他有価証券	1,500	(貸)	その他有価証券評価差額金	1,050
				繰延税金負債	450

その他有価証券：16,000千円－14,500千円＝1,500千円

繰延税金負債：1,500千円×30％＝450千円

その他有価証券評価差額金：1,500千円－450千円＝1,050千円

6．保険料の前払い

×３年４月から×３年10月までの７ヶ月を前払保険料へ振替えます。

(借)	前払保険料	1,050	(貸) 保険料	1,050

$$1{,}800\text{千円}\times\frac{7\text{ヶ月}}{12\text{ヶ月}}=1{,}050\text{千円}$$

7．法人税等の計上

税引前当期純利益に損金不算入額を加算して、課税所得を算定した上で、法人税等の計算をします。なお、損金算入限度超過額の期首から期末までの増加額を当期の課税所得の計算上、損金不算入額とします。

(借)	法人税等	13,500	(貸) 仮払法人税等	4,000
			未払法人税等	9,500

課税所得：税引前当期純利益＋損金不算入額
＝44,000千円＋(5,000千円－4,000千円)
＝45,000千円
法人税等：45,000千円×30％＝13,500千円
未払法人税等：13,500千円－4,000千円＝9,500千円

8．法人税等調整額

(借)	繰延税金資産	300	(貸) 法人税等調整額	300

(5,000千円－4,000千円)×30％＝300千円

(参考)本問において貸借対照表を作成した場合、以下のようになります。

貸 借 対 照 表

×3年3月31日

(単位：千円)

資産の部		負債の部	
Ⅰ 流動資産		Ⅰ 流動負債	
現金預金	104,680	支払手形	24,500
受取手形	16,000	買掛金	15,980
売掛金	38,000	借入金	40,000
前払費用	1,050	リース債務	3,000
商品	18,270	未払法人税等	9,500
貸付金	20,000	流動負債合計	92,980
貸倒引当金	△ 3,250	Ⅱ 固定負債	
流動資産合計	194,750	リース債務	9,000
Ⅱ 固定資産		固定負債合計	9,000
建物	60,000	負債合計	101,980
減価償却累計額	△ 15,000	純資産の部	
備品	10,000	Ⅰ 株主資本	
減価償却累計額	△ 6,400	資本金	100,000
車両	15,000	資本準備金	16,000
減価償却累計額	△ 3,000	利益準備金	9,000
投資有価証券	16,000	繰越利益剰余金	44,370
繰延税金資産	1,050	株主資本合計	169,370
固定資産合計	77,650	Ⅱ 評価・換算差額等	
		その他有価証券評価差額金	1,050
		評価・換算差額等合計	1,050
		純資産合計	170,420
資産合計	272,400	負債及び純資産合計	272,400

※ 貸借対照表に計上される繰延税金資産と繰延税金負債は、相殺した上で固定項目として表示します。

固定資産に表示される繰延税金資産

＝繰延税金資産(固定)－繰延税金負債(固定)

＝1,500千円－450千円＝1.050千円

応用 テキスト 第13章

64 製造業の財務諸表

解答

(問１)

貸借対照表
×８年３月31日 (単位：円)

資産の部		負債の部	
Ⅰ 流動資産		Ⅰ 流動負債	
現金預金	(17,349,300)	支払手形	557,000
受取手形	(2,237,500)	買掛金	(873,000)
売掛金	(3,795,000)	未払法人税等	(4,700)
材料	(39,000)	(製品保証)引当金	(7,000)
仕掛品	(70,000)	流動負債合計	(1,441,700)
製品	(45,000)	Ⅱ 固定負債	
短期貸付金	(80,000)	長期借入金	700,000
貸倒引当金	(△ 61,925)	(退職給付)引当金	(1,292,000)
流動資産合計	(23,553,875)	固定負債合計	(1,992,000)
Ⅱ 固定資産		負債合計	(3,433,700)
建物	(1,200,000)	純資産の部	
減価償却累計額	(△ 180,000)	資本金	13,500,000
機械	(1,020,000)	利益準備金	3,000,000
減価償却累計額	(△ 612,000)	繰越利益剰余金	(5,048,175)
固定資産合計	(1,428,000)	純資産合計	(21,548,175)
資産合計	(24,981,875)	負債・純資産合計	(24,981,875)

(問２)

区分式損益計算書に表示される利益

①売上総利益	3,909,450 円	③経常利益	399,000 円
②営業利益	419,225 円	④当期純利益	314,300 円

解　説

受注生産・製品販売を行っている製造業の財務諸表を作成する問題です。減価償却費や退職給付費用などを製造原価に含める分と当期の費用に含める分に分ける必要があります。解答にあたっては、勘定連絡図を意識して解くことが重要です。

〈3月の取引・決算整理等に関する事項〉

1．製造原価等の処理

①　材料の購入・消費

材料消費高のうち、直接材料費は仕掛品へ、間接材料費は製造間接費へ振替えます。

(借)	材　料	100,000	(貸) 買　掛　金	100,000
(借)	仕　掛　品	80,000	(貸) 材　料	110,000
	製造間接費	30,000		

②　賃金の支払い・消費

直接工直接作業賃金はすべて直接労務費となるため、仕掛品へ振替えます。

(借)	賃　金	120,000	(貸) 現　金	120,000
(借)	仕　掛　品	120,000	(貸) 賃　金	120,000

③　製造間接費の予定配賦および間接経費の支払い

製造間接費の予定配賦額を仕掛品へ振替えます。また、間接経費の現金支払額は製造間接費となります。

(借)	仕　掛　品	100,000	(貸) 製造間接費	100,000
(借)	経　　　費	31,000	(貸) 現　　　金	31,000
	製造間接費	31,000	経　　　費	31,000

経費については、直接、製造間接費で処理するパターンもあります。

④　完成品総合原価および売上原価の処理

当月完成品総合原価は、仕掛品から製品に振替えます。また、当月売上原価は、製品から売上原価に振替えます。

(借)	製　　　品	300,000	(貸) 仕　掛　品	300,000
(借)	売上原価	268,500	(貸) 製　　　品	268,500

⑤　売上高の処理

(借)	売　掛　金	420,000	(貸) 売　　　上	420,000

2. 材料と製品の評価

① 材料

帳簿棚卸高と実地棚卸高との差額を棚卸減耗損とします。また、材料の棚卸減耗損は間接経費に該当するので、製造間接費に振替えます。

(借)	棚 卸 減 耗 損	1,200	(貸)	材　　　料	1,200
	製 造 間 接 費	1,200		棚 卸 減 耗 損	1,200

材　料

借方	貸方	
3月月初有高 50,200円	3月消費高 110,000円	
3月当月仕入高 100,000円	期末帳簿棚卸高 貸借差額より 40,200円	棚卸減耗損 1,200円
		期末実地棚卸高 39,000円

3月月初有高：2月末現在の残高試算表より、50,200円

棚卸減耗損：40,200円－39,000円＝1,200円

② 製品

帳簿棚卸高と実地棚卸高との差額を棚卸減耗損とします。また、製品の棚卸減耗損は売上原価に賦課するため、売上原価に振替えます。

(借)	棚卸減耗損	1,500	(貸)	製品	1,500
	売上原価	1,500		棚卸減耗損	1,500

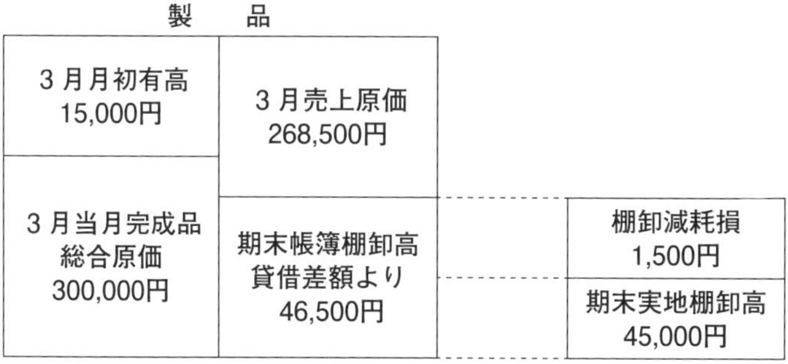

製　品

借方	貸方		内訳
3月月初有高 15,000円	3月売上原価 268,500円		
3月当月完成品 総合原価 300,000円	期末帳簿棚卸高 貸借差額より 46,500円		棚卸減耗損 1,500円
			期末実地棚卸高 45,000円

3月月初有高：2月末現在の残高試算表より、15,000円

棚卸減耗損：46,500円－45,000円＝1,500円

ここに注意！

棚卸減耗損や減価償却費などについては、製造に関わる分とそれ以外に分けて考える必要があります。製造に関わる分は、製造原価に含めます。一方、製造に関わらない分は、販売費及び一般管理費などとして当期の費用になります。

3．減価償却

減価償却費のうち製造活動に関するものは、間接経費に該当するので、製造間接費に振替えます。その他の減価償却費は、損益計算書の販売費及び一般管理費に計上します。

(借) 減価償却費	17,750	(貸)	建物減価償却累計額	5,000
			機械減価償却累計額	12,750
(借) 製造間接費	15,350	(貸)	減価償却費	15,350

製造原価分：2,600円＋12,750円＝15,350円
販売費及び一般管理費分：2,400円

4．貸倒引当金の設定

貸倒引当金繰入のうち、売上債権に関するものは損益計算書の販売費及び一般管理費に、営業外債権に関するものは営業外費用に計上します。

(借) 貸倒引当金繰入	11,925	(貸) 貸倒引当金	11,925

① 売上債権
受取手形：2,237,500円
売掛金：3,375,000円＋３月売上420,000円＝3,795,000円
要設定額：(2,237,500円＋3,795,000円)×１％＝60,325円
繰入額：60,325円－50,000円＝10,325円

② 営業外債権
要設定額：80,000円×２％＝1,600円
繰入額：1,600円－０円＝1,600円

10,325円は販売費及び一般管理費になりますが、1,600円は営業外費用になります。

5．退職給付引当金

退職給付費用の３月分および追加計上分を仕訳します。また、退職給付費用のうち、製造活動に携わる従業員に関わる金額は、製造間接費に振替えます。それ以外の従業員に関わる金額は、損益計算書の販売費及び一般管理費に計上します。

(借)	退職給付費用	42,000	(貸)	退職給付引当金	42,000
(借)	製造間接費	28,000	(貸)	退職給付費用	28,000

３月分および追加計上分：26,000円＋14,000円＋2,000円＝42,000円
製造原価分：26,000円＋2,000円＝28,000円
販売費及び一般管理費分：14,000円

6．製品保証引当金の設定

特約期間が経過した分は取崩し、新たに設定する分だけ増額させます。また、戻入額と繰入額を相殺して損益計算書に計上しますが、問題文の指示により、製品保証引当金戻入は営業外収益に計上します。

(借)	製品保証引当金	7,500	(貸)	製品保証引当金戻入	7,500
	製品保証引当金繰入	7,000		製品保証引当金	7,000

損益計算書に記載する製品保証引当金戻入：7,500円－7,000円
＝500円

7．原価差異の把握および法人税等の計上

① 原価差異の把握

製造間接費勘定において、予定配賦額と実際発生額との差額で原価差異(製造間接費配賦差異)を把握します。原価差異は、売上原価に賦課します。

(借)	製造間接費配賦差異	5,550	(貸) 製 造 間 接 費	5,550
	売 上 原 価	5,550	製造間接費配賦差異	5,550

実際発生額：間接材料費＋間接労務費＋間接経費
＝30,000円＋28,000円＋31,000円＋1,200円＋15,350円
＝105,550円

原価差異：予定配賦額－実際発生額
＝100,000円－105,550円＝△5,550円(不利差異)

製造間接費

間接材料費	30,000円	予定配賦額	
間接労務費			
退職給付費用	28,000円		100,000円
間接経費			
現金支払分	31,000円		
棚卸減耗損	1,200円	原価差異	
減価償却費	15,350円		5,550円

② 法人税等の計上

区分式の損益計算書を考え、税引前当期純利益419,000円を算定します。税引前当期純利益に25％を掛け、法人税、住民税及び事業税を求めます。そして、仮払法人税等との差額を未払法人税等とします。

(借)	法人税、住民税及び事業税	104,700	(貸) 仮払法人税等	100,000
			未払法人税等	4,700

法人税、住民税及び事業税：419,000円×25％＝104,750円
→ 104,700円

未払法人税等：104,700円－100,000円＝4,700円

8．その他の金額

① 仕掛品：仕掛品勘定の貸借差額で求めます。

仕　掛　品

3月月初有高	70,000円	3月完成品 総合原価	300,000円
3月当月投入			
直接材料費	80,000円		
直接労務費	120,000円	期末有高	70,000円
製造間接費	100,000円		

② 繰越利益剰余金：決算整理前残高＋当期純利益
＝4,733,875円＋314,300円
＝5,048,175円

〈損益計算書の各項目の金額〉

当期の損益を区分式損益計算書にまとめると以下のようになります。

損益計算書　(単位：円)

Ⅰ 売上高		7,450,000
Ⅱ 売上原価		
1 当期売上原価	3,475,200	
2 棚卸減耗損	1,500	
3 原価差異	63,850	3,540,550
売上総利益		3,909,450
Ⅲ 販売費及び一般管理費		
1 減価償却費	28,800	
2 貸倒引当金繰入	10,325	
3 退職給付費用	168,000	
4 その他	3,283,100	3,490,225
営業利益		419,225
Ⅳ 営業外収益		
1 製品保証引当金戻入		500
Ⅴ 営業外費用		
1 支払利息	11,125	
2 手形売却損	8,000	
3 貸倒引当金繰入	1,600	20,725
経常利益		399,000
Ⅵ 特別利益		
固定資産売却益		20,000
税引前当期純利益		419,000
法人税、住民税及び事業税		104,700
当期純利益		314,300

3月の製品製造原価を製造原価報告書にまとめると以下のようになります。

製造原価報告書 (単位：円)

Ⅰ 直接材料費		80,000
Ⅱ 直接労務費		120,000
Ⅲ 製造間接費		
間接材料費	30,000	
材料棚卸減耗損	1,200	
減価償却費	15,350	
退職給付費用	28,000	
その他(現金払い分)	31,000	
小計	105,550	
製造間接費配賦差異	5,550	
製造間接費配賦額		100,000
当月総製造費用		300,000
月初仕掛品棚卸高		70,000
合計		370,000
月末仕掛品棚卸高		70,000
当月製品製造原価		300,000

〈勘定連絡図〉　　∴は貸借差額で算定します。

材料

借方	金額	貸方	金額
月初	50,200	直接材料費	80,000
買掛金	100,000	間接材料費	30,000
		棚卸減耗損	∴ 1,200
		期末	39,000

仕掛品

借方	金額	貸方	金額
月初	70,000	製品	300,000（完成品製造原価）
直接材料費	80,000		
直接労務費	120,000		
製造間接費	100,000	期末	70,000

賃金

借方	金額	貸方	金額
現金	120,000	直接労務費	120,000

経費

借方	金額	貸方	金額
現金	31,000	間接経費	31,000

製造間接費

借方	金額	貸方	金額
間接材料費	30,000	予定配賦額	100,000
退職給付費用	28,000		
現金支払分	31,000		
棚卸減耗損	1,200		
減価償却費	15,350	配賦差異	∴ 5,550（売上原価に賦課）

原価差異

借方	金額	貸方	金額
配賦差異	5,550	売上原価	5,550

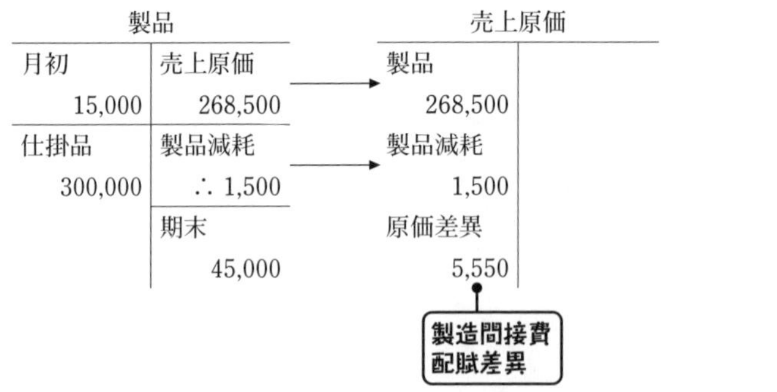

製品

借方	金額	貸方	金額
月初	15,000	売上原価	268,500
仕掛品	300,000	製品減耗	∴ 1,500
		期末	45,000

売上原価

借方	金額	貸方	金額
製品	268,500		
製品減耗	1,500		
原価差異	5,550（製造間接費配賦差異）		

応用 テキスト 第14章

65 本支店合併財務諸表

解答

損益計算書
自×1年4月1日　至×2年3月31日　(単位：円)

費用	金額	収益	金額
期首商品棚卸高	(127,000)	売上高	(1,475,000)
当期商品仕入高	(1,147,550)	期末商品棚卸高	(98,800)
棚卸減耗損	(2,100)	受取利息	(1,000)
給料	(158,550)		
販売費	(41,000)		
貸倒引当金繰入	(860)		
減価償却費	(50,000)		
当期純利益	(47,740)		
	(1,574,800)		(1,574,800)

貸借対照表
×2年3月31日　(単位：円)

費用	金額		負債・純資産	金額
現金		(603,900)	買掛金	(327,600)
売掛金	(288,000)		未払費用	(1,000)
貸倒引当金	(5,760)	(282,240)	前受収益	(500)
商品		(96,700)	資本金	(950,000)
貸付金		(150,000)	繰越利益剰余金	(203,740)
建物	(600,000)			
減価償却累計額	(378,000)	(222,000)		
備品	(250,000)			
減価償却累計額	(122,000)	(128,000)		
		(1,482,840)		(1,482,840)

解　説

本支店合併財務諸表の作成問題です。財務諸表は外部の利害関係者に公表する報告書なので、内部の債権債務を示す照合勘定は表示されません。その点に注意を払えば、あとは本店と支店の財務諸表を合算するだけです。

1．本支店合併財務諸表上の棚卸減耗損と商品の金額を算定します。

損益計算書の期首商品棚卸高は、決算整理前残高試算表の繰越商品をもとに算定します。

期首商品棚卸高：繰越商品（本店）70,000円＋繰越商品（支店）57,000円
＝127,000円

また、〔資料Ⅱ〕1より期末商品帳簿棚卸高と棚卸減耗損を算定します。

期末商品帳簿棚卸高：本店72,000円＋支店26,800円＝98,800円

棚卸減耗損：98,800円－（本店実地棚卸高71,200円＋支店実地棚卸高25,500円）＝2,100円

2．本店と支店それぞれで、売掛金の期末残高の2％を貸倒引当金として設定します。

〈本店〉

（借）貸倒引当金繰入	500	（貸）貸 倒 引 当 金	500

貸倒引当金繰入：170,000円×2％－2,900円＝500円

〈支店〉

（借）貸倒引当金繰入	360	（貸）貸 倒 引 当 金	360

貸倒引当金繰入：118,000円×2％－2,000円＝360円

3．本店と支店それぞれで、建物と備品の減価償却を行います。

〈本店〉

(借) 減価償却費	37,600	(貸)	建物減価償却累計額	12,000
			備品減価償却累計額	25,600

建物：400,000円×0.9÷30年＝12,000円
備品：(200,000円－72,000円)×20％＝25,600円

〈支店〉

(借) 減価償却費	12,400	(貸)	建物減価償却累計額	6,000
			備品減価償却累計額	6,400

建物：200,000円×0.9÷30年＝6,000円
備品：(50,000円－18,000円)×20％＝6,400円

4．本店で受取利息の前受けの処理を行います。

〈本店〉

(借) 受取利息	500	(貸)	前受利息	500

前受利息は、前受収益として表示します。

5．支店で販売費の未払計上を行います。

〈支店〉

(借) 販売費	1,000	(貸)	未払販売費	1,000

未払販売費は、未払費用として表示します。

応用  テキスト 第16～18章

66 連結財務諸表

解答

(問1)

連結損益計算書
自×4年4月1日　至×5年3月31日　(単位：千円)

Ⅰ	売上高		(1,995,000)
Ⅱ	売上原価		(1,535,160)
	売上総利益		(459,840)
Ⅲ	販売費及び一般管理費		
1	営業費	(202,000)	
2	販売費	(123,000)	
3	貸倒引当金繰入	(6,970)	
4	(のれん償却)	(1,500)	(333,470)
	営業利益		(126,370)
Ⅳ	営業外収益		
1	受取配当金	(7,500)	
2	受取利息	(11,000)	(18,500)
Ⅴ	営業外費用		
1	支払利息		(23,000)
	経常利益		(121,870)
Ⅵ	特別利益		
1	土地売却益		(15,000)
	税引前当期純利益		(136,870)
	法人税等		(56,000)
	当期純利益		(80,870)
	(非支配株主)に帰属する当期純利益		(10,000)
	親会社株主に帰属する当期純利益		(70,870)

連結貸借対照表
×5年3月31日
(単位：千円)

資産の部			負債の部	
Ⅰ流動資産			Ⅰ流動負債	
1 現金預金		(472,400)	1 支払手形	(208,000)
2 受取手形	(308,500)		2 買掛金	(195,000)
3 売掛金	(155,000)		3 短期借入金	(2,500)
貸倒引当金	(9,270)	(454,230)	4 未払費用	(44,900)
4 商品		(146,400)	5 未払法人税等	(56,000)
5 未収収益		(12,000)	流動負債合計	(506,400)
流動資産合計		(1,085,030)	Ⅱ固定負債	
Ⅱ固定資産			1 長期借入金	(80,000)
有形固定資産			固定負債合計	(80,000)
1 土地		(600,000)	負債合計	(586,400)
有形固定資産合計		(600,000)	純資産の部	
無形固定資産			Ⅰ株主資本	
1 のれん		(25,500)	1 資本金	(600,000)
無形固定資産合計		(25,500)	2 資本剰余金	(180,000)
投資その他の資産			3 利益剰余金	(299,130)
1 投資有価証券		(85,000)	株主資本合計	(1,079,130)
2 長期貸付金		(30,000)	Ⅱ(非支配株主持分)	(160,000)
投資その他の資産合計		(115,000)	純資産合計	(1,239,130)
固定資産合計		(740,500)		
資産合計		(1,825,530)	負債・純資産合計	(1,825,530)

(問2)

利益剰余金当期首残高	248,260 千円

解　説

ここがポイント！

P社における損益計算書の売上高と売上原価から原価率を推定しなければいけない点は難しいですが、その他は基本的な論点で構成されています。ただし、総合問題形式で一度に出題されると正答率は低くなってしまうので、本問を通じて多くの取引を一度に処理する問題に慣れてください。また、連結財務諸表を作成する際に、どのような手順で解答すれば効率的かを考えて、自分の解き方を確立させましょう。

（問１）

⑴　親会社と子会社の個別財務諸表の金額を合算し、⑵以下の連結修正仕訳を加味すると解答の連結損益計算書および連結貸借対照表の金額になります。

STEP 1 資本連結

１．開始仕訳

支配獲得時の投資と資本の相殺消去と×２年度および×３年度の連結修正仕訳は開始仕訳として引継がれます。

	借方科目	金額		貸方科目	金額
（借）	資本金当期首残高	400,000	（貸）	Ｓ　社　株　式	450,000
	資本剰余金当期首残高	100,000		非支配株主持分当期首残高	152,500
	利益剰余金当期首残高	75,500			
	の　れ　ん	27,000			

上記の開始仕訳は、以下①～⑤の仕訳の合算となります。なお、網掛けの金額は過去の利益に関する項目なので、開始仕訳では「利益剰余金当期首残高」となります。

①　投資と資本の相殺消去（×２年３月31日）

	借方科目	金額		貸方科目	金額
（借）	資　本　金	400,000	（貸）	Ｓ　社　株　式	450,000
	資本剰余金	100,000		非支配株主持分	140,000
	利益剰余金	60,000			
	の　れ　ん	30,000			

Ｓ社株式：60,000株×7,500円／株＝450,000千円

非支配株主持分：子会社資本560,000千円（資本金400,000千円＋資本剰余金

100,000千円＋利益剰余金60,000千円）×非支配株主持分25％＝140,000千円
非支配株主持分：１－（Ｐ社取得60,000株／Ｓ社発行済株式総数80,000株）
＝25％

② **当期純利益の按分（×３年３月31日）**
×２年度において剰余金の配当は行われていないので、×２年度の利益剰余金の増加額が全額当期純利益となります）。

（借）非支配株主に帰属する当期純利益　5,000　（貸）非支配株主持分当期首残高　5,000

（×２年度末Ｓ社利益剰余金80,000千円－×１年度末Ｓ社利益剰余金60,000千円）×非支配株主持分25％＝5,000千円

③ **のれんの償却（×３年３月31日）**

（借）のれん償却　1,500　（貸）のれん　1,500

支配獲得時のれん30,000千円÷最長償却期間20年＝1,500千円

④ **当期純利益の按分（×４年３月31日）**
×３年度において剰余金の配当は行われていないので、×３年度の利益剰余金の増加額が全額当期純利益となります）。

（借）非支配株主に帰属する当期純利益　7,500　（貸）非支配株主持分当期首残高　7,500

（×３年度末Ｓ社利益剰余金110,000千円－×２年度末Ｓ社利益剰余金80,000千円）×非支配株主持分25％＝7,500千円

⑤ **のれんの償却（×４年３月31日）**

（借）のれん償却　1,500　（貸）のれん　1,500

支配獲得時のれん30,000千円÷最長償却期間20年＝1,500千円

2．当期純利益の按分

子会社の当期純利益のうち非支配株主に帰属する部分については非支配株主に按分します。

（借）非支配株主に帰属する当期純利益　10,000　（貸）非支配株主持分当期変動額　10,000

×４年度Ｓ社当期純利益40,000千円×非支配株主持分25％＝10,000千円

3．のれんの償却

(借) のれん償却	1,500	(貸) のれん	1,500

支配獲得時のれん30,000千円÷最長償却期間20年＝1,500千円

4．剰余金の配当

子会社剰余金の配当のうち、親会社に対する配当は企業グループ内の取引なので、受取配当金を消去します。また、非支配株主に対する配当は、非支配株主持分の減少として処理します。

(借) 受取配当金	7,500	(貸) 配当金(利益剰余金)	10,000
非支配株主持分当期変動額	2,500		

×４年度Ｓ社配当10,000千円×親会社持分75％＝7,500千円

×４年度Ｓ社配当10,000千円×非支配株主持分25％＝2,500千円

剰余金の配当額：×４年度Ｓ社当期純利益40,000千円－(×４年度末Ｓ社利益剰余金140,000千円－×３年度末Ｓ社利益剰余金110,000千円)＝10,000千円

STEP 2 成果連結

1．売上と仕入の相殺消去

親子会社間の取引は、企業集団内部での取引になりますので、親会社Ｐ社の売上と子会社Ｓ社の仕入を相殺消去します。なお、仕入の消去については、「当期商品仕入高」を消去するのではなく、連結財務諸表上は売上原価の内訳項目は科目が集約されるので「売上原価」の消去として仕訳します。

(借) 売上高	185,000	(貸) 売上原価	185,000

2．未実現利益の消去(期首商品)

子会社Ｓ社が期首に保有する親会社Ｐ社から仕入れた商品は、Ｐ社が上乗せした未実現利益が計上されているので、消去します。

(借) 利益剰余金当期首残高	7,040	(貸) 売上原価	7,040

Ｓ社保有Ｐ社仕入商品期首残高32,000千円×売上利益率(1－原価率78％)＝7,040千円

なお、期首商品の未実現利益の消去に係る連結修正仕訳は以下の①復元仕訳と②実現仕訳を合わせたものです。

① 復元仕訳

(借)	利益剰余金当期首残高	7,040	(貸) 商　　品	7,040

② 実現仕訳

(借)	商　　品	7,040	(貸) 売 上 原 価	7,040

3．未実現利益の消去(期末商品)

子会社Ｓ社が期末に保有する親会社Ｐ社から仕入れた商品は、Ｐ社が上乗せした未実現利益が計上されているので、消去します。なお、Ｐ社はＳ社に対する商品販売と外部に対する商品販売で同一の原価率を使用しているので、当期のＰ社の損益計算書における売上高と売上原価から原価率を算定します。

(借)	売 上 原 価	7,200	(貸) 商　　品	7,200

Ｓ社保有Ｐ社仕入商品期末残高36,000千円×売上利益率(１－原価率80％)＝7,200千円

当期原価率：Ｐ社損益計算書売上原価960,000千円÷売上高1,200,000千円＝80％

4．債権債務の相殺消去(営業取引に関するもの)

親子会社間の取引で発生した債権債務については相殺消去します。また、連結上はＰ社の行ったＳ社振出手形の割引は手形による借入と考えて「短期借入金」として処理します。なお、Ｓ社のＰ社に対する支払手形は、問題資料におけるＰ社のＳ社に対する受取手形21,500千円に手形の割引をした2,500千円を加算した24,000千円となります。

(借)	支 払 手 形	24,000	(貸) 受 取 手 形	21,500
			短期借入金	2,500
(借)	買 掛 金	20,000	(貸) 売 掛 金	20,000

5．貸倒引当金の修正（営業取引に関するもの）

受取手形および売掛金の相殺消去に伴い受取手形および売掛金に設定していた貸倒引当金を修正します。

（借）貸倒引当金	830	（貸）利益剰余金当期首残高	800
		貸倒引当金繰入	30

なお、貸倒引当金に係る連結修正仕訳は以下の仕訳を合わせたものです。

〈前期設定の貸倒引当金の修正〉

① 復元仕訳

前期の連結修正で受取手形および売掛金に設定されていた貸倒引当金の消去がなされています。まずはこれを復元しますが、過去の貸倒引当金繰入の金額を修正すると利益剰余金の当期首残高に影響を与えるので「利益剰余金当期首残高」とします。

（借）貸倒引当金	800	（貸）利益剰余金当期首残高	800

Ｐ社のＳ社に対する受取手形および売掛金前期末残高40,000千円（＝受取手形18,000千円＋売掛金22,000千円）×２％＝800千円

② 実現仕訳

（借）貸倒引当金繰入	800	（貸）貸倒引当金	800

〈当期設定の貸倒引当金の修正〉

相殺消去仕訳（上記４）により受取手形および売掛金が消去されるので、それに伴い受取手形および売掛金に設定していた貸倒引当金を修正します。

（借）貸倒引当金	830	（貸）貸倒引当金繰入	830

Ｐ社のＳ社に対する受取手形および売掛金当期末残高41,500千円（＝受取手形21,500千円＋売掛金20,000千円）×２％＝830千円

仮に本問でＰ社におけるＳ社株式の取得が１株あたり6,800円だった場合、投資と資本の相殺消去仕訳は以下のように「負ののれん」が生じます。

(借)	資本金	400,000	(貸)	Ｓ社株式	408,000
	資本剰余金	100,000		非支配株主持分	140,000
	利益剰余金	60,000		負ののれん発生益	12,000

また、負ののれん発生益は発生年度に特別利益として全額損益に算入されるので、×３年度の連結修正手続きからは「利益剰余金当期首残高」として処理します。そのため、上記の負ののれん発生益を前提にした場合、(問２)における利益剰余金当期首残高の金額は263,260千円となります。

(問２)

当期首利益剰余金(Ｐ社) 220,000千円
＋当期首利益剰余金(Ｓ社) 110,000千円－開始仕訳75,500千円(ステップ1.1)
－期首商品未実現利益消去7,040千円(ステップ2.2)
＋800千円(ステップ2.5)
＝248,260千円

応用  3級の応用

67 補助簿の読取りと集計

解答

合計残高試算表 (単位：千円)

借方残高 10月31日	借方合計 10月31日	借方合計 9月30日	勘定科目	貸方合計 9月30日	貸方合計 10月31日	貸方残高 10月31日
12,450	21,970	12,570	現金	6,370	9,520	
44,950	80,300	39,000	当座預金	18,000	35,350	
4,520	23,000	23,000	受取手形	11,580	18,480	
18,100	56,500	42,500	売掛金	33,300	38,400	
40,200	40,200	15,000	未収入金			
250,000	250,000	250,000	建物			
91,000	115,000	115,000	機械		24,000	
93,000	93,000	82,000	備品			
	8,880	8,880	支払手形	18,750	27,550	18,670
	33,670	19,800	買掛金	44,900	75,900	42,230
	4,340	2,520	前受金	9,600	11,300	6,960
	29,000	29,000	未払金	55,000	66,000	37,000
			資本金	390,000	390,000	390,000
	4,400	3,400	売上	237,500	291,320	286,920
206,910	210,730	164,680	仕入	1,050	3,820	
13,100	13,100	12,000	営業費			
8,750	8,750	6,700	水道光熱費			
			固定資産売却益		1,200	1,200
782,980	992,840	826,050		826,050	992,840	782,980

解　説

合計残高試算表の作成に関する問題です。解答手順としては、資料から判明する取引を仕訳し、その結果を９月30日の合計の金額に加算して10月31日の金額を記入します。続いて、10月31日の借方合計と貸方合計をもとにして、10月31日の残高を求めます。二重に集計しないように注意してください。

複数の補助簿に記入されている同一の取引を二重に計上しないよう注意が必要です。具体的には、「10月３日：当座売上」「10月６日：当座売上」「10月13日：当座仕入」が複数の補助簿に記入される取引です。

①　補助簿の記入内容

〈現金出納帳〉

10/ 5	(借) 営業費	1,100	(貸) 現金	1,100
10/18	(借) 現金	3,600	(貸) 受取手形	3,600
10/21	(借) 現金	4,100	(貸) 売掛金	4,100
10/22	(借) 水道光熱費	2,050	(貸) 現金	2,050
10/30	(借) 現金	1,700	(貸) 前受金	1,700

〈当座預金出納帳〉

10/ 3	(借) 当座預金	12,000	(貸) 売上	12,000
10/ 6	(借) 当座預金	26,000	(貸) 売上	26,000
10/ 9	(借) 買掛金	11,100	(貸) 当座預金	11,100
10/13	(借) 仕入	6,250	(貸) 当座預金	6,250

当座預金出納帳からは金額が判明しませんが、仕入帳にもこの取引が記帳されているため、仕入帳から6,250円ということを推測します。

10/29	(借) 当座預金	3,300	(貸) 受取手形	3,300

〈仕入帳〉

日付	借方	金額	貸方	金額
10/11	(借) 仕　　入	31,000	(貸) 買　掛　金	31,000
10/12	(借) 買　掛　金	2,770	(貸) 仕　　入	2,770
10/13	~~(借) 仕　　入~~	~~6,250~~	~~(貸) 当座預金~~	~~6,250~~
10/25	(借) 仕　　入	8,800	(貸) 支払手形	8,800

〈売上帳〉

日付	借方	金額	貸方	金額
10/ 3	~~(借) 当座預金~~	~~12,000~~	~~(貸) 売　　上~~	~~12,000~~
10/ 6	~~(借) 当座預金~~	~~26,000~~	~~(貸) 売　　上~~	~~26,000~~
10/ 8	(借) 売　掛　金	6,800	(貸) 売　　上	6,800
10/19	(借) 前　受　金	1,820	(貸) 売　　上	1,820
10/26	(借) 売　掛　金	7,200	(貸) 売　　上	7,200
10/28	(借) 売　　上	1,000	(貸) 売　掛　金	1,000

②　補助簿に記入されない取引

日付	借方	金額	貸方	金額
10/15	(借) 備　　品	11,000	(貸) 未　払　金	11,000
10/23	(借) 未収入金	25,200	(貸) 機　　械	24,000
			固定資産売却益	1,200

応用 3級の応用

68 伝票会計

解答

仕訳日計表
×5年12月1日　1

借方	元丁	勘定科目	元丁	貸方
83,000		現金		71,800
10,000		当座預金		
		受取手形		30,000
89,000		売掛金		40,500
120,000		未収入金		45,000
		支払手形		19,500
75,600	7	買掛金	7	58,000
30,000		借入金		
2,500		売上		89,000
		備品		135,000
58,000		仕入		3,100
8,800		営業費		
15,000		固定資産売却損		
491,900				491,900

総勘定元帳
買掛金　7

×5年		摘要	仕丁	借方	貸方	借/貸	金額
12	1	前月繰越	✓		82,000	貸	82,000
	〃	仕訳日計表	1		58,000	〃	140,000
	〃	〃	〃	75,600		〃	64,400

解　説

伝票の推定問題です。まず、〔資料Ⅱ〕の仕入先元帳を利用して伝票の空欄部分を推定します。その後、伝票をまとめ、仕訳日計表を作成します。

STEP 1 仕入先元帳の空欄部分を推定します。

仕入先元帳の残高欄を利用して借方欄・貸方欄の金額を推定することができます。その後、摘要欄・仕丁欄の記入内容から、この金額がどの伝票の金額であるかを明らかにします。また、問題用紙の伝票に金額が記載済みである場合には、その金額から借方欄・貸方欄の金額を推定することができます。

仕　入　先　元　帳
岐　阜　商　店

×5年		摘　要	仕丁	借　方	貸　方	借/貸	金　額
12	1	前月繰越	✓		53,000	貸	53,000
	〃	出金伝票	No.201	（　①　）		〃	20,000
	〃	振替伝票	No.301		42,000	〃	（　②　）
	〃	振替伝票	No.303	（　③　）		〃	（　④　）

53,000円－（ ① ）＝20,000円　よって、（ ① ）＝33,000円
20,000＋42,000円＝（ ② ）　よって、（ ② ）＝62,000円
振替伝票 No.303より、（ ③ ）は3,100円です。
62,000円－3,100円＝（ ④ ）　よって、（ ④ ）＝58,900円

富 山 商 店

×5年		摘 要	仕丁	借 方	貸 方	借／貸	金 額
12	1	前月繰越	✓		29,000	貸	29,000
	〃	振替伝票	No.302		（ ⑤ ）	〃	（ ⑥ ）
	〃	振替伝票	No.304	（ ⑦ ）		〃	（ ⑧ ）
	〃	振替伝票	No.305	（ ⑨ ）		〃	5,500

振替伝票 No.302より、（ ⑤ ）は16,000円です。

29,000円＋16,000円＝（ ⑥ ）　よって、（ ⑥ ）＝45,000円

振替伝票 No.304より、（ ⑦ ）は20,000円です。

45,000円－20,000円＝（ ⑧ ）　よって、（ ⑧ ）＝25,000円

25,000円－（ ⑨ ）＝5,500円　よって、（ ⑨ ）＝19,500円

STEP 2 伝票の空欄部分を推定し、仕訳日計表を作成します。

借方科目	金額	貸方科目	金額
（借）現　　　金	26,000	（貸）売掛金(熊本)	26,000
（借）現　　　金	12,000	（貸）売掛金(長崎)	12,000
（借）現　　　金	45,000	（貸）未 収 入 金	45,000
（借）買掛金(岐阜)	（ ⑩ ）	（貸）現　　　金	（ ⑩ ）
（借）借　入　金	30,000	（貸）現　　　金	30,000
（借）営　業　費	8,800	（貸）現　　　金	8,800
（借）仕　　　入	（ ⑪ ）	（貸）買掛金(岐阜)	（ ⑪ ）
（借）仕　　　入	16,000	（貸）買掛金(富山)	16,000
（借）買掛金(岐阜)	3,100	（貸）仕　　　入	3,100
（借）買掛金(富山)	20,000	（貸）受 取 手 形	20,000
（借）買掛金(富山)	（ ⑫ ）	（貸）支 払 手 形	（ ⑫ ）
（借）売掛金(熊本)	51,000	（貸）売　　　上	51,000
（借）売掛金(長崎)	38,000	（貸）売　　　上	38,000
（借）売　　　上	2,500	（貸）売掛金(長崎)	2,500
（借）当 座 預 金	10,000	（貸）受 取 手 形	10,000
（借）未 収 入 金	120,000	（貸）備　　　品	（ ⑬ ）
固定資産売却損	15,000		

仕入先元帳の岐阜商店より、出金伝票 No.201は33,000円です。

(⑩)＝33,000円

仕入先元帳の岐阜商店より、振替伝票 No.301は42,000円です。

(⑪)＝42,000円

仕入先元帳の富山商店より、振替伝票 No.305は19,500円です。

(⑫)＝19,500円

(⑬)は仕訳の貸借差額より135,000円と判明します。

復習しよう!

転記時の注意点を確認しておきましょう。

総勘定元帳の摘要欄には、転記元である「仕訳日計表」を記入します。一方、仕入先元帳・得意先元帳の摘要欄には、「伝票の種類」を記入します。また、仕丁欄には「伝票の番号」を記入します。

応用　テキスト　第1・4・8・13章

69 用語穴埋め１

解答

ア	5	イ	6	ウ	8	エ	2
オ	4	カ	9	キ	12	ク	11
ケ	17	コ	19	サ	22		

解説

用語の穴埋め問題です。〔語群〕があるので、用語を一言一句覚えていなくても解答は可能です。ただし、すべて基本的な事項なので、復習の際にはテキスト等に戻って正確に覚えましょう。

1．他の企業の株主総会など意思決定機関を支配している会社を（ア．**親会社**）といい、支配されている当該企業を（イ．**子会社**）という。（イ．**子会社**）の株式を保有している場合、その株式は貸借対照表上は（ウ．**関係会社**）株式として表示される。

本問のように、支配している場合は「子会社」になりますが、支配までは至っておらず影響力を与えているに過ぎない会社は「関連会社」になります。子会社株式と関連会社株式は貸借対照表上「関係会社株式」として表示されます。

2．期末時に保有しているその他有価証券は、決算時の時価で評価されることになるが、時価が取得原価を上回っている場合、「その他有価証券評価差額金」は、（エ．**貸方**）側に残高が生じることになる。

3．自社利用のソフトウェアを資産として計上する場合には、（オ．**無形固定資産**）の区分に計上しなければならない。また、ソフトウェアの取得原価は、原則として（カ．**定額法**）により償却する。

自社利用のソフトウェアの残存価額はゼロで償却をします。なお、記帳方法は直接法のみが認められます。

4．資産と負債を流動や固定に分類するときには、(キ．**正常営業循環基準**)と(ク．**一年基準**)という2つの基準で分類します。これらの基準を適用するにあたって、先に(キ．**正常営業循環基準**)を適用し、流動項目にならなかった資産・負債に対して(ク．**一年基準**)を適用します。

正常営業循環基準とは、企業の正常な営業活動の循環内で生じる資産または負債はすべて流動項目に分類する基準であり、資産・負債はまず正常営業循環基準に従って分類されます。正常営業循環基準で流動項目に分類されなかった資産・負債が、一年基準で分類されます。ここで、一年基準とは、決算日の翌日から起算して1年以内に入金または支払いの期限が到来するものは流動項目とし、入金または支払いの期限が1年を超えて到来するものは固定項目とする基準です。

5．貸借対照表の純資産の部は大きく分けると(ケ．**株主資本**)と(ケ．**株主資本**)以外に分類されます。(ケ．**株主資本**)はさらに資本金、(コ．**資本剰余金**)、利益剰余金に分類されます。一方、(ケ．**株主資本**)以外には評価・換算差額等があり、(サ．**その他有価証券評価差額金**)などが該当します。

応用 テキスト 第３・５・７・10章

70 用語穴埋め２

解答

ア	7	イ	8	ウ	22	エ	6
オ	11	カ	12	キ	4	ク	2
ケ	14	コ	13	サ	18	シ	19
ス	23						

解説

用語の穴埋め問題です。〔語群〕があるので用語を一言一句覚えていなくても解答は可能です。ただし、すべて基本的な事項ですので、復習の際にはテキスト等に戻って正確に覚えましょう。

1．商品の払出数量を求める方法は、(ア．**継続記録法**)と(イ．**棚卸計算法**)があります。(ア．**継続記録法**)によると、正確な払出数量が求められるので売上原価の算定が正確に行えます。また、商品の払出単価を求める方法は、(ウ．**先入先出法**)や(エ．**移動平均法**)などがあります。(ウ．**先入先出法**)によると、期末の商品は最近仕入れた比較的新しい商品から構成されることになります。

継続記録法とは、仕入れた商品の数と払出した商品の数を記録しておき、その記録から払出した商品の数や期末商品の数を求める方法であり、払出した商品の数を記録するので売上原価の算定が正確になります。一方、棚卸計算法は、仕入れた商品の数だけを記録しておき、期末時点で売れ残っている商品の数を数え仕入れた数の合計からその期末商品の数を差引いて払出した数を求める方法なので、事務処理は簡便ですが、売上原価の算定は正確ではありません。

また、先入先出法とは先に仕入れた商品から先に払出すと仮定して商品の単価を求める方法であり、後に仕入れた商品が期末に残ると仮定するので、期末の商品は最近仕入れた比較的新しい商品から構成されることになります。

2．期末において商品の（オ．**正味売却価額**）が原価よりも下落していた場合に商品評価損を計上することになります。商品評価損は原則として（カ．**売上原価**）に含めて表示します。

正味売却価額が原価よりも大きい場合でも商品評価益は計上しません。

3．会社が期中に法人税等の一部を納付することを（キ．**中間申告**）といいます。その後、決算で確定した利益に基づいて納付すべき法人税等を算定し、（キ．**中間申告**）分を差引いた残額を納付することになります。これを（ク．**確定申告**）といいます。

4．売上債権や営業外債権に貸倒引当金を設定しますが、設定の対象になる債権の区分によって、貸倒引当金繰入の表示区分も異なります。売上債権に係る貸倒引当金繰入は（ケ．**販売費及び一般管理費**）に表示し、貸付金などの営業外債権に係る貸倒引当金繰入は（コ．**営業外費用**）に表示します。

貸倒損失も貸倒引当金繰入と同じように、貸倒れた債権の区分によって表示区分が異なります。売上債権に係る貸倒損失は「販売費及び一般管理費」に、営業外債権に係る貸倒損失は「営業外費用」に表示します。

5．固定資産が火災で焼失したときに、保険を付していた場合、焼失時の固定資産の帳簿価額を（サ．**火災未決算**）とします。その後、保険金を受取ったときに、保険金額が固定資産の帳簿価額より大きい場合、帳簿価額との差額を（シ．**保険差益**）とします。（シ．**保険差益**）は（ス．**特別利益**）に表示します。

受取った保険金の額が焼失時の固定資産の帳簿価額よりも少ない場合は、その差額を火災損失とし、特別損失に表示します。

応用 テキスト 第1・4・5～8・13章

71 文章の正誤判断１

解答

1	○	2	○	3	×	4	○
5	○	6	×	7	○	8	×

解説

文章の正誤を判断する問題です。このような問題も、新しい出題パターンとなる可能性があります。普段から、理解を中心とした、正確なインプットを心がけて学習すれば、特段対策は必要ありません。文章の読み間違えなどには、十分注意しましょう。

1．出荷基準は商品を出荷したタイミングで、検収基準は商品がお客さんのもとへ届き、チェックをした後に売上を認識します。そのため、検収基準の方が収益に計上されるタイミングは一般に遅くなるといえます。したがって、本肢の記述は正しいです。

2．本肢の記述は正しいです。

3．利益準備金を繰越利益剰余金や資本金に振替える場合もあります。したがって、本肢の記述は誤りです。

4．本肢の記述は正しいです。

5．本肢の記述は正しいです。

6．再振替仕訳は一般的に期首に行いますが、決算などで行う場合もあります。したがって、本肢の記述は誤りです。

7．本肢の記述は正しいです。

8．無形固定資産は直接控除方式のみが認められ、有形固定資産のように減価償却累計額を間接控除する方法は認められていません。これは、有形固定資産は使用できなくなった後に同様の資産を再び購入して経営活動に使用する場合が多いので、その取得原価を明らかにした方がいいと考えられるからです。したがって、本肢の記述は誤りです。

応用  テキスト 第1・4・6・8・13章

72 文章の正誤判断2

解答

1	○	2	×	3	×	4	×
5	×	6	×	7	×	8	×

解説

文章が誤っている問題は、解説をよく読んで、何が誤っているのかを十分に考えてください。

1．本肢の記述は正しいです。

2．固定資産の購入時に値引や割戻を受けた場合、値引や割戻は固定資産の取得原価から減額されます。したがって、本肢の記述は誤りです。

3．その他有価証券の評価差額であるその他有価証券評価差額金は原則として損益計算書を経由せずに貸借対照表の純資産の部に直接計上されます。したがって、本肢の記述は誤りです。

4．減価償却費は基本的に決算整理で１年分を計上しますが、月次決算を行い、１ヶ月ごとに減価償却費を計上する場合もあります。したがって、本肢の記述は誤りです。

5．子会社株式の期末の時価が取得原価を上回っていても、子会社株式の貸借対照表価額は取得原価になります。したがって、本肢の記述は誤りです。

6．剰余金の配当は利益剰余金からのみならず、資本剰余金からも行われます。具体的には利益剰余金から行う配当は繰越利益剰余金からとなり、資本剰余金から行う配当はその他資本剰余金からとなります。また、利益剰余金から行う配当は利益準備金を積立て、資本剰余金から行う配当は資本準備金を積立てます。したがって、本肢の記述は誤りです。

7．繰越利益剰余金は決算整理の後、資本振替により当期の損益が振替えられた後の金額が次期に繰越されます。したがって、本肢の記述は誤りです。

8．定期預金の貸借対照表における表示区分は、定期預金の満期日により異なります。具体的には、一年基準に従って、決算日の翌日から数えて１年以内に満期が到来する定期預金は流動資産に区分し、「現金及び預金」に含めて表示します。一方、決算日の翌日から数えて１年を超えて満期が到来する定期預金は、固定資産の投資その他の資産に区分し、「長期性預金」として表示します。

日商簿記2級 光速マスターNEO 商業簿記 問題集〈第6版〉

2016年2月25日 第1版 第1刷発行
2022年6月15日 第6版 第1刷発行
著 者●株式会社 東京リーガルマインド
LEC総合研究所 日商簿記試験部

発行所●株式会社 東京リーガルマインド
〒164-0001 東京都中野区中野4-11-10
アーバンネット中野ビル
LECコールセンター 0570-064-464
受付時間 平日9:30～20:00/土・祝10:00～19:00/日10:00～18:00
※このナビダイヤルは通話料お客様ご負担となります。
書店様専用受注センター TEL 048-999-7581 / FAX 048-999-7591
受付時間 平日9:00～17:00/土・日・祝休み
www.lec-jp.com/

カバーデザイン●株式会社エディポック
カバー・本文イラスト●いさじ たけひろ
本文デザイン●ティー エス エヌ
印刷・製本●倉敷印刷株式会社

 ISBN978-4-8449-9938-6

合格のれっくLEC

日商簿記

簿記とは

すべてのビジネスパーソンに役立つ!!

簿記は世界で通用するビジネスの共通言語であり、ビジネスパーソンにとって必要不可欠な知識です。簿記を学習することで、企業活動や社会経済システムが分かり、企業のＩＲ情報や新聞の経済記事などを理解することができます。また、損益計算書や貸借対照表を読み取れるようになるため、企業の経営成績や財政状態を数字で分析するスキルが身に付き、ビジネスや投資活動に役立てることができます。さらに、簿記検定は会計系資格のベースであり、短期間で取得可能なことから、専門資格へのステップアップの第一歩となります。簿記検定の知識やノウハウを生かせる専門資格や活躍の場は多岐にわたり、キャリアアップの可能性がひろがります。日商簿記は、社内での昇給昇格や専門職への転職を希望する社会人、就職活動を控えた学生などにとって、履歴書にアピールポイントとして記載できる資格として、ビジネス社会で活躍するための強力な武器となる資格です。

日商簿記検定ガイド

日商簿記検定は、1級を除いた場合「上位何パーセント合格」といった競争試験ではなく、合格点をクリアしていれば、全員が合格となります。努力した分、確実に結果を得られる資格試験です。

受験資格　学歴・年齢・性別・国籍に制限はありません。（どなたでも受験できます）

各級レベル

	3級	2級	1級
レベル	[簿記の基本] 商業簿記のみの学習ですが、小規模株式会社の経理実務を前提とし、現代のビジネス社会における新しい取引にも対応できる実践的な知識が身につきます。 (学習の目安：1.5～2.5ヶ月／約90時間)	[企業に求められる資格の一つ] 経営管理・財務担当者には必須の知識とされる財務諸表の数字を読み解く力が身につき、経営内容を把握できるようになります。 (学習の目安:3～6ヶ月／約250時間)	[簿記の最高峰] 公認会計士、税理士などの国家資格への登竜門。極めて高度な商業簿記・会計学・工業簿記・原価計算を学び、会計基準・会社法・財務諸表等規則などの企業会計に関する法規を理解し、経営管理や経営分析ができます。 (学習の目安：6ヶ月以上／約550時間)
試験科目・試験時間	商業簿記／60分	商業簿記 工業簿記／90分	商業簿記・会計学／1時間30分 工業簿記・原価計算／1時間30分 (計３時間)
点数配分・合格点	100点／70点以上	商業簿記60点 工業簿記40点 [計100点]／2科目合計70点以上	各科目25点 [計100点]／4科目合計70点以上（ただし1科目でも10点に満たない場合は不合格）

実施試験日　統一試験：2月・6月・11月の年3回（1級は6月・11月のみ）
ネット試験：随時（試験センターが定める日時）

LEC日商簿記　受験生の立場になって真剣に考えました

合格への安心サポート！

2級・3級

安心1 都合に合わせて学習が開始できる　～配信期間はお申込日からカウントします～

講座配信日を見直し、配信期間は申込日からカウントすることにしました。いつ学習を開始されても、2級210日間、3級150日間配信します。一律で配信終了日が決められている講座のように、申込日が遅いと学習期間が短くなってしまうというデメリットが解消されました。

安心2 選べる講義　～Web講義は一科目につき、二人の講師の講義が受講できる～

3級完全マスター講座のWeb講義は、講義時間の異なる二人の講師の講義が視聴できます。
2級完全マスター講座は、対象者・回数を変えた二つの講義が受講できます。予習と復習で講師を変えてみるなど、様々な使い方ができます。

安心3 ネット方式が体験できる　～Web模試を販売中～

新たに開始された「ネット試験」。本番前にはネット方式も体験しておきたいもの。LECでは本試験と同様の環境が体験できるWeb模試を提供しています。受講期間中なら、何度でもトライアルできます。
3級Web模試　2,750円(税込)　/　2級Web模試　4,400円(税込)

1級

安心1 「安心の学習期間」　～次回の検定までWeb受講可能～

コースに含まれているすべての講座は目標検定の次の検定試験日の月末までWeb講義を配信します！お仕事などで「目標検定までに講義が受講できなかった」「次の検定で再度チャレンジしたい！」という方も安心。追加料金もなしで、安心して受講できます。
※教えてチューターも次回の検定までご利用できます。

安心2 選べる講義　～Webは一科目につき、2講師の講義で受講できる～

「1級パーフェクト講座」は、対象者の異なる2種類の講義を配信しています。
初めて1級を受験する方には「ベーシック講義」(全66回)、受験経験があり重要ポイントを中心に確認したい方には「アドバンス講義」（全40回）がおススメです。
Web講義なら、別途受講料不要で、2つの講義が視聴できます。
2種類の講義は、使い方次第で多くのメリットが生まれます。
■対象講座：「1級パーフェクト講座」

LEC全国学校案内

＊講座のお問合せ、受講相談は最寄りのLEC各校へ

LEC本校

北海道・東北

札　幌本校　☎011(210)5002
〒060-0004 北海道札幌市中央区北4条西5-1　アスティ45ビル

仙　台本校　☎022(380)7001
〒980-0022 宮城県仙台市青葉区五橋1-1-10　第二河北ビル

関東

渋谷駅前本校　☎03(3464)5001
〒150-0043 東京都渋谷区道玄坂2-6-17　渋東シネタワー

池　袋本校　☎03(3984)5001
〒171-0022 東京都豊島区南池袋1-25-11　第15野萩ビル

水道橋本校　☎03(3265)5001
〒101-0061 東京都千代田区神田三崎町2-2-15　Daiwa三崎町ビル

新宿エルタワー本校　☎03(5325)6001
〒163-1518 東京都新宿区西新宿1-6-1　新宿エルタワー

早稲田本校　☎03(5155)5501
〒162-0045 東京都新宿区馬場下町62　三朝庵ビル

中　野本校　☎03(5913)6005
〒164-0001 東京都中野区中野4-11-10　アーバンネット中野ビル

立　川本校　☎042(524)5001
〒190-0012 東京都立川市曙町1-14-13　立川MKビル

町　田本校　☎042(709)0581
〒194-0013 東京都町田市原町田4-5-8　町田イーストビル

横　浜本校　☎045(311)5001
〒220-0004 神奈川県横浜市西区北幸2-4-3　北幸GM21ビル

千　葉本校　☎043(222)5009
〒260-0015 千葉県千葉市中央区富士見2-3-1　塚本大千葉ビル

大　宮本校　☎048(740)5501
〒330-0802 埼玉県さいたま市大宮区宮町1-24　大宮GSビル

東海

名古屋駅前本校　☎052(586)5001
〒450-0002 愛知県名古屋市中村区名駅4-6-23　第三堀内ビル

静　岡本校　☎054(255)5001
〒420-0857 静岡県静岡市葵区御幸町3-21　ペガサート

北陸

富　山本校　☎076(443)5810
〒930-0002 富山県富山市新富町2-4-25　カーニープレイス富山

関西

梅田駅前本校　☎06(6374)5001
〒530-0013 大阪府大阪市北区茶屋町1-27　ABC-MART梅田ビル

難波駅前本校　☎06(6646)6911
〒542-0076 大阪府大阪市中央区難波4-7-14　難波フロントビル

京都駅前本校　☎075(353)9531
〒600-8216 京都府京都市下京区東洞院通七条下ル2丁目
東塩小路町680-2　木村食品ビル

京　都本校　☎075(353)2531
〒600-8413　京都府京都市下京区烏丸通仏光寺下ル
大政所町680-1 第八長谷ビル

神　戸本校　☎078(325)0511
〒650-0021 兵庫県神戸市中央区三宮町1-1-2　三宮セントラルビル

中国・四国

岡　山本校　☎086(227)5001
〒700-0901 岡山県岡山市北区本町10-22　本町ビル

広　島本校　☎082(511)7001
〒730-0011 広島県広島市中区基町11-13　合人社広島紙屋町アネクス

山　口本校　☎083(921)8911
〒753-0814 山口県山口市吉敷下東 3-4-7　リアライズⅢ

高　松本校　☎087(851)3411
〒760-0023 香川県高松市寿町2-4-20　高松センタービル

松　山本校　☎089(961)1333
〒790-0003 愛媛県松山市三番町7-13-13　ミツネビルディング

九州・沖縄

福　岡本校　☎092(715)5001
〒810-0001 福岡県福岡市中央区天神4-4-11　天神ショッパーズ福岡

那　覇本校　☎098(867)5001
〒902-0067 沖縄県那覇市安里2-9-10　丸姫産業第2ビル

EYE関西

EYE 大阪本校　☎06(7222)3655
〒530-0013　大阪府大阪市北区茶屋町1-27　ABC-MART梅田ビル

EYE 京都本校　☎075(353)2531
〒600-8413　京都府京都市下京区烏丸通仏光寺下ル
大政所町680-1 第八長谷ビル

LEC提携校

＊提携校はLECとは別の経営母体が運営をしております。
＊提携校は実施講座およびサービスにおいてLECと異なる部分がございます。

北海道・東北

北見駅前校【提携校】 ☎0157(22)6666
〒090-0041　北海道北見市北1条西1-8-1　一燈ビル　志学会内

八戸中央校【提携校】 ☎0178(47)5011
〒031-0035　青森県八戸市寺横町13　第1朋友ビル　新教育センター内

弘前校【提携校】 ☎0172(55)8831
〒036-8093　青森県弘前市城東中央1-5-2
まなびの森　弘前城東予備校内

秋田校【提携校】 ☎018(863)9341
〒010-0964　秋田県秋田市八橋鯲沼町1-60
株式会社アキタシステムマネジメント内

関東

水戸見川校【提携校】 ☎029(297)6611
〒310-0912　茨城県水戸市見川2-3092-3

所沢校【提携校】 ☎050(6865)6996
〒359-0037　埼玉県所沢市くすのき台3-18-4　所沢K・Sビル
合同会社LPエデュケーション内

東京駅八重洲口校【提携校】 ☎03(3527)9304
〒103-0027　東京都中央区日本橋3-7-7　日本橋アーバンビル
グランデスク内

日本橋校【提携校】 ☎03(6661)1188
〒103-0025　東京都中央区日本橋茅場町2-5-6　日本橋大江戸ビル
株式会社大江戸コンサルタント内

新宿三丁目駅前校【提携校】 ☎03(3527)9304
〒160-0022　東京都新宿区新宿2-6-4　KNビル　グランデスク内

東海

沼津校【提携校】 ☎055(928)4621
〒410-0048　静岡県沼津市新宿町3-15　萩原ビル
M-netパソコンスクール沼津校内

北陸

新潟校【提携校】 ☎025(240)7781
〒950-0901　新潟県新潟市中央区弁天3-2-20　弁天501ビル
株式会社大江戸コンサルタント内

金沢校【提携校】 ☎076(237)3925
〒920-8217　石川県金沢市近岡町845-1　株式会社アイ・アイ・ピー金沢内

福井南校【提携校】 ☎0776(35)8230
〒918-8114　福井県福井市羽水2-701　株式会社ヒューマン・デザイン内

関西

和歌山駅前校【提携校】 ☎073(402)2888
〒640-8342　和歌山県和歌山市友田町2-145
KEG教育センタービル　株式会社KEGキャリア・アカデミー内

中国・四国

松江殿町校【提携校】 ☎0852(31)1661
〒690-0887　島根県松江市殿町517　アルファステイツ殿町
山路イングリッシュスクール内

岩国駅前校【提携校】 ☎0827(23)7424
〒740-0018　山口県岩国市麻里布町1-3-3　岡村ビル　英光学院内

新居浜駅前校【提携校】 ☎0897(32)5356
〒792-0812　愛媛県新居浜市坂井町2-3-8　パルティフジ新居浜駅前店内

九州・沖縄

佐世保駅前校【提携校】 ☎0956(22)8623
〒857-0862　長崎県佐世保市白南風町5-15　智翔館内

日野校【提携校】 ☎0956(48)2239
〒858-0925　長崎県佐世保市椎木町336-1　智翔館日野校内

長崎駅前校【提携校】 ☎095(895)5917
〒850-0057 長崎県長崎市大黒町10-10　KoKoRoビル
minatoコワーキングスペース内

沖縄プラザハウス校【提携校】 ☎098(989)5909
〒904-0023　沖縄県沖縄市久保田3-1-11
プラザハウス　フェアモール　有限会社スキップヒューマンワーク内

※上記は2022年5月1日現在のものです。

書籍の訂正情報の確認方法とお問合せ方法のご案内

このたびは、弊社発行書籍をご購入いただき、誠にありがとうございます。
万が一誤りと思われる箇所がございましたら、以下の方法にてご確認ください。

1 訂正情報の確認方法

発行後に判明した訂正情報を順次掲載しております。
下記サイトよりご確認ください。

www.lec-jp.com/system/correct/

2 お問合せ方法

上記サイトに掲載がない場合は、下記サイトの入力フォームより
お問合せください。

lec.jp/system/soudan/web.html

フォームのご入力にあたりましては、「Web教材・サービスのご利用について」の
最下部の「ご質問内容」に下記事項をご記載ください。

・対象書籍名（○○年版、第○版の記載がある書籍は併せてご記載ください）
・ご指摘箇所（具体的にページ数の記載をお願いします）

お問合せ期限は、次の改訂版の発行日までとさせていただきます。
また、改訂版を発行しない書籍は、販売終了日までとさせていただきます。

※インターネットをご利用になれない場合は、下記①～⑤を記載の上、ご郵送にてお問合せください。
①書籍名、②発行年月日、③お名前、④お客様のご連絡先（郵便番号、ご住所、電話番号、FAX番号）、⑤ご指摘箇所
送付先：〒164-0001 東京都中野区中野4-11-10 アーバンネット中野ビル
東京リーガルマインド出版部 訂正情報係

・正誤のお問合せ以外の書籍の内容に関する質問は受け付けておりません。
また、書籍の内容に関する解説、受験指導等は一切行っておりませんので、あらかじめご了承ください。
・お電話でのお問合せは受け付けておりません。

講座・資料のお問合せ・お申込み

LECコールセンター 0570-064-464

受付時間：平日9:30～20:00/土・祝10:00～19:00/日10:00～18:00
※このナビダイヤルの通話料はお客様のご負担となります。
※このナビダイヤルは講座のお申込みや資料のご請求に関するお問合せ専用ですので、書籍の正誤に関するご質問をいただいた場合、上記「②正誤のお問合せ方法」のフォームをご案内させていただきます。